A transmissão geracional em diferentes contextos

Dados Internacionais de Catalogação na Publicação (CIP)
(Câmara Brasileira do Livro, SP, Brasil)

A transmissão geracional em diferentes contextos:
da pesquisa à intervenção / Maria Aparecida Penso,
Liana Fortunato Costa (orgs.). – São Paulo: Summus, 2008.

Bibliografia.
ISBN 978-85-323-0494-0

1. Comunicação intergeracional 2. Genograma 3. Relações intergeracionais 4. Violência familiar I. Penso, Maria Aparecida. II. Costa, Liana Fortunato.

08-01460 CDD-150.195

Índice para catálogo sistemático:

1. Transmissão geracional : Psicanálise: Psicologia 150.195

A transmissão geracional em diferentes contextos

Da pesquisa à intervenção

Maria Aparecida Penso
Liana Fortunato Costa
(ORGS.)

A TRANSMISSÃO GERACIONAL EM DIFERENTES CONTEXTOS
Da pesquisa à intervenção

Editora executiva: **Soraia Bini Cury**
Assistentes editoriais: **Bibiana Leme e Martha Lopes**
Capa: **Gabrielly Silva**
Projeto gráfico e diagramação: **Crayon Editorial**

Summus Editorial
Departamento editorial:
Rua Itapicuru, 613 – 7º andar
05006-000 – São Paulo – SP
Fone: (11) 3872-3322
Fax: (11) 3872-7476
http://www.summus.com.br
e-mail: summus@summus.com.br

Atendimento ao consumidor:
Summus Editorial
Fone: (11) 3865-9890

Vendas por atacado:
Fone: (11) 3873-8638
Fax: (11) 3873-7085
e-mail: vendas@summus.com.br

Impresso no Brasil

SUMÁRIO

Parte 1

1 ASPECTOS TEÓRICOS DA TRANSMISSÃO TRANSGERACIONAL E DO GENOGRAMA

MARIA APARECIDA PENSO
LIANA FORTUNATO COSTA
MARIA ALEXINA RIBEIRO

HISTÓRICO E DEFINIÇÃO DO GENOGRAMA

Atualmente, o genograma é um instrumento bastante utilizado não só por terapeutas de família e pesquisadores da dinâmica familiar, mas também por outros profissionais da área de saúde que trabalham com crianças, adolescentes e adultos. Isso justifica a importância de compreender sua origem e os pressupostos que direcionam sua utilização.

De acordo com Nichols e Schwartz (1998), a utilização do genograma em trabalhos com famílias foi iniciada por Murray Bowen, no National Institute of Mental Health (NIMH), em 1954, com o que ele denominou de "diagrama da família". Em uma publicação de 1972, Phillip Guerin renomeou esse diagrama como "genograma". Posteriormente, Guerin, Eileen e Pendegast (1976) escreveram sobre a utilidade do genograma como avaliação diagnóstica na primeira entrevista com a família.

A grande aplicação do genograma pelos terapeutas de família deve-se ao fato de que esse instrumento permite melhor utilização do tempo da entrevista. Por meio de uma estrutura bem definida e de um método eficiente para obter informações sobre a família, ele fornece uma representação dos laços transgeracionais e intergeracionais (Benoit, 1997; Colle, 2001; Guerin e Gordon, 1988; McGoldrick e Gerson, 1995; Nichols e Schwartz, 1998).

Miermont *et al.* (1994) fornecem uma definição bastante completa do que os terapeutas sistêmicos entendem como genograma: "O genograma é um mapa que oferece uma imagem gráfica da estrutura familiar ao longo de várias gerações, esquematiza as grandes etapas do ciclo de vida familiar, além dos movimentos emocionais a ele associados" (p. 291). McGoldrick e Gerson (1995), de forma semelhante, apontam que o genograma é uma descrição dos padrões familiares de forma telegráfica. Ele pode ser usado para mapear a família em cada fase do ciclo de vida familiar. Assim, esse instrumento auxilia na elucidação da estrutura do ciclo de vida familiar, do mesmo modo que o ciclo de vida familiar pode ajudar na interpretação do genograma (Carter e McGoldrick, 1995; McGoldrick e Gerson, 1987, 1995).

Ceberio (2004) aponta que muito pouco se escreveu sobre o genograma em língua espanhola – isso justifica o lançamento de seu livro. O mesmo pode-se dizer sobre a publicação em língua portuguesa desse conceito tão importante para os estudiosos e para aqueles que trabalham em intervenções com famílias. Esse autor define o genograma como o desenho de uma árvore ramificada em que surge o desenho da constelação familiar multigeracional de uma pessoa. Também se pode compreender o genograma como um resumo clínico das informações sobre a família e seu potencial de saúde, seus problemas, os riscos de adoecimento presentes nas relações, entre as pessoas de uma mesma geração, ou entre gerações subseqüentes.

A TRANSMISSÃO TRANSGERACIONAL: PRESSUPOSTOS TEÓRICOS

A utilização do genograma parte do pressuposto de que a família possui uma história que extrapola a família nuclear e envolve a família extensa. O movimento dialético de pertencimento e separação presente na história da família nuclear, que busca a autonomia dos filhos, vai reatualizar as regras transgeracionais e os padrões de relacionamento dos diferentes sistemas familiares de origem, e esse movimento de autonomização dos filhos varia em função dos mitos familiares de cada um dos pais (Miermont *et al.*, 1994; Preto, 1995).

Carter e McGoldrick (1995), ao elaborar as fases distintas para o ciclo de vida da família atual, influenciadas pelos conceitos da teoria boweniana, enriqueceram seu trabalho acrescentando um ponto de vista multigeracional (Nichols e Schwartz, 1998). O argumento usado foi de que a passagem pelas diversas etapas do ciclo de vida e a forma de lidar com as crises não vão depender apenas dos recursos da família nuclear, mas também dos legados familiares de outras gerações, ou seja, da forma como as gerações anteriores resolveram essas mesmas crises. Embora essas autoras reconheçam o padrão dominante de família nuclear, consideram que ela é um subsistema emocional reagindo aos relacionamentos passados, com base no modelo mítico que perpassa as gerações.

Nesse sentido, é muito importante a compreensão dos mitos familiares como transmissores de padrões relacionais multigeracionais. O conceito de mito familiar foi introduzido na terapia familiar há quatro décadas por Ferreira (1963), e pressupõe que, do mesmo modo que a sociedade cria mitos que justificam sua existência, a família também tem um modelo mítico que garante sua coesão interna e sua proteção externa.

> O mito, como qualquer mecanismo de defesa, protege o sistema contra a ameaça de destruição e caos. Ele tende a manter e, algumas vezes, até aumentar, o nível de organização da família pelo estabelecimento de padrões que se autoperpetuam, com a circularidade e autocorreção característica de qualquer mecanismo homeostático. (Ferreira, 1963, p. 462)

Desde então, esse conceito tem sido incorporado por diferentes autores que trabalham com famílias, na busca da compreensão de seu funcionamento: Andolfi e Angelo (1988), Ausloos (1984), Benoit (1997), Bucher (1985, 1986), Neuburger (1999), Selvini-Palazzoli (1978), Watzlawick, Beavin e Jackson (1981), apenas para citar alguns.

Entre esses autores, Bucher (1985, p. 111), estudando os trabalhos de Ferreira, escreve:

> O mito familiar é um sistema de crenças que diz respeito aos membros de uma família, seus papéis e suas atribuições em suas transações recíprocas; é constituído de convicções compartilhadas pelo conjunto de pessoas que integram esse sistema e são aceitas *a priori*, mesmo quando irreais, como uma coisa sagrada e tabu; serve como mecanismo homeostático, tendo por função manter a coesão grupal e fortalecer a manutenção dos papéis sociais de cada um. Por esta razão, dificulta e até impede o sistema familiar de se deteriorar ou até de se destruir.

Essa definição é bastante abrangente e mostra que o mito familiar está presente em todas as famílias, constituindo-se no cimento que proporciona ao grupo familiar um sentido de identidade (Neuburger, 1999). Portanto, o mito define as regras, as crenças e os papéis dentro da família, ditando sua forma de funcionamento e mantendo sua coesão (Rosa, 1997). Sendo assim, cada família construirá sua mitologia baseada nas singularidades genéticas, culturais e históricas de cada um de seus membros (Miermont *et al.*, 1994).

As colocações de Simon *et al.* (1988) também vão ao encontro da definição de Bucher (1985), apresentada acima, pois, para esses autores, os mitos têm a dupla função de proteção e defesa da família. Como protetores, eles interferem na interação da família com o exterior, mantendo afastados os "intrusos", ou, pelo menos, evitando que se faça conhecida a realidade familiar. Como mecanismo de defesa, eles atuam para "distorcer a realidade" das relações familiares, evitando a dor e o conflito, protegendo assim a família do enfrentamento com algumas verdades dolorosas sobre o próprio funcionamento.

O que permite a transmissão do mito são a memória familiar e os rituais, dois movimentos familiares interconectados e interdependentes. É a memória familiar que garante a reprodução simbólica da família ao longo das gerações, lembrando o mito fundador da célula familiar (Bucher, 1985, 1986). Isso significa que as famílias selecionam aquilo que consideram importante de ser compartilhado por todos os seus membros, e essas informações são transmitidas ao longo do ciclo de vida familiar e também ao longo das gerações. Em sua dimensão paradoxal, a memória transmite um conteúdo de informações, mas também administra aquilo que convém esquecer para assegurar a continuidade familiar (Neuburger, 1999).

À medida que se realizam os rituais, a memória familiar é resgatada e se valida a experiência e o estar juntos, acentuando-se também o aspecto de transformações sucessivas, que servem de apoio aos significados que cada pessoa lhes atribui. Os ritos são moldados pelas regras estabelecidas pela família e são responsáveis pela exteriorização dos hábitos familiares (Krom, 2000).

A memória familiar permite a definição, pela família, de rituais que organizam as relações interpessoais de seus membros. Esses rituais são produtos da tradição, sendo transmissíveis e sancionados pelo grupo, exteriorizando os hábitos que são ancorados nas regras familiares, e têm como função principal transmitir e perpetuar o mito familiar (Andolfi e Angelo, 1988; Bucher, 1985). Para Neuburger (1999), a memória familiar é, essencialmente, um processo de seleção daquilo que convém esquecer e daquilo que é necessário lembrar para sustentar, manter e transmitir o mito de um grupo familiar.

Perpetuando o mito familiar, os rituais contribuem para manter a identidade familiar, sinalizando as transições normativas do ciclo de vida familiar e ajudando os membros da família no manejo e na resolução dos conflitos, pela possibilidade de expressão das emoções (Imber-Black, 1995). No entanto, do mesmo modo que os ritos são importantes e úteis para a sobrevivência do sistema familiar, eles também podem ser altamente destruidores, caso se tornem muito rígidos e não passíveis de mudanças.

Para Martins e Cerveny (1997, p. 75-76), os rituais, como expressão dos mitos, têm a função de propiciar sua manutenção e revisão simultâneas:

> Na função de manutenção, transmite[m] e perpetua[m] as crenças peculiares, ao mesmo tempo em que ensina[m] aos membros da família os modelos de interação relativos a situações específicas ou vivências emocionais a elas ligadas. Podem também incluir funções de transmissão de significados reelaborados pelos membros da família introduzindo mudanças e transformações do mito original.

Os mitos e ritos familiares são fundamentais no desenvolvimento da família, pois fornecem um sentido de pertencimento, mas precisam ser suficientemente flexíveis para se transformarem, ao longo do tempo. O mito é uma criação coletiva que diz respeito a todos os membros da família e que é, em parte, "herdado" da família de origem (Andolfi e Angelo, 1988; Bucher, 1985), e precisa ser compreendido também em sua dimensão transgeracional. Como apontam esses autores, para se compreender o significado do mito é necessário considerar, pelo menos, três gerações.

Para Krom (2000), o ritual pode ser considerado um sistema de intercomunicação simbólica entre o nível do pensamento cultural e os complexos significados culturais, por um lado, e a ação social e o acontecimento imediato por outro. Esse sistema pode facilitar a comunicação entre os indivíduos, as famílias e as comunidades, entre passado, presente e futuro, favorecendo a reorganização de pautas de funcionamento que podem colaborar para a modificação de aspectos ligados à mitologia familiar.

Podemos afirmar, portanto, que os mitos perpetuados e atualizados pelos rituais, definidos, por sua vez, com base na memória familiar, mantêm a unidade do sistema, dando-lhe um sentido de identidade próprio através dos tempos e das gerações. Esse processo dinâmico pode ser representado e compreendido com base na construção do genograma e da investigação do processo de transmissão transgeracional, com suas repetições, atualizações e possibilidades de transformação.

O PROCESSO DE DELEGAÇÃO E A MANUTENÇÃO DOS MITOS FAMILIARES

No estudo dos mitos familiares e de sua transmissão por meio da memória e dos ritos familiares, observa-se que eles delegam a cada membro da família um papel e um destino bem precisos. A delegação constitui o ponto de ancoragem das obrigações que nos são transmitidas através das gerações. Ela dá uma direção e uma significação à nossa vida, é um processo necessário e legítimo (Miermont *et al.*, 1994; Stierlin *et al.*, 1981). A delegação é a expressão de um processo natural e indispensável para a construção da identidade e varia conforme a história familiar. As dificuldades surgem quando aquele a quem algo é delegado não tem ainda a maturidade ou as características necessárias para assumir as missões que lhe são passadas, perturbando, assim, seu desenvolvimento psicossocial. Ou, ainda, quando existem delegações contraditórias e inconciliáveis.

O conceito de delegação está ligado ao de lealdade familiar, que é definida por Boszormenyi-Nagy e Spark (1983) como uma trama motivacional tipicamente dialética, de raízes multipessoais, que implica a existência de expectativas estruturadas de grupo, em que todos os membros adquirem um compromisso, com um forte componente de obrigação ética. Portanto, é um conceito fundamental para compreender a estruturação mais profunda das famílias. A lealdade implica uma contabilidade de méritos familiares que se torna um padrão de medida da idéia que a família tem da Justiça no âmbito familiar (Simon *et al.*, 1988). A contabilidade dos méritos é um termo utilizado por Boszormenyi-Nagy e Spark (1983) para definir o que cada um de seus membros pode esperar receber e o que deve dar à família. Krom (2000) afirma que o que nos foi legado influencia de maneira poderosa toda nossa vida. Esses conteúdos identificados como "lealdades invisíveis" referem-se à existência de expectativas estruturadas diante das quais todas as pessoas na família assumem compromissos. A autora afirma que é possível representá-las com a imagem de um grande livro, com as bordas rotas e a escrita envelhecida de arabescos antigos, em que se contabilizam os créditos e os débitos familiares, estabelecendo conexões tiranas entre as gerações passadas e futuras, criando expectativas que nos influenciam.

Conforme foi colocado anteriormente, o contrato de delegação pressupõe a existência de uma ética nas famílias. Bons relacionamentos familiares incluem um comportamento ético e a consideração pelo bem-estar e pelos interesses de cada membro. Tal postura pressupõe a lealdade, que, com a confiança, proporciona a cola que mantém as famílias unidas, sendo muito importante para a sua sobrevivência (Nichols e Schwartz, 1998). No entanto, em alguns casos, a lealdade pode se dar à custa da exploração dos membros da família, caracterizada por um equilíbrio injusto entre dar e receber.

O PROCESSO DE TRANSMISSÃO MULTIGERACIONAL

Na tentativa de explicar o processo de repetição de padrões de relacionamento, especificamente o processo de projeção familiar, Bowen (1976) elabora o conceito de "transmissão multigeracional". Esse conceito descreve a transmissão dos níveis de diferenciação do *self* da família, por meio das gerações múltiplas, e conduz a doença emocional além do indivíduo e de sua família nuclear para várias gerações passadas. Como afirmam Nichols e Schwartz (1998): "O problema familiar é o resultado de uma seqüência multigeracional em que todos os membros da família são agentes e reagentes" (p. 314). Nesse sentido, o grau de diferenciação do *self* é resultado de um processo familiar, transmitido por meio das gerações, que nos ajuda a entender os movimentos de separação e pertencimento nas famílias.

Esse processo de transmissão que leva à repetição de padrões de relacionamento é especialmente visível nas relações conjugais, o que levou alguns terapeutas de família a desenvolver modelos de terapia conjugal que incluam as famílias de origem. De acordo com Framo (2002), a utilização da família de origem como recurso terapêutico em terapia familiar, de casal e individual representa o resultado lógico e a aplicação clínica do conceito segundo o qual forças transgeracionais veladas exercem uma influência crítica sobre as relações íntimas atuais. Assim, é preciso incluir três gerações no trabalho com casais ou famílias. Para o autor, as atuais dificuldades conjugais, pessoais e parentais são esforços de reparação para corrigir, controlar, defender-se e apagar antigos e perturbadores paradigmas relacionais ligados à família de origem. Desse modo, o método centrado na família de origem é fundamental para todos os tipos de terapia: familiar, de casal, de grupos de casais e terapia do divórcio.

ESPECIFICIDADES DA HISTÓRIA TRANSGERACIONAL NO CONTEXTO BRASILEIRO DE EXCLUSÃO SOCIAL E POBREZA

Bowen (1991) relata sua experiência na construção de genogramas de 24 famílias de classe média, em que foi possível retornar mais de cem anos no tempo, possibilitando às famílias uma reconstrução de seus mitos, mistificações, lembranças e opiniões. Nesse processo, cada um dos membros dessas famílias puderam se dar conta de suas heranças familiares, possibilitando um processo de autoconhecimento e de melhor compreensão de sua história. O autor considera que essa "visita" a nossa história e a nossos antepassados deve ser uma condição essencial no processo de formação de terapeutas familiares, tamanha é sua importância.

É importante ressaltar aqui que a compreensão da história transgeracional de famílias em situação de pobreza e exclusão social no Brasil tem suas peculiaridades, já que as famílias são expostas a cortes entre as gerações em razão das constantes migrações em busca de condições mais favoráveis de sobrevivência, dificultando, assim, a manutenção e a transmissão de uma memória familiar através das gerações, bem como da perpetuação de seus rituais. Nossa experiência no trabalho com essas famílias nos tem mostrado que tal retorno no tempo, muitas vezes, não é possível (Penso, 2003; Penso, Costa e Almeida, 2005).

Isso ocorre, principalmente, porque suas histórias foram perdidas no doloroso processo migratório sofrido, em geral, em direção ao esperado progresso que aguarda a família no Sul do país. Mesmo assim, alguma memória familiar os acompanha, independentemente de todos os cortes que foram obrigados a fazer com suas famílias de origem. A possibilidade de resgatar essa história, mesmo que de forma parcial, é que os ajudará a manter vivos seus mitos e ritos. Portanto, trabalhamos sempre na perspectiva de orientá-los a recontar a sua história da forma como lhes é possível, levando-os a compreender que as rupturas bruscas com o passado não evitam as repetições indesejáveis.

Para esse resgate da história familiar, temos utilizado vários recursos. O mais comum, e que demonstra muita eficácia, é a visitação domiciliar. Seguimos a orientação de Brandão e Costa (2004), que indicam esse espaço de visitação como um espaço com possibilidades terapêuticas, incentivando a presença de toda a família. Percebemos o quanto é importante, para os filhos e/ou netos, escutarem dos adultos a história da família, porque, muitas vezes, essa é a primeira oportunidade para que ela seja conhecida. Nos contextos de pobreza econômica é imprescindível que invertamos a mão, ou seja, que busquemos as informações onde elas poderão ser ofertadas.

O GENOGRAMA COMO INSTRUMENTO DE AVALIAÇÃO, PREVENÇÃO E INTERVENÇÃO

A utilização do genograma para a visualização das relações familiares permite que se trace um panorama dessas relações em dois sentidos: vertical e horizontal. O modo horizontal diz respeito ao contexto atual da família; o vertical, à dimensão histórica das gerações. Ou seja, podemos compreender as relações do ponto de vista histórico, construindo uma história que revela as transições da família e as mudanças processuais e contextuais das famílias coexistentes em determinado tempo. Por outro lado, as relações dinâmicas também revelam o funcionamento, a organização, enfim, as bases do jogo relacional familiar. Os jogos afetivos sincrônicos e diacrônicos adquirem uma visualização expressiva e indubitável ao olhar aguçado de um profissional (Ceberio, 2004).

Como instrumento de avaliação, a árvore genealógica evidencia as alianças, as coalizões, as triangulações, as hierarquias, os mandatos, as crises, a indicação de segredos, possibilitando que se faça uma leitura sistêmica da família, que envolve a estrutura e a organização desse sistema. Essa leitura permite, então, que se possa fazer uma "previsão" dos acontecimentos que se apresentam repetidos e que apontam para tramas e segredos ainda não desvelados. E, finalmente, o genograma tem sido largamente utilizado por muitos terapeutas de família como instrumento terapêutico, tanto em terapias de família como em terapias individuais. Isso se deve ao "poder" revelador das informações obtidas sobre as regras do funcionamento familiar, sobre a indicação dos conflitos e de quais membros da família estão envolvidos nesse conflito. Esses aspectos são, também, as principais pautas de conversação da maioria das terapias.

Gostaríamos ainda de apontar a importância do uso do genograma nos projetos de formação e qualificação dos cursos de especialização em terapia conjugal e familiar, com relação a sua aplicação nos alunos, que também são profissionais, e que assim podem ampliar a abrangência da formação propriamente dita. Reconhecemos a necessidade de seu uso e de que o futuro terapeuta familiar venha a conhecer sua história transgeracional, porém percebemos que são muitas as implicações éticas que envolvem o desvelamento de conflitos de outras gerações.

SÍMBOLOS UTILIZADOS NA CONSTRUÇÃO DOS GENOGRAMAS

Carter e McGoldrick (1995) padronizaram alguns símbolos gráficos para facilitar a comunicação entre diferentes teóricos e terapeutas sobre as informações reunidas no genograma.

Apresentamos abaixo uma compilação dos símbolos que têm sido mais utilizados. Isso não significa que, em função da especificidade de cada família ou de cada problemática, novos símbolos não possam ser criados.

Homem

Mulher

União consensual

Separação da união consensual

Apenas um caso. Não viveram juntos

Casamento

Separação do casamento

Gravidez

Filho e filha

Adoção

Pessoas falecidas

Finalmente, queremos enfatizar que o uso do genograma é uma conseqüência da decisão de privilegiar a dimensão transgeracional, de buscar conhecer como as histórias familiares se repetem e como cada geração tem sua responsabilidade tanto nessa repetição como na transformação das delegações. O genograma nos ajuda na conscientização do poder de nossos antepassados sobre nós.

REFERÊNCIAS BIBLIOGRÁFICAS[1]

ANDOLFI, M. e ANGELO, C. (1987). *Tempo e mito em psicoterapia familiar.* Trad. F. Desidério. Porto Alegre: Artmed, 1988.

AUSLOOS, G. "Secrets de famille". In: BENOIT, J. C. (org.). *Changements systémiques en therapie familiale.* 3. ed. Paris: Les Éditions E.S.F, 1984, p. 62-80.

BENOIT, J. C. *Tratamento das perturbações familiares.* Lisboa: Climepsi, 1997.

BOSZORMENYI-NAGY, I.; SPARK, G. M. *Lealtades invisibles.* Buenos Aires: Amorrortu, 1983.

BOWEN, M. "Theory in the practice of psychotherapy". In: GUERIN, P. J. (org.). *Family therapy: theory and practice.* Nova York: Gardner Press, 1976, p. 42-90.

______. *De la familia al individuo.* Buenos Aires: Paidós, 1991.

BRANDÃO, S. N.; COSTA, L. F. "Visita domiciliar como proposta de intervenção comunitária". In: RIBEIRO, M. A.; COSTA, L. F. (orgs.). *Família e problemas na contemporaneidade: reflexões e intervenções do Grupo Socius.* Brasília: Universa, 2004, p. 157-79.

BUCHER, J. N. F. "Mitos, segredos e ritos na família I". *Psicologia: Teoria e Pesquisa*, 1 (2), 1985, p. 110-17.

______. "Mitos, segredos e ritos na família II". *Psicologia: Teoria e Pesquisa*, 2 (1), 1986, p. 14-22.

CARTER, B.; MCGOLDRICK, M. (1989). "As mudanças no ciclo de vida familiar: uma estrutura para a terapia familiar". In: CARTER, B.; MCGOLDRICK, M. (orgs.). *As mudanças no ciclo de vida familiar.* 2. ed. Trad. M. A. V. Veronese. Porto Alegre: Artmed, 1995, p. 7-29.

1 Ao longo deste livro, o ano entre parênteses em algumas referências indica a data de publicação da edição original.

CEBERIO, M. *Quién soy y de dónde vengo: el taller de genograma*. Buenos Aires: Tres Haches, 2004.

COLLE, F. X. *Toxicomanias, sistemas e famílias*. Lisboa: Climepsi, 2001.

FERREIRA, A. J. "Family, myth and homeostasis". *Archives of General Psychiatry*, 9, 1963, p. 457-63.

FRAMO, J. L. (1999). "Uma abordagem transgeracional à terapia de casal, à terapia familiar e à terapia individual". In: ANDOLFI, M. *A crise do casal: uma perspectiva sistêmico-relacional*. Trad. L. Kahl e G. Menegoz. Porto Alegre: Artmed, 2002, p. 73-8.

GUERIN, P. J., EILEEN, G.; PENDEGAST, M. A. "Evaluation of family system and genograma". In: GUERIN, P. J. (org.). *Family therapy: theory and practice*. Nova York: Gardner Press, 1976, p. 91-110.

GUERIN, P. J.; GORDON, E. M. "Árboles, triángulos y temperamento en la familia centrada en el niño". In: FISHMAN, H. C.; ROSMAN, B. L. (orgs.). *El cambio familiar: desarrollos de modelos*. Barcelona: Gedisa, 1988.

IMBER-BLACK, E. (1989). "Transições idiossincráticas de ciclo de vida e rituais terapêuticos". In: CARTER, B.; MCGOLDRICK, M. (orgs.). *As mudanças no ciclo de vida familiar.* Trad. M. A. V. Veronese. Porto Alegre: Artmed, 1995.

KROM, M. *Família e mitos – Prevenção e terapia: resgatando histórias*. São Paulo: Summus, 2000.

MARTINS, S. R. C.; CERVENY, C. M. de O. "Mitos familiares". *Perfil*, 10 (Suplemento), 1997, p. 69-78.

MCGOLDRICK, M.; GERSON, R. *Genogramas en la evaluación familiar*. Buenos Aires: Gedisa, 1987.

______. (1985). "Genetogramas e o ciclo de vida familiar". In: CARTER, B.; MCGOLDRICK, M. (orgs.). *As mudanças no ciclo de vida familiar*. 2. ed. Trad. M. A. V. Veronese. Porto Alegre: Artmed, 1995, p. 144-66.

MIERMONT, J. *et al*. (1987). *Dicionário de terapias familiares: teoria e prática.* Trad. C. A. M-Loza. Porto Alegre: Artmed, 1994.

NEUBURGER, R. (1995). *O mito familiar*. Trad. S. Rangel. São Paulo: Summus, 1999.

NICHOLS, M. P.; SCHWARTZ, R. C. (1995). *Técnicas de terapia familiar: métodos e técnicas*. Trad. M. F. Lopes. Porto Alegre: Artmed, 1998.

PENSO, M. A. *Dinâmicas familiares e construções identitárias de adolescentes envolvidos em atos infracionais e com drogas.* 2003. Tese de doutorado. Universidade de Brasília, Brasília.

Penso, M. A.; Costa, L. F.; Almeida, T. M. de. "Pequenas histórias, grandes violências". In: Costa, L. F.; Almeida, T. M. de (orgs.). *Violência no cotidiano: do risco à proteção*. Brasília: Líber/Universa, 2005, p. 125-37.

Preto, N. G. (1989). "Transformações do sistema familiar na adolescência". In: Carter, B.; McGoldrick, M. (orgs.). *As mudanças no ciclo de vida familiar*. 2. ed. Trad. M. A. V. Veronese. Porto Alegre: Artmed, 1995, p. 223-47.

Rosa, A. J. "Mitos familiares e saúde mental pública: estudo de caso de uma paciente psicótica e da relação de sua família com a instituição de assistência". *Perfil*, 10 (Suplemento), 1997, p. 79-90.

Selvini-Palazzoli, M. *Paradoxe et contre-paradoxe*. Paris: Les Éditions E.S.F., 1978.

Simon, F. B.; Stierlin, H.; Wynne, L. C. *Vocabulário de terapia familiar*. Buenos Aires: Gedisa, 1988.

Stierlin, H. *et al*. *Terapia di la família: l'a primera entrevista*. Barcelona: Gedisa, 1981.

Watzlawick, P.; Beavin, J. H.; Jackson, D. D. (1967). *Pragmática da comunicação humana*. Trad. A. Cabral. São Paulo: Cultrix, 1981.

2 UM OLHAR ANTROPOLÓGICO SOBRE O EU E A TRANSGERACIONALIDADE

TÂNIA MARA CAMPOS DE ALMEIDA

Durante muito tempo, a antropologia dedicou-se a recompor genogramas e árvores genealógicas dos grupos estudados, buscando compreender melhor as relações sociais, políticas e econômicas entre as pessoas em foco, bem como apreender assim as culturas aí manifestas ou mesmo um horizonte universal humano entre elas. Por meio de inúmeras etnografias, hoje clássicas, pudemos acompanhar a reconstrução de longos trajetos de gerações ancestrais e daquelas mais recentes no seio de várias sociedades, aproximando-nos dos modos de reprodução fundantes de suas organizações, sociabilidades, regras de direitos e deveres.

Como sua atenção inicial se centrou nos povos à margem do processo de produção capitalista e da simbólica da modernidade, dentre eles, os aborígines australianos, os melanésios, as tribos africanas e os diversos indígenas das Américas, a chamada antropologia do parentesco rapidamente se desenvolveu e ganhou um lugar central na disciplina. Para identificar o *ethos* e a visão de mundo desses povos, os estudiosos necessariamente deveriam entrar pela porta das complexas teias que envolviam suas relações familiares em perspectiva diacrônica e sincrônica.

Afinal, nessas sociedades, o parentesco estruturava toda a vida individual, coletiva, doméstica e pública. Juntamente com a religião, que era a forma de conhecimento por excelência, ambos instauravam, exprimiam e orquestravam tanto o "eu" quanto o seu meio. Haja vista que a noção e a representação de pessoa eram completamente calcadas no personagem dramático que o indivíduo desempenhava na esfera coletiva ou no seu papel social. Por isso, era absolutamente necessário trilhar o caminho que possibilitasse refazer o emaranhado feixe de relações que arquitetavam uma construção aberta e plural do "eu" existencial e moral, assim definido apenas em permanente contigüidade com os seus outros.

Para nós, bons herdeiros do Iluminismo e orgulhosos de nos enxergarmos no centro do mundo, é difícil dar-nos conta do abismo simbólico que nos separa dos povos ditos pré-modernos, bem como de seguirmos as lógicas subjacentes a essas peculiaridades tão marcantes de nossa alteridade e com elas aprendermos sobre nós mesmos. No entanto, esforçar-me-ei aqui em precisar alguns pontos desse debate, tornando-o fecundo para a ampliação de conhecimentos sobre o "si mesmo" entre nós. Em seguida, procurarei contribuir com algumas novas reflexões sobre a idéia de transgeracionalidade em nossa sociedade, rompendo com a hegemonia de modelos biologicizantes e inspirados em um padrão burguês de família nuclear. Por fim, sempre lançando mão de saberes antropológicos e de uma perspectiva relativizadora, indicarei elementos importantes para o aprofundamento da interlocução nesse campo com teorias psicológicas, em especial por meio de abordagens que levam em conta o sistema familiar/transgeracional como uma unidade de análise e intervenção.

O EU MODERNO

Vários foram os trabalhos antropológicos pioneiros na descoberta do caráter variável da idéia de pessoa nos diferentes grupos humanos e em diversas épocas. Começamos pelo ensaio inaugural de Marcel Mauss (1985) sobre a noção de pessoa e do si mesmo como uma categoria da mente humana, o qual abre uma série de estudos relevantes nessa temática. Grosso modo, tal ensaio aponta para a emergência, apresentada em termos não só históricos, mas também evolutivos, da noção reflexiva moderna do "si mesmo", que se encontra na base de nossas disciplinas humanísticas, em particular nos tradicionais saberes dedicados à psique. Com base nessa formulação teórica marcante, a construção interiorizada e introspectiva da categoria de pessoa no mundo moderno passa a ser percebida e entendida como não natural, além de diferenciada das representações próprias das demais sociedades e épocas.

Como exemplo paradigmático dessas outras realidades, há a magnífica etnografia de Maurice Leenhardt, publicada em 1947, a respeito da pessoa e do mito na Melanésia. Nela, são reconstruídas, com detalhes e grande sensibilidade, as inúmeras redes de relações que embasam a evidência aberta e plural da pessoa para os canacas da Nova Caledônia. O autor foi capaz de mostrar a impossibilidade de lhe atribuir as premissas que regem o nosso centramento num forte e exclusivo núcleo de subjetividade existencial e moral (Leenhardt, 1979).

A reflexão de Irving Halloewell sobre "o si mesmo em seu meio comportamental" contribui para tal discussão com o esclarecimento de que o si mesmo – como consciência de si ou experiência de si – e o seu ambiente estão profundamente imbricados. Na verdade, são produtos de um mesmo processo, por serem ambos, em igual medida, "culturalmente constituídos" (Halloewell, 1955).

Vários autores mais recentes tornaram-se também referências clássicas nesse campo. Louis Dumont (1970) sustentou a singularidade da construção da pessoa moderna sob a forma da idéia-valor indivíduo. Ou seja, a pessoa entre nós é concebida e se concebe na condição de uma mônada social, confrontada e em tensão com sua coletividade, além de correlata de um tipo de ideologia que Dumont caracterizou como igualitária. O indivíduo-cidadão, porque movido por valores interiorizados pela consciência, contrapõe-se, em sua análise, à pessoa completamente subordinada ao papel social das sociedades hierárquicas e holistas, sendo a Índia o exemplo típico.

Já Geertz sugeriu que a concepção da pessoa – indissoluvelmente vinculada por ele à experiência de si –, numa dada cultura, é uma noção-chave para aceder ao ponto de vista do nativo, quer dizer, ao mundo de vida próprio de cada povo em questão. Logo, o antropólogo encontra o caminho que leva a essa "mais íntima das noções... indagando e analisando as formas simbólicas – palavras, imagens, instituições, comportamentos – em cujos termos, em cada lugar, as pessoas se representam a si mesmas, perante si mesmas e umas às outras" (Geertz, 1977, p. 483).

Na área específica dos estudos africanos e afro-brasileiros, Roger Bastide (1981) afirma a dificuldade de se falar de indivíduo nessas culturas, tão presentes nas camadas populares do país. Nelas está ausente a concepção dessa entidade como intrinsecamente unitária, isolada e autônoma. Para ele, nas tradições africanas, a pessoa humana é concebida como um agregado – a pluralidade de almas – em estado de participação com o ambiente e seu passado. A unidade da pessoa, então, é ali um momento transitório de equilíbrio desses componentes, e suas acomodações sucessivas resultam do movimento de auto-identificação pelo sujeito e de sua identificação pelos outros.

Se inicialmente o esforço por desnaturalizar a noção de pessoa foi um trabalho exclusivo de antropólogos e o relativismo constitutivo dessa operação foi uma bandeira disciplinar por excelência, com Foucault tal temática transcendeu e implodiu as fronteiras do ofício antropológico, transportando-a criticamente para outros domínios. De fato, a preocupação por indagar a emergência do sujeito moderno, como produção do poder historicamente situado e orquestrado, perpassa grande parte de sua obra (Segato, 2005) e coloca em xeque pressupostos básicos dessa produção.

Em consonância com seu tempo, a psicologia formulou modelos para o psiquismo que contribuíram sobremaneira para a criação imaginária e simbólica dos seres modernos, assim como para o entendimento e a manipulação deles, por parte das ciências, nos termos desses modelos. De modo geral, as vertentes teóricas da psicologia privilegiaram as ações, os sentimentos e as reflexões do eu consciente/inconsciente como lócus central de agência, referência central para a individuação e os processos de identidade pessoal, ainda que inserido em diferentes redes sociais e contextos.

Contudo, contrapontos presentes na perspectiva antropológica e na de demais intelectuais legaram-nos saberes sobre o que vem a ser a pessoa moderna, com maiores possibilidades de entendimento que o discurso propagado pelo mito secular moderno que conta, em tantas versões, a saga da espécie humana como senhora do mundo e de si mesma, sendo o indivíduo livre auto-referido e auto-regrado (Fernandes, 1986). Em virtude da ampliação de horizontes trazida por tais proposições, hoje vêm sendo recuperadas no movimento de crítica ao reducionismo do humano, assim como ao poder instaurador e modelador de realidades por parte das ciências modernas.

Pereira (2003), que também lança mão de dados etnográficos para fundamentar suas argumentações a respeito do corpo e do tempo em um diálogo intercultural, afirma radicalmente que o sujeito moderno não é mestre de seu discurso, uma vez que está sob o movimento de uma verdade que o ultrapassa. Ele também não é dono de seu desejo, que só pode ser pensado em sua relação com o desejo do outro. Nesse sentido, o eu dito consciente e totalmente autônomo é aparência.

> Assim, o conflito personagem/pessoa não seria desencadeado por um desejo verdadeiro, nascido no interior de um eu oposto à cadeia significante, mas ele é precipitado por essa última, que preexiste à pessoa enquanto tal e a seu desejo. Basta procurar as origens da construção de sua imagem, do seu eu psicológico, para descobrir as redes nas quais ele está encerrado.
> (Pereira, 2003, p. 99)

Uma das maneiras de nos revermos nesse exercício de darnos conta de que estamos ligados a várias redes, que podem ser de fundo econômico, social, histórico-cultural e/ou afetivo, constitui a busca da recomposição e da reintegração em nosso próprio ser, da dimensão transgeracional que se encontra inscrita em nós. Ou seja, faz-se importante a deflagração de um processo de revisão de nós mesmos, que nos possibilite emergir, principalmente aos nossos olhos, dentro de um cenário bem mais amplo que a nossa existência pontual, inclusive para que possamos empenhar-nos em romper com vínculos e aprendizados inibidores de maior realização de nossos desejos, bem como de ampliação de nossas atuações no mundo.

AS RECONSTRUÇÕES DA TRANSGERACIONALIDADE

Alguns caminhos teórico-metodológicos estão disponíveis e nos permitem recompor nossos genogramas e árvores genealógicas, facilitando-nos o acesso a antigos padrões de comportamento, pensamento e sentimento que, de algum modo, podem manifestar-se extremamente atuais em nossas dinâmicas psíquicas individuais e familiares. Neste texto, em particular, focarei duas questões, com base em exemplos etnográficos, que identificam o surgimento do "eu" em meio a um complexo feixe de relações pouco reconhecidas pelos habituais modelos de reconstrução da transgeracionalidade, os quais privilegiam as linhagens remontadas pela biologia e que freqüentemente acabam por endossar a existência do indivíduo moderno, uma vez que nosso sistema de parentesco legitimado baseia-se nos gens e na família nuclear patriarcal. Porém, os casos singulares que aqui abordo, conforme mostram as reflexões antropológicas que os evidenciam, estão absolutamente presentes na sociedade brasileira[1].

A ancestralidade mítica e a família religiosa

Vários são os casos, em meio à efervescente expressão religiosa brasileira, de filiações a linhagens e/ou personagens da ordem do transcendente, os quais formam ou refazem a trajetória dos su-

1 Agradeço à Rita Laura Segato, que não só contribuiu com seus textos para os principais argumentos aqui desenvolvidos, como com interlocução profícua a respeito de minhas idéias.

jeitos nelas implicados. Ou seja, os processos de conversão ou criação de pessoas nos preceitos de uma religião acabam, não poucas vezes, sobrepondo às famílias biológicas as de cunho mítico-religioso, de tal modo que estas participam bem mais intensamente que aquelas de seus percursos individuais e sociais, apesar de em silêncio. Afinal, diante de instituições do mundo moderno (hospitais, Justiça, escola, dentre outras) ou de profissionais que não parecem entender e/ou respeitar essas diversas lógicas religiosas, a sua omissão é a regra.

Por anos, acompanhei um fenômeno de aparicionismo mariano, em meio a uma comunidade campesina no interior de Minas Gerais, que teve força suficiente para desmanchar as estruturas de umas quarenta famílias tradicionais na região e recompô-las em núcleos diversos (Almeida, 2003). Ao longo de uns dezoito meses, devotos que dedicaram suas vidas ao santuário no seu início, 1987 e 1988, conviveram de maneira dividida em dois grandes grupos: o dos homens e o das mulheres, sem menor consideração às ligações familiares anteriores. As mulheres e as meninas dormiam e circulavam por alguns ambientes do santuário, enquanto os homens e os meninos, pelos demais. Posteriormente, as crianças receberam padrinhos e madrinhas adultos, junto aos quais permaneceram sob sua responsabilidade, obtendo orientação, sustento e afeto por outro longo período.

Toda essa movimentação entre as pessoas do santuário, Vale da Imaculada Conceição, emanava dos conteúdos presentes nas mensagens oraculares, acreditadas virem diretamente do céu, de Nossa Senhora, sendo transmitidas diretamente pelos seus videntes. Nossa Senhora, portanto, era considerada a grande mãe de todos e a fonte de autoridade máxima local, capaz de implodir a realidade socioeconômica anterior ao fenômeno e ali erigir uma nova, assim como novos sujeitos. Por repetidas vezes, recolhi falas e observei práticas dos devotos, inclusive de ex-severos patriarcas, que confirmavam a profunda transformação interna e pessoal de cada um nesses processos.

Ainda que diversos exemplos sejam aqui relatados, há um em particular bastante esclarecedor da questão em pauta. Trata-se das cosmologias afro-brasileiras, que, inclusive, denominam seus membros por "filhos-de-santo", fazendo referência direta a uma pertença familiar de ordem completamente diferente à biológica e nuclear. Tal articulação ocorre pelo processo de iniciação religiosa que vincula, ritualmente e de maneira definitiva, cada neófito ao seu "dono-da-cabeça" e seus orixás complementares.

Em especial, em uma minuciosa e bela etnografia do Xangô do Recife (PE), Segato (2005, p. 421) traz a discussão à tona. Vejamo-na resumidamente em suas palavras:

> [...] no culto xangô da tradição nagô, um dos motivos recorrentes nas representações e na organização social dos seus membros é o esforço sistemático de liberar as categorias de parentesco, de personalidade, de gênero e sexualidade das determinações biológicas e biogenéticas a que se encontram ligados na ideologia dominante da sociedade brasileira, assim como remover a instituição do matrimônio da posição pivô que ela ocupa na estrutura social, de acordo com essa ideologia. Estas duas características da visão de mundo do xangô, parece-me, podem ser relacionadas à experiência histórica da sociedade escravocrata no Brasil, já que dela emergiu o grupo humano que originou o culto.

Tanto o princípio de indeterminação biogenética como a concepção do matrimônio e da família, próprios do xangô, podem ser identificados em seus aspectos fundamentais e não acidentais, constituintes centrais de seu núcleo filosófico e cultural:

- a prática de atribuir "santos-homens" e "santos-mulheres", indistintamente, ao sexo anatômico e como tipos de personalidade. Trata-se de uma relação de equivalência que se estabelece entre as pessoas e os orixás do panteão sobre a base das similaridades psíquicas e de comportamento entre uns e outros. A preferência é por uma combinação de uma filiação de um santo masculino e um feminino "na cabeça" de cada membro, apresentando personalidade mais "andrógina";

- o tratamento dado pelos mitos aos papéis femininos e masculinos dos orixás que formam o panteão e às suas relações entre si. Todos possuem vantagens e desvantagens, virtudes e defeitos, além de cada um exibir talento para um estilo de liderança. Apesar de a família mítica apresentar elementos típicos da patriarcal, no fundo, ela é negada. Isto é, o matrimônio e o parentesco biológico são removidos da posição central dessa ideologia, assim como se subvertem os habituais papéis familiares e se relativizam os direitos "de sangue". Há, ainda, uma incompatibilidade simbólica entre os casais míticos, o que impossibilita a sua co-habitação, a partilha de alimentos e a afinidade. Por fim, no culto, há um desestímulo do matrimônio, observado pela ausência de ritos para tal fim e pelo fato de a autoridade do santo ser maior do que qualquer autoridade terrena, mesmo a do patriarca perante sua mulher e seus filhos;
- a crítica dos membros com relação aos direitos derivados da maternidade de sangue, ou biogenética, em meio ao costume muito comum de dar e receber filhos de criação, em caráter temporário ou permanente. A adoção (não legalizada) de crianças é uma atividade altamente valorizada por mães e pais-de-santo, haja vista que uma pessoa não pode se tornar mãe ou pai-de-santo de seus filhos biológicos. Tem-se a negação do fundamento tido como "natural" da relação materna: a quebra da equivalência entre mãe progenitora e mãe de criação. Esse dado pode ser ampliado para as classes populares em geral diante do fato de que a circulação de crianças e a importância do parentesco não consangüíneo nesse meio são bastante intensas (Fonseca, 2006);
- a importância dada à família-de-santo e à adoção de filhos de criação, em detrimento do parentesco genético. Um padrão comum é uma unidade doméstica tendo à frente uma mãe-de-santo, já que o culto reúne mais mulheres que homens. Essa mãe poderá morar com filhos de criação pertencentes a mais de uma geração, e/ou filhos de sangue – o que jamais inclui permissão sexual com qualquer um deles, o que também é

válido para o pai-de-santo. Alguns dos filhos de criação são, geralmente, seus filhos-de-santo, assim como outros filhos-de-santo poderão fixar-se em sua casa. Ela poderá, ou não, ter um parceiro sexual masculino e manter, simultaneamente, uma parceira feminina. É comum, ainda, haver outros moradores: amigos, parentes de sangue e de "santo" etc. Em todos os casos, a composição das unidades domésticas é marcadamente instável, já que há grande mobilidade dos membros;

- a definição dos papéis masculinos e femininos na família-de-santo. Os papéis sociais de liderança e os de subordinação podem ser descritos como andróginos e tanto homens como mulheres podem desempenhá-los, mais confortavelmente, se exibirem uma combinação de atitudes e habilidades masculinas e femininas. Em especial, com a possessão, o sexo biológico torna-se de novo irrelevante e só o sexo do santo é expresso nos gestos, nos símbolos materiais e na roupa exibidos na dança;
- a bissexualidade da maioria dos membros do culto, além das noções relativas à sexualidade reveladas no discurso e na prática. A recusa em assumir essa situação, por parte de pais ou mães-de-santo, deve-se ao fato de saberem da contradição entre esse traço da tradição xangô e o sistema de valores dominantes na sociedade. Conforme afirma Fry de modo mais geral para o país (1977, p. 121): "[...] em todo o Brasil [...] achará difícil encontrar um pai-de-santo ou mãe-de-santo totalmente ortodoxos no referente ao sexo [...] O Candomblé nasceu, em parte, para a homossexualidade".

Em resumo, nas palavras da autora, tem-se:

> [entre o xangô], não só encontrei difundido o costume da homossexualidade e uma atitude militante contra o matrimônio, mas também uma preferência explícita pelas relações de parentesco fictício, seja as de mãe ou pai de criação – filhos de criação, seja as constituídas pela família-de-santo. Os dados biológicos relacionados a sexo e nascimento são, constantemente, relativizados

> pela ideologia, pelas normas e pelas práticas dos membros do culto. Os traços da personalidade individual, expressos através da atribuição de um santo, têm preeminência sobre os atributos biológicos do sexo, assim como os parentes "de santo" têm preeminência sobre os "de sangue". [...] todas estas noções e valores estão representados nas descrições dos orixás contidas nos mitos. (Segato, 2005, p. 461)

O duplo paterno e materno

Nos anos 1920, Malinowski apresentou um trabalho de campo que não só inaugurou a metodologia da observação participante, tão característica da antropologia e de atuais pesquisas nas ciências humanas, como abriu uma rica discussão sobre duas formas de paternidade entre os trobriandeses do Pacífico Ocidental. Nessa sociedade de avunculado, matrilinear e patrilocal, separam-se as posições do *kadagu*, o irmão da mãe – de quem a criança herda a terra, o nome, o pertencimento a uma aldeia e as regras de seu clã –, e do *tama*, o cônjuge da mãe – colega de jogos, figura amorosa e objeto do apego filial. Enquanto o primeiro encarna a autoridade patriarcal, o segundo oferece o afeto paterno. Na verdade, apesar do uso de "pai" para indicar tais relações, o termo não deve ser entendido nas mesmas implicações legais, morais e biológicas que entre nós.

Em virtude do princípio genealógico matrilinear, a linhagem segue pela linha materna e, portanto, a pátria *potesta* se encarna no tio materno. Já a habitação é definida pelo princípio da patrilocalidade, levando a criança e a mãe a morarem na aldeia do pai. É com base na descoberta de sistemas de parentesco de tal tipo, em que a figura do pai se desdobra, que a antropologia passa a discutir a diferença, existente no direito romano, entre o *pater* e o genitor, que, por sua vez, deve ser advertidamente desagregada em três tipos de paternidade: a do *pater* ou pai jurídico; a do cônjuge da mãe; e a do genitor, pai biológico, cuja coincidência com o cônjuge da mãe não é necessária.

Na sociedade brasileira de modo generalizado, essa mesma estrutura foi recente e detalhadamente identificada por Segato

(2007), só que do lado materno e em desdobramento e ampliação de suas reflexões a respeito da separação entre a mãe biológica e jurídica – normalmente fundidas numa só – e a mãe que toma conta, a babá. Embora a presença desta última no seio das famílias tenha enorme abrangência e profundidade histórica, havendo um forte impacto na psique da criança, há uma baixíssima atenção dispensada a ela na literatura especializada.

O aparecimento dessa figura desvalorizada ocorreu nos primórdios coloniais, na condição de amas-de-leite, mas foi se transformando lentamente em amas-secas ou babás por força higienista dos médicos, pedagogos e da imprensa a partir da metade do século XIX, por medo da contaminação africana a uma nação que se pretendia branca e moderna (Costa, 1999; Sandre-Pereira, 2003). Ainda que as classes de alto poder tenham conseguido substitutas brancas, as pressões para evitar o contato íntimo da população com as negras não chegaram a erradicá-lo de modo igual na Europa e nos Estados Unidos. Aqui, as práticas da "maternidade transferida" (Costa, 2002) só receberam alterações e limites.

Hoje, nas estatísticas, podemos rastrear a persistência da instituição da mãe-preta, em sua função de criadora dos filhos das camadas médias e até das baixas. O censo brasileiro de 2000 revela uma crescente presença das mulheres na população economicamente ativa, mas concentradamente nas atividades domésticas. Somado a isso, o encarecimento progressivo desse trabalho leva à expressiva substituição de mulheres por moças como forma de manter sua sub-remuneração e sua invisibilidade própria, o que indicaria a prevalência de uma continuidade histórica. A Pesquisa Mensal de Emprego do IBGE (março, 2006) confirma esse quadro ao afirmar: "por razões histórico-culturais, este contingente de trabalhadores caracteriza-se pela predominância de mulheres (94,3%) e de pretos e pardos (61,8%)" (IBGE, 2006, p. 3).

Diante desse quadro e de diferentes materiais simbólicos, Segato (2007) percebeu a instalação do caráter duplo do vínculo materno entre nós. Por exemplo, na escuta das conversas sobre os orixás-mãe da religiosidade afro-brasileira, Iemanjá e Oxum, ela identificou a mãe branca e a mãe negra. Aquela seria chamada de "a mãe legítima", coincidindo o aspecto da mãe biológica, a que deu à luz os filhos, com "a mãe jurídica", enquanto a última seria a criadora dos filhos brancos. Na intimidade dos cultos, diferentemente da imagem midiática de Iemanjá, esta é vista como uma mãe fria, hierárquica, distante e indiferente. Apesar de meiga na aparência, sua meiguice é mais conseqüência do autocontrole e das boas maneiras que a expressão de um coração compassivo e terno – em oposição ao carinho verdadeiro da mãe de criação.

Em tese, é junto ao calor do corpo da mãe próxima, independentemente de negra ou branca, que se desenvolve o sentimento de "direito de propriedade" que toda criança (quiçá, em especial, a das sociedades modernas) possui em relação ao território inteiro e indiscriminado do corpo materno-infantil. Esse sentimento infantil sobre o corpo da mãe, enquanto parte do próprio corpo, custa a ser abandonado. O sujeito se prende a ele por bastante tempo, até mesmo depois de que já compreendera que a unidade territorial originária não é tal. No entanto, a perda do sentido de unidade não leva necessariamente à perda do sentimento de posse. O que era tido como um passa então a ser o pressuposto do domínio de um sobre o outro. Tudo, portanto, que trai ou limita esse domínio não seria bem recebido e, facilmente, o vínculo amoroso transformar-se-ia em raiva perante a perda daquilo que se crê próprio. Enfim, a objetificação do corpo materno fica aqui delineada.

Se somarmos isso ao fato de que se é "proprietário" do corpo da mãe ama ou babá, por aluguel ou salário, a relação de apropriação se duplica, e assim suas conseqüências psíquicas. Há, ainda, o agravamento delas, quando o sujeito se dá conta de que a mãe substituta, ou escrava ou contratada, mesmo que tenha investido no vínculo, permanecerá cindida pela consciência de um passado – de escravidão ou pobreza – que não lhe deixou escolha. Por mais amor que ela sinta, será sempre sabido que não chegou a ele por livre vontade, mas coagida pela sobrevivência. Além disso, a imposição do discurso higienista brasileiro superpõe-se e replica esse gesto psíquico, levando ao apagamento da figura da mãe escura dos registros familiares, cognitivos e afetivos.

Logo, conforme Segato (2007), a maternidade mercenária tem um impacto definitivo na psique do infante, no que concerne à percepção do corpo feminino e do corpo não-branco. Afinal, uma criança amamentada ou cuidada desde cedo por alguém com raízes na escravidão terá incorporado essa imagem como sua, emergindo-se sujeito nas sutilezas de tal processo. Uma criança branca, então, será também negra, por impregnação da origem fusional com o corpo materno, ainda que tenha havido miscigenação nas últimas gerações em sua genealogia. O parentesco de seio pelas amas-de-leite, transformado mais tarde em parentesco de colo e mamadeira, assim como a ancestralidade negra que ele determina, ficam assim expostos, ainda que haja uma recusa a essa inscrição simbólica.

A perda desse corpo materno associa definitivamente a relação materna à relação racial, ou melhor, a negação de uma mãe à negação da raça. Ocorre aqui uma retroalimentação entre o signo racial e o signo feminino da mãe, entrelaçando racismo e misoginia em um ato de extrema violência simbólica. Portanto, longe de dizer que a criação do branco pela mãe escura resulta numa plurirracialidade harmônica ou se trata de um convívio inter-racial equilibrado, de acordo com as teorias que tentam romantizar esse encontro no falso mito da democracia racial brasileira.

Torna-se evidente que, em sua construção, o sujeito, qualquer que seja sua cor, deve deixar para trás, num movimento único de apagamento, a mãe com sua negritude – seja esta a atual ou a da genealogia escrava. A supressão dela deve ser o completo desconhecimento, o refúgio do sujeito diante da impossibilidade de tornar-se herdeiro dessa história que a racialidade lhe impõe. Uma ausência que, contudo, determina a lealdade desse sujeito apenas à mãe branca e a um simbólico inadequado, que virá certamente à falência com a irrupção do real, de tudo aquilo que ele não é capaz de lidar, conter e organizar, irrompendo-se em atos violentos, misóginos e racistas no desenrolar de sua vida.

NOTAS CONCLUSIVAS

Por razões diversas, como algumas mencionadas, não é fácil encontrar presente nas falas das pessoas seus pertencimentos a famílias mítico-religiosas nem seus duplos materno e, talvez, paterno, em meio a enquetes de pesquisa, atividades de intervenção e assistência social, por exemplo. Afinal, nos dois casos brasileiros ora discutidos, nota-se esse bloqueio com impressionante eficiência da declaração e/ou consciência por parte dos sujeitos de tais linhas de parentesco. Diante da ação discursiva e prática da ideologia burguesa, branca e moderna de instauração de uma sociedade higiênica, controlada e patriarcal, muitas vezes representada e propagada por profissionais das ciências humanas e da saúde, as pessoas buscam consciente ou inconscientemente estratégias de proteção e certa identificação com os modelos hegemônicos.

> [...] é comum que estas mesmas pessoas declarem que a homossexualidade é um costume indecente e acusem outros de praticá-los, fazendo pilhéria sobre eles. [...] por muitos meses durante meu terceiro período de trabalho de campo, as afirmações dos meus informantes pareciam expressar conformidade à ideologia dominante da sociedade brasileira e encontrar-se em aberta contradição com seu próprio estilo de vida. Isto me ensinou a jamais ficar apenas no nível do discurso enunciado ou acreditar que este representa linearmente a ideologia do grupo; aprendi também a importância de diferenciar a consciência discursiva da *consciência prática* (Giddens, 1979). Depois, percebi que, sem conflito aparente, as pessoas reconhecem e aceitam os méritos e vantagens dos valores reinantes, mas de alguma maneira, não vêem a si mesmas atingidas por estes valores. Assim, não surge culpa, pesar ou ressentimento pela certeza de "ser errado". Há apenas a prudência e o cuidado de deixar claro que se conhecem as regras (embora não se jogue com elas). (Segato, 2005, p. 445)

Essa situação de desconforto e retraimento aponta para a existência de um código profundo e oculto por baixo do dito e observável de imediato nas relações sociais e de parentesco. Tal código em ação precisa ser exaustivamente investigado, contextualizado e problematizado, além de saber ser apreendido em sua força e expressividade. Ou seja, em casos como o da tradição xangô, o uso dos termos de gênero e da nomenclatura familiar constitui, por um lado, o reconhecimento que acata formalmente a paisagem patriarcal vigente da sociedade circundante, e, por outro, os devolve minados, desestabilizados, desgastados e transgredidos pelo uso. Trata-se, segundo Segato (2003), de um tipo de *double voicing* no sentido baktiniano. Fenômeno este em que o mesmo enunciado manifesta reconhecer e se curvar diante da presença do mundo hegemônico, pela moral dominante, mas escondendo uma dúvida, uma crítica, uma insubordinação, uma ironia em direção à imagem de tal mundo.

Somente uma escuta sensível e atenta pode revelar esse mecanismo complexo e sutil presente em uma nova noção de hibridismo, a qual tende a colocar o sujeito em movimento, trazendo à tona seu descontentamento, seu incômodo, sua insatisfação dentro dos significantes que lhe são impostos e que, todavia, é obrigado a manusear. Assim, essa acepção do hibridismo resulta da ambivalência inoculada no discurso subalterno pela necessidade de se adaptar ao discurso dominante, só que sempre introduzindo nele alguma ambigüidade, diferença, negação. O epicentro da fala do sujeito não está colocado no outro como interlocutor a quem deve apresentar uma imagem e dirigir um enunciado sobre seu "eu", senão o outro como interpelador poderoso. É, por conseguinte, no acatamento parcial e ambivalente das categorias desse outro que o sujeito inclui sua marca diferencial como signo de identificação.

Cabe ao ouvinte desse *double voicing* não se constituir em mais uma audiência dessa esfera de poder, inibindo a apresentação plena da alteridade. Pelo contrário, para que ele lhe tenha acesso, é fundamental romper com esse lugar já instituído, buscando compreender e respeitar sinceramente o estranho mapa genealógico que pode estar realmente em jogo, aproximando-se de suas nuances e dando-lhe o encaminhamento afinado com os interesses e os valores nele manifestos.

No entanto, em casos de forclusão como o do duplo materno, em que o sujeito não assume o mesmo posicionamento contestador do hibridismo, outros aspectos exigem atenção. Nessa seara, há um movimento de denegação extrema, levando o sujeito ao desconhecimento de um mecanismo de apagamento de inscrições simbólicas, as quais poderiam vir a conflitar com a ordem vigente se ainda permanecessem acessíveis à consciência. Aqui, caberia ao ouvinte garimpá-las num minucioso trabalho detetivesco, para então resgatá-las de modo a desvelá-las ao próprio sujeito em um processo semelhante ao implementado pelo hibridismo. Ou seja, contribuir para criar fendas e desestabilizações em modelos e esquemas genealógicos impossibilitados de integrar registros e histórias desconhecidos para o sujeito pode ser um passo interessante do ouvinte para a reconstrução mais integrada do seu eu.

A atenção a diversificados sistemas de parentesco e a variadas perspectivas transgeracionais no seio da sociedade brasileira faz-se fundamental para os trabalhos que se dedicam ao entendimento, à análise e/ou à intervenção de pessoas individualmente ou de famílias. Creio, por fim, que a complexidade e a profundidade dos conhecimentos oriundos do campo da antropologia a respeito do tema têm contribuições relevantes aos demais saberes disciplinares, podendo ajudar-lhes a manter um olhar sobre a questão de um ângulo permanentemente relativizador e ampliador dos horizontes humanos.

REFERÊNCIAS BIBLIOGRÁFICAS

ALMEIDA, Tânia Mara Campos de. *Vozes da mãe do silêncio – A aparição da Virgem Maria em Piedade dos Gerais (MG)*. São Paulo: CNPq/Pronex/ Attar Editorial, 2003.

BASTIDE, Roger. "Le principe d'individuation (contribuition à une philosophie africaine). La notion de personne en Afrique noire". *Colloques Internationaux du CNRS*, 544, 1981, p. 33-43.

COSTA, Jurandir F. *Ordem médica e norma familiar*. 3. ed. Rio de Janeiro: Graal, 1999.

COSTA, Suely G. "Proteção social, maternidade transferida e lutas pela saúde reprodutiva". *Revista de Estudos Feministas*, 2, 2002, p. 301-23.

DUMONT, Louis. *Homo hierarchicus*. Chicago: University of Chicago Press, 1970.
FERNANDES, Rubem César. "Evans-Pritchard e a religião". *Religião e Sociedade*, 13(1), 1986, p. 38-42.
FONSECA, Cláudia. "Ser mulher, mãe e pobre". In: PRIORE, M. del (org.). *História das mulheres no Brasil*. São Paulo: Contexto, 2006, p. 510-53.
FRY, Peter. "Mediunidade e sexualidade". *Religião e Sociedade*, 1, 1977, p. 25-39.
GEERTZ, Clifford. "From the native's point of view: on the nature of anthropological understanding". In: DOLGIN, J. L.; KEMNITZER, D.; SCHNEIDER, D. (orgs.). *Symbolic anthropology. A realder in the study of symbols and meanings*. Nova York: Columbia University Press, 1977, p. 55-70.
HALLOEWELL, A. Irving. *The self and its behavioral environment. Culture and experience*. Filadélfia: University of Pennsylvania, 1955.
INSTITUTO BRASILEIRO DE GEOGRAFIA E ESTATÍSTICA (IBGE). *Perfil dos trabalhadores domésticos nas seis regiões metropolitanas investigadas pela pesquisa mensal de emprego (Recife, Salvador, Belo Horizonte, Rio de Janeiro, São Paulo e Porto Alegre)*. Brasília: Indicadores IBGE, 2006.
LEENHARDT, Maurice. *Do Kamo. La persona y el mito en el mundo melanésio*. Caracas: Ediciones de la Biblioteca, Universidad Central de Venezuela, 1979.
MAUSS, Marcel. "A category of the human mind; the notion of the person; the notion of self". In: CARRITHERS, M.; COLLINS, S.; LUKES, S. (orgs.). *The category of the person*. Cambridge: Cambridge University Press, 1985, p. 599-612.
PEREIRA, Ondina Pena. "A reconstrução do corpo e do tempo no diálogo transcultural". *Revista Brasileira de Crescimento e Desenvolvimento Humano*, 13(2), 2003, p. 95-104.
SANDRE-PEREIRA, Gilza. "Amamentação e sexualidade". *Revista de Estudos Feministas*, 11(2), 2003, p. 467-91.
SEGATO, Rita Laura. "Gênero, política e hibridismo en la transnacionalización de la cultura Yoruba". *Estudos Afro-Asiáticos*, 25(2), 2003, p. 333-63.
______. *Santos e daimones*. Brasília: Ed. da UnB, 2005.
______. "O Édipo brasileiro: a dupla negação de gênero e raça". In: STEVENS, C. (org.). *Maternidade e feminismo: diálogos interdisciplinares*. Florianópolis: Ed. Mulheres, 2007, p. 141-72.

O GENOGRAMA CONSTRUTIVISTA

CENEIDE MARIA DE OLIVEIRA CERVENY
JOSENICE REGINA BLUMENTHAL DIETRICH

Quando pensamos em genograma, duas figuras se sobressaem imediatamente: as de Murray Bowen e Mônica McGoldrick. O primeiro autor deu as bases teóricas e os pressupostos que sustentam o genograma. Seu empenho em trabalhar com a família intergeracional e sua preocupação, como formador, em trabalhar a família do futuro terapeuta consolidaram a abordagem intergeracional na terapia familiar. McGoldrick (1993), por sua vez, investigou, estruturou e sistematizou o uso do genograma como instrumento na terapia familiar, procurando ampliar seu uso para outras áreas da saúde. Sua definição é a seguinte:

> Um formato para desenhar uma árvore familiar que registra informação sobre os membros de uma família e suas relações pelo menos em três gerações. Os genogramas apresentam a informação em forma gráfica de maneira tal que proporciona uma rápida *gestalt* de complexos modelos familiares e uma rica fonte de hipóteses sobre como um problema clínico pode estar relacionado com o contexto familiar e a evolução tanto do problema como do contexto através do tempo. (McGoldrick, 1993, p. 17)

A mesma autora afirma que elaborar um genograma pressupõe três níveis: o traçado da estrutura familiar, o registro informativo da família e a representação das relações familiares.

Em 1992, uma das autoras deste capítulo definiu genograma como "uma representação gráfica multigeracional da família que vai além da simples genealogia, pois inclui também as relações e interações familiares" (Cerveny, p. 101). Essa definição representa um marco para a autora sobre o que pensava naquela época e o que pensa atualmente sobre esse instrumento. Após anos de utilização em situações clínicas, de supervisão e pesquisa, a técnica foi sendo ampliada e também sua visão sobre esse instrumento não é mais aquela da definição acima.

Algumas considerações sobre as funções do genograma podem ser relembradas:

- ele faz parte do processo de conhecimento da família;
- revela acontecimentos importantes para o atendimento familiar;
- é uma ferramenta interpretativa subjetiva com a qual o médico pode gerar hipóteses, tentativas para outras avaliações sistemáticas (McGoldrick e Gerson, 1993);
- é um mapa das relações familiares;
- é um instrumento pelo qual a família se percebe sem palavras;
- amplia a história da família para além do paciente identificado (PI) ou do problema;
- permite observar os padrões repetitivos das gerações passadas (Cerveny, 1992);
- amplia o conhecimento sobre o ciclo vital da família.

Mas o que é o genograma para nós atualmente? Provavelmente hoje não conseguiríamos defini-lo com exatidão, pois ele tem-se mostrado mais do que um instrumento, uma técnica, um mapa, uma ferramenta, e assim não conseguimos enquadrá-lo em qualquer uma dessas definições. Mas como temos certeza de que sua construção só é possível na interação, com e entre pessoas, passamos a denominá-lo de *genograma construtivista*.

É evidente que, para nós, a entrada no paradigma da pós-modernidade com enfoque no construtivismo/construcionismo ocasionou mudanças na prática terapêutica com famílias e, nesse sentido, o genograma, dentro dessa prática, também mudou. De acordo com Grandesso (2000): "Um terapeuta construtivista/construcionista social é responsável por criar um espaço conversacional que permita que o novo, o inesperado, se apresente na construção de realidades alternativas mais libertadoras" (p. 37). Esse "novo, inesperado" aparece nesse espaço conversacional por meio de narrativas, que, ainda segundo essa autora:

> Organizam a própria experiência humana, servindo de uma matriz de significados que atribui valor, dá sentido aos acontecimentos da vida. São as narrativas que determinam a seleção de aspectos da experiência para serem expressos e as direções nas vidas e relacionamentos das pessoas. (Grandesso, 2000, p. 37)

Assim, quando construímos um genograma, ele permanece sempre à vista da família em todas as sessões, e vão surgindo narrativas ligadas àquele momento da vida da família. Em outros momentos, ele suscita outras histórias que vão sendo incorporadas. Usamos perguntas circulares, questões reflexivas, metáforas, retrato falado, desenhos, fotos, imagens, símbolos e outros recursos no decorrer de sua construção, sempre tomando aquela postura respeitosa a que se refere Grandesso (2000). A família é a dona de sua história e a ela cabe decidir o quanto quer dividi-la com o terapeuta. Um genograma pode se tornar invasivo, denunciador, paralisador, se o terapeuta não entender e não respeitar as crenças, os mitos, ou seja, a realidade de cada membro da família. Muitas vezes um pequeno detalhe pode promover mudanças.

Lembramos de uma família atendida composta de pai (45 anos), mãe (42 anos), um filho (10 anos) e uma filha Larissa[1] (8 anos). A queixa inicial era o comportamento e o aproveitamento dos filhos na escola e o quanto isso estava "pesando" na família. Quando começamos o genograma e fomos apontar Larissa como

1 Todos os nomes são fictícios para preservar a identidade dos participantes.

um círculo (conforme o símbolo), ela nos disse que faltava o resto do corpo. Imediatamente esquematizamos uma menina e continuamos a colocar a família com desenhos humanos esquematizados. Quase no término da sessão, Larissa nos perguntou: "Eu não posso colocar uma pasta de trabalho na mão do pai?". Perguntamos ao pai e ele respondeu: "Tudo bem". Nas sessões posteriores conversamos sobre muitas coisas e continuamos a acrescentar mais informações da família. Nossa intenção não é fazer uma, duas sessões de genograma, mas construí-lo no processo terapêutico, e isso envolve uma grande diferença, pois podemos levar muitas sessões nessa co-construção.

Em uma dada sessão, o pai disse que estava incomodado com sua imagem no desenho carregando uma pasta e que, muitas vezes, saía de casa para o trabalho carregando a pasta e pensando no genograma. No trabalho, ele observava quais colegas tinham ou não pastas; na rua, prestava atenção nos homens que carregavam pastas etc. A partir daí começamos a trabalhar o significado da pasta para Larissa, para a mãe, para o outro filho e para o próprio pai. Muitas narrativas surgiram e no fim pudemos transformar aquele desenho em alguma outra coisa que ajudou cada um na construção de outros significados de trabalho, de parentalidade, da qualidade da interação e assim por diante.

Em outra ocasião, atendemos uma família com pai (51 anos), mãe (49 anos), dois filhos, de 16 e 15 anos, e uma menina, de 11, e começamos a co-construção do genograma. Quando em uma das sessões falávamos dos avós maternos, percebemos que a família tinha visões muito diferentes desses avós e pedimos aos netos que fizessem um "retrato falado"[2] deles.

Quando o avô era descrito, apareceram muitas palavras como "amoroso, esperto, dinâmico, criativo", e, num dado momento, o adolescente de 15 anos disse: "O que melhor retrata meu avô é que ele põe a bunda na janela". Achamos essa imagem forte,

2 O retrato falado é usado por nós como complemento do desenho da família desde a época que trabalhávamos com diagnóstico infantil. Pedimos à criança que, enquanto desenhe, vá contando como é aquela pessoa.

mas no contexto não era desrespeitosa, nem desqualificadora. Os outros netos concordaram e acharam que devia ser colocado. Perguntamos à mãe o que pensava e ela disse que seu pai era arrojado, como jornalista, sempre se expunha às situações controvertidas e, nesse sentido, concordava com os filhos.

A frase foi escrita com os outros adjetivos e deixada no papel. Algum tempo depois, os avós foram convidados a participar da terapia. No dia em que compareceram, lá estava o genograma, com todo o conteúdo das sessões anteriores. Explicamos a eles no que se constituía esse instrumento e quando o avô identificou o quadrado que o representava com todos os seus atributos, caiu na gargalhada e disse que "nunca teria conseguido se descrever tão bem". Sentimos que a única pessoa incomodada na sessão era a avó, talvez não tanto pelo retrato falado do marido, como pelo seu próprio, que era totalmente complementar ao dele. Dois meses após essa sessão, o avô sofreu um acidente na rua e veio a falecer, mas a elaboração de seu luto pela filha, pelo genro e pelos netos foi facilitada pelo encontro anterior, sempre lembrando a alegria que ele havia sentido pelo retrato que seus netos haviam feito.

Podemos fazer muitas outras narrativas, demonstrando os recursos usados no genograma. Por exemplo, as fotos que às vezes as famílias trazem de seus antepassados imigrantes; dos lugares onde moram; das frases e ditados mais ouvidos nas famílias de origem; das perguntas reflexivas de como imaginam sua árvore genealógica dez, quinze anos antes ou depois; das crenças que receberam de suas famílias; de suas expectativas como pais e filhos. Enfim... O genograma pode propiciar um sem-número de situações para serem investigadas. Bion nos dizia que o terapeuta deve entrar na sessão sem memória nem desejo, mas acreditamos que ele deva entrar com sua escuta, sua disponibilidade, sua aceitação e vontade de co-construir novas narrativas com a família consultante.

Outras modalidades do genograma, como o da família credenciada (Cerveny e Picosque, 2004), também são importantes em algumas esferas de atendimento. Essa modalidade se refere àquelas pessoas que credenciamos como se fossem da família: os melhores amigos, os empregados, os terapeutas etc., que não deixam de ser uma rede significativa em nossas vidas. Algumas pessoas na fase última do ciclo vital, viúvos, com moléstias crônicas e/ou graves, falam de seus cuidadores (médicos, fisioterapeutas, enfermeiros etc.) como se fossem parentes adquiridos ou credenciados naquela fase da vida. Talvez esses profissionais não tenham a dimensão de sua importância na vida de alguns pacientes.

Muitos desafios ainda não foram superados na confecção do genograma: os bebês de proveta, as inseminações e mesmo os filhos adotivos significam mais do que os símbolos que podem ser usados para designá-los. Podemos pensar numa genealogia de filhos adotivos com sua família biológica, mesmo que essa genealogia seja pensada ou idealizada, ao mesmo tempo em que significamos positivamente a inserção do adotado em sua família atual.

No âmbito acadêmico usamos o genograma em uma disciplina denominada "A intergeracionalidade e sua influência na produção do conhecimento", que tem o objetivo de conectar os temas de pesquisa dos mestrandos e doutorandos com suas histórias intergeracionais, suas crenças e mitos pessoais. Na quase totalidade das situações, o aluno se beneficia muito desse trabalho, que torna mais fácil sua tarefa de perceber ressonâncias pessoais e intergeracionais que estão subjacentes a seu trabalho acadêmico.

Cramer (2006) diz que "atualmente, é da concordância do campo da Terapia Familiar que a pessoa do terapeuta, sua história, seus valores e pressupostos são aspectos importantíssimos a se considerar na condução de qualquer processo terapêutico" (p. 8). Sua afirmação tem embasamento em Carlson e Erickson, (1999, 2001), Haber (1990), Kaslow (2000), McDaniel e Landau-Stanton (1991), Rober (2005) e Roberts (2005), entre outros. O genograma também é usado no processo de supervisão de terapeutas de família e, embora seu uso esteja bastante disseminado, ainda são poucos os trabalhos de pesquisa que exploram a riqueza desse instrumento, que, aliado à Linha de Tempo Familiar (LTF) (Cerveny, 1994), proporciona ao terapeuta a oportunidade de trabalhar os eventos também numa perspectiva temporal.

O GENOGRAMA NO PROCESSO TERAPÊUTICO: UMA EXPERIÊNCIA NA CLÍNICA-ESCOLA

A formação do sistema terapêutico se deu em torno de quem queria ajudar a paciente identificada, Gabriela, e este foi constituído inicialmente pelos avós maternos (Lina e Olavo), a mãe (Simone), a filha (Gabriela) e o namorado da mãe (Marcos), referido por esta como "o pai de consideração de Gabriela". A família foi encaminhada para o atendimento de família da clínica "Ana Maria Poppovic", da PUC/SP, pela terapeuta individual da mãe, que via a necessidade de a família ser orientada em como tratar e ajudar a Gabriela (Gabi). Seu diagnóstico era de transtorno bipolar, com histórico de agressividade e comportamento inadequado em ambiente escolar, familiar e social. Já havia passado por várias intervenções terapêuticas desde os 12 anos, contando à época do início do atendimento com 21 anos. Estava em terapia medicamentosa acompanhada por psiquiatra e também em um trabalho de terapia de grupo na linha psicodramática.

A queixa da família girava em torno de relações conflituosas e agressivas de Gabriela com todos os membros familiares (com exceção do avô, a quem chamava de "pai" e com quem mantinha um vínculo emocional forte) e de aspectos considerados pela família como inadequados em sua vida: não trabalhava, não tinha "boas" amizades, passava a maior parte do dia dormindo, não ajudava nas tarefas domésticas e não tinha controle de gastos. Gabi tinha ainda um histórico de dívidas e, segundo a mãe, um possível envolvimento com drogas e álcool num passado recente e ao qual a família receava que ela recaísse. Foram realizadas 22 sessões, sendo seis delas no segundo semestre de 2004, com intervalos de quinze dias; no ano de 2005, depois de um intervalo de dois meses, uma sessão de acompanhamento no período de férias, e catorze sessões posteriores no decorrer do ano, também com intervalo de quinze dias.

Gabriela, em torno da qual o sistema de atendimento foi formado, apresentava dificuldade para comparecer às sessões. Nas primeiras vezes, mantinha-se em atitude de distanciamento e apatia. Simone e Marcos participavam ativamente das sessões, relatando a história de vida de Gabi e enfatizando sempre, especialmente ele, o quanto era importante para eles o bem-estar e a melhora dela. Simone relatava que para Marcos era condição fundamental que Gabi o aceitasse, para que tivessem um bom relacionamento.

Nesses primeiros atendimentos, os avós falavam quando solicitados, à medida que íamos circulando perguntas para o grupo familiar. Suas falas eram sempre direcionadas ao desejo de ver melhoras em Gabi, fazendo menção a acontecimentos passados que reforçavam a necessidade que ela tinha de tratamento. Constatamos o mecanismo do sistema de manter Gabi no lugar de paciente sintomática e que as conversações em torno dela eram tópicos seguros de manutenção da unidade familiar, deixando de fora a questão central do segredo que toda a família conhecia, e que só foi revelado no sistema terapêutico quando da realização do genograma.

Em decorrência das primeiras sessões de atendimento, durante supervisão do caso com a equipe terapêutica, ficou estabelecido que o tema que a família trazia para ser trabalhado era a formação do sistema de família nuclear, constituído por Marcos, Simone e Gabi. Outro objetivo do trabalho terapêutico consistia em tirar Gabriela do lugar de paciente identificado.

Nas sessões subseqüentes, Marcos dominava as conversações, expondo seus pontos de vista sobre o grupo familiar, fazendo análises do comportamento de cada um, sendo difícil para as terapeutas contê-lo e permitir a expressão de todos os membros da família. Vemos aqui que "como Karpel (1980) observou, aqueles que conhecem o segredo tornam-se ansiosos, uma vez que temem constantemente a sua revelação e precisam controlar a direção das conversas" (Imber-Black, 2002, p. 26). Nas sessões em que Marcos estava presente, o tema central das conversações dizia respeito às dificuldades na construção dessa nova família, como divisão de tarefas domésticas, relacionamento mãe–filha, seu relacionamento com Gabi.

Durante esse primeiro momento da terapia familiar, Gabi insistia em dizer em todas as sessões que não era de sua vontade nelas comparecer, e que, se ali estava, era por pressão da mãe e por atender ao pedido do "pai" (o avô). Mantinha-se distante, olhando para fora, pela janela, e pouco participava. Quando a mãe, Simone, falava, desqualificava-a com um sorriso irônico, sem olhar para ela. Percebia-se claramente, por meio de sua comunicação não-verbal, que a comunicação com a família era rejeitada. Nas sessões em que Marcos estava ausente, sempre por impedimentos relativos ao trabalho, as conversações se abriam para os outros membros do grupo familiar, que até então se mantinham apenas em concordância com os tópicos que diziam respeito à formação da nova família nuclear e à necessidade de melhora de Gabi. Começava a emergir a história de vida familiar intergeracional, sendo possível começar a trabalhar os relacionamentos interpessoais de neta e avô, filha e pai, e também filha (Simone) e mãe (Lina).

Nessas poucas sessões, Gabi participava bastante, contando fatos de sua história, falando de seus sentimentos em relação à família, que ela considerava como sendo todos, não vendo a distinção que a mãe, Simone, e Marcos falavam que queriam. Nesse ponto, também os avós expressavam a mesma opinião. Essas atitudes vão ao encontro do que Imber-Black enfatiza: "Quando os relacionamentos se encontram atrelados a um segredo, todo o estilo de comunicação de uma família pode tornar-se marcado" (2001, p. 25).

Porém, havia um acordo tácito de não explorar o assunto da construção da nova família de forma mais ampla, e quando, na sessão seguinte, Marcos se fazia presente, os temas conversacionais convergiam para os mesmos pontos anteriores, e se resgatávamos algum assunto tratado na sua ausência, suas interpretações e análises dominavam a sessão e todo o grupo parecia submetido a ele. Esse fato demonstra claramente que "Certos segredos definem, implicitamente, a hierarquia nos relacionamentos" (Imber-Black, 2001, p. 31).

Propusemos a realização do genograma, o que foi aceito pelo grupo familiar, combinando que o faríamos na sessão seguinte. No entanto, naquela sessão, surgiu uma situação emocional que exigia cuidado: Gabi chorou porque não queria voltar para casa de ônibus e a mãe a enganou, revelando o fato apenas quando já haviam chegado para a sessão. Então, o genograma foi transferido para a sessão seguinte. Ficou evidenciado nessa situação o fato de que as mentiras deliberadas, tanto quanto as informações retidas e não ditas, constituem uma prática nas relações do grupo familiar quando há um segredo, e tanto podem quebrar a confiança interpessoal como a confiabilidade nos relacionamentos futuros.

CONSTRUINDO E EXPLORANDO O GENOGRAMA...

A construção do genograma foi iniciada com o traçado da estrutura familiar. Começamos com a família de Olavo e Lina, seus filhos e netos, e ao situarmos Marcos na relação com Simone e Gabi também incluímos a investigação da família dele, o que gerou um clima tenso entre ele e Simone e um constrangimento pessoal dele. Marcos revelou então, para todo o sistema terapêutico, que era casado havia 35 anos, que morava com a mulher e tinha duas filhas, sendo que a mais nova, separada recentemente, juntamente com a neta, estava morando com eles atualmente. A revelação causou impacto na equipe terapêutica, até porque percebemos que todo o grupo familiar tinha conhecimento da situação de Marcos. Na supervisão, foi discutido como trabalharíamos esse fato na sessão de terapia familiar e como exploraríamos os múltiplos níveis de envolvimento em decorrência do fato de Marcos já ter uma primeira família constituída.

A exploração do genograma aconteceu na sessão subseqüente, à qual Marcos estava presente. Coletamos a história dos ascendentes de Olavo e Lina. Esta também sofreu impacto com as revelações transgeracionais, que trouxeram para ela a visualização de suas origens, sentindo-se parte de uma família, fato este muito importante para a compreensão dos fortes vínculos afetivos que construíra em sua família nuclear, criando mecanismos de permanência das filhas adultas, mesmo casadas, dentro do grupo familiar de origem. O genograma, dentre as diversas vantagens de sua utilização, segundo Cerveny (2001), representa um retrato vivo intergeracional da família. Ao explorarmos a família de Marcos, seu constrangimento anterior revelou-se em angústia e necessidade de mudar o foco das questões, de sua história familiar pessoal para a história familiar de seus pais, associado às questões históricas mais amplas, da cultura e da época em que viviam seus antecedentes.

CONTINUANDO E ENCERRANDO O PROCESSO TERAPÊUTICO...

Na sessão seguinte Marcos não compareceu e Simone relatou que ele não estava muito bem, talvez com problema de pressão arterial. Algumas mudanças imediatas chamaram a atenção da equipe terapêutica: Gabi começou a trabalhar e Lina contou que Olavo mudara muito, passando a ajudá-la espontaneamente nos cuidados de Lindaura, a irmã de 88 anos. Simone tirou o foco de Gabi e começou a expressar seus sentimentos de ansiedade e tensão em relação a Marcos.

Na sessão seguinte, Simone relatou que Marcos recebera o diagnóstico de uma doença séria em estágio avançado, a qual poderia causar-lhe paralisia. Contou ainda que Marcos tomara a atitude de reunir a família e comunicar que estava rompendo o compromisso com Simone, porque "não seria para ela uma carga, visto que ela já tinha a Gabi para cuidar". Esse fato, surgido após a revelação do segredo, modificou o sistema terapêutico familiar (Marcos não voltou mais a participar das sessões) e redirecionou a terapia familiar. Passamos a trabalhar com os conteúdos afetivos que geraram o segredo – a necessidade de individuação de Simone e de formar sua própria família com a filha, Gabriela, e as dificuldades nos relacionamentos interpessoais, que passaram a fazer parte das conversações familiares nas sessões de atendimento da terapia familiar.

Gradativamente a família foi se permitindo abrir e falar de sentimentos e opiniões a respeito de Marcos e de sua relação com Simone. Simone trouxe à tona o fato de que o relacionamento com Marcos era fonte de angústia para ela, porque publicamente a relação não era assumida e ambos faziam parte do mesmo contexto social, no qual a mulher de Marcos também era integrante e conhecida de todos.

O ambiente clarificado pelas revelações permitiu a expressão de sinceridades e honestidades, e do processo terapêutico surgiu um inter-relacionamento pronto para aceitá-las como expressão de afeto. Assim, Olavo pôde dizer que nunca achou certo o relacionamento da filha com um homem casado, e Simone conseguiu ouvir a fala do pai como proteção. Gabi, ao dizer que Marcos não era da família, expressou o sentimento de família formada por ela e pela mãe. Simone, por sua vez, começou a trabalhar em sua terapia individual o fato, por ela constatado, de que só se relacionava com homens casados.

Gabriela, nesse processo, deixou o lugar de paciente identificado, mudando a maneira de se vestir, de falar com voz ativa, de olhar para o grupo terapêutico e passou a não se queixar mais de ir à terapia. Marcos não se afastou do relacionamento com Simone e continuou freqüentando a casa da família. Porém, a família não mais se submeteu diante dele: nas palavras de Lina, "no começo, quando ele era ídolo, só ele falava e a gente ouvia, mas agora Olavo diz: 'ele fala, fala, fala, e não é de nada'". Com a desqualificação das opiniões de Marcos nas conversações, os conflitos entre ele e Gabi começaram a se intensificar, uma vez que não havia mais barreiras para a expressão do sentimento dela. A angústia de Simone também cresceu, pelo relacionamento agora constituído em fonte de ambivalência e conflito pessoal e familiar.

Nesse momento do processo terapêutico, Simone tentou colocar Gabi de novo na posição de paciente identificado, numa tentativa sistêmica de retroação negativa, resistindo à mudança, especialmente da filha, que estava crescendo como pessoa adulta. "O sistema, porém, já havia dado um salto qualitativo para mudança: quando da revelação do segredo, na aplicação do genograma, a crise cresceu de intensidade, ampliando o sistema e esse se reorganizou sem a presença de Marcos" (Dietrich, 2006, p. 106).

Nas sessões finais de atendimento da família, as conversações fluíam entre os membros do grupo familiar e o ambiente terapêutico era leve e bem-humorado, mesmo quando as questões eram profundas e envolviam histórias significativas da família. Foi possível trazer à luz a história de alcoolismo de Olavo e trabalhar com a família as questões relativas ao tema, bem como outras pautas que, à sombra do segredo partilhado pela família no início da terapia, ficavam encobertas e desconhecidas do sistema terapêutico.

> Aqui ressaltamos a clareza do movimento dos três momentos terapêuticos, enfatizando a importância do genograma para deflagrar os temas antes não ditos, tidos como segredo, e trazer à luz o que estava na sombra, facilitando assim a atuação das terapeutas junto ao sistema familiar. (Dietrich, 2006, p. 106)

Figura 1 - Genograma da família

REFERÊNCIAS BIBLIOGRÁFICAS

CERVENY, C. M. O. *A família como modelo – Desconstruindo a patologia*. Campinas: Livro Pleno, 2001.

CERVENY, C.; PICOSQUE, G. "O genograma da família credenciada". Trabalho apresentado no VI Congresso Brasileiro de Terapia Familiar. Florianópolis (SC), 2004.

CHASIN, R. (1989). "Introdução". In: IMBER-BLACK, E. *et al. Os segredos na família e na terapia familia.* Trad. M. A. V. Veronese. Porto Alegre: Artmed, 1994, p. 76-94.

CRAMER, C. *Ecos da vida: a construção do terapeuta de família – a prática clínica sob a lente das vivências na família de origem.* Dissertação (Mestrado em Psicologia Clínica) – Pontifícia Universidade Católica de São Paulo, São Paulo, 2006.

DIETRICH, J. R. B. *Temas re(velados) segredos e não ditos trazendo à luz o que está na sombra.* Monografia (Especialização em Terapia Familiar e de Casal – Cogeae) – Pontifícia Universidade Católica de São Paulo, São Paulo, 2006.

GRANDESSO, M. A. *Sobre a reconstrução do significado: uma análise epistemológica e hermenêutica da prática clínica*. São Paulo: Casa do Psicólogo, 2000.

IMBER-BLACK, E. *et al.* (1989). *Os segredos na família e na terapia familiar.* Trad. M. A. V. Veronese. Porto Alegre: Artmed, 1994.

MCGOLDRICK, M.; GERSON, R. *Genogramas en la evaluación familiar*. Barcelona: Gedisa, 1993.

PAPP, P. O. (1989). "Caruncho no broto: segredo entre pais e filhos". In: IMBER-BLACK, E. *et al. Os segredos na família e na terapia familiar.* Trad. M. A. V. Veronese. Porto Alegre: Artmed, 1994, p. 76-94.

SITE

www.genopro.com

A TRANSMISSÃO GERACIONAL SEGUNDO JACOB LEVY MORENO

MARLENE MAGNABOSCO MARRA

4

OS PAIS FUNDADORES

Jacob Levy Moreno, psicodramatista, criou sua grande teoria, chamada de socionomia, no decorrer de toda sua vida e com base na compreensão das mais diversas experiências vividas ativamente. Conseqüentemente, as questões ligadas à sua ancestralidade e à sua transmissão geracional possibilitaram-lhe, mais tarde, a perspectiva do simbolismo e da realidade suplementar presentes em sua obra. São muitas as histórias relativas às gerações anteriores de Moreno e ao seu nascimento. Essas histórias e estórias entrelaçam a imaginação e o simbolismo com a realidade. A relação entre a verdade histórica e a poética – psicodramática – certamente interferiu na vida e na obra de Moreno, uma vez que esta é uma autobiografia. Eis a história de seu nascimento, conforme indica Marineau (1992, p. 20), ao citar o próprio Moreno (1985), em sua autobiografia:

> Nasci numa noite tempestuosa, num navio que singrava o Mar Negro, do Bósforo à Constanta, na Romênia. Foi na madrugada do Santa Sabath, e o parto teve lugar logo antes da oração inicial. O fato de ter nascido num navio foi devido a um honroso erro, sendo que a desculpa foi que minha mãe tinha apenas 16 anos e pouca experiência matemática da gravidez. Ninguém sabia a bandeira do navio. Seria um navio grego, turco, romeno ou espanhol? O anoni-

> mato do navio deu início ao anonimato do meu nome e ao anonimato da minha cidadania. Quando estourou a Primeira Guerra Mundial, em 1914, ninguém sabia se eu era turco, grego, romeno, italiano ou espanhol, porque eu não tinha certidão de nascimento. Quando ofereci meus serviços à monarquia austro-húngara, de início, não me aceitaram porque eu não tinha comprovante de nacionalidade. Nasci como um cidadão do mundo, um marinheiro que se mudava de mar para mar, de país para país, destinado a desembarcar um dia no porto de Nova York.

Ao se apropriar do primeiro nome do pai, Jacob de fato estabeleceu uma nova dinastia (Marineau, 1992); assim nasce um mito e o principal co-fundador da psicoterapia de grupo. Como em sua própria história, Moreno, desde o início de seu trabalho, não procurou preservar as histórias exatas. Ele fez uso do que designou de verdade poética e psicodramática. "Esta verdade não visa nenhuma demonstração precisa dos fatos, e sim uma representação subjetiva da realidade" (Marineau, 1992, p. 11).

Como Moreno trata, então, a questão da transmissão transgeracional? A resposta à pergunta de Moreno, "quem sobreviverá?", nos traz pistas. Ele nos diz que todos deveriam sobreviver: "Deixemos com que todos nasçam e compartilhemos com eles as conseqüências" (Moreno, 1994, p. 177). O princípio das democracias sociométrica e sociogênica é um estado de coisas em que a igualdade de oportunidades inclui e concede igualdade de direitos a três classes de pessoas: os não nascidos, os vivos e os mortos.

Moreno (1994) fala acerca do planejamento da natureza e que este se dá em relação à possibilidade de criar-se o mito do Pai Criador, de um universo criado para todos, no qual todos possam nascer e, por conseguinte, viver. Para o autor, nascer implica viver a espontaneidade plena. Esse é um fator que possibilita ao recém-nascido a oportunidade de se superar e de entrar em novas situações que agora lhe são exigidas e que ele herda por meio da interação em sua matriz de identidade, com base na coexistência, na co-experiência e na co-ação. Aqui, a espontaneidade tem sentido triplo: espontaneidade individual, social e de ação. Vemos, portanto, a existência desse processo em ambas as direções. Nada provém de uma única psique, mas de uma realidade mais profunda. As correntes psicológicas fluem do homem para o espaço por meio de canais e estruturas governadas pelo próprio homem (família, escola etc.). Todos os seres humanos presentes ou ausentes participam de sua produção, sendo suas contribuições diferenciadas.

Moreno fez parte de um grupo de psicoterapeutas oriundos do Leste e do Centro da Europa. Todos eles tiveram ligações com os "pais dos pais", fortes ligações com seus ancestrais (Schutzenberger, 1997). Esses psicoterapeutas, como Nathan Ackerman, Ivan Boszormenyi-Nagy, Murray Bowen, Nicolas Abrahan, Maria Torok e Jacob Moreno, herdaram um forte enraizamento, cada qual em sua cultura, e mais precisamente uma dupla cultura em razão da herança da emigração. Nesses países do Leste Europeu, a família, segundo Schutzenberger, é considerada um forte ninho, um clã unido, uma matriz. Especialmente Moreno chamou essa matriz de "átomo social".

Ao vir dessa região da Europa, Moreno herdou um legado de vasta imaginação criadora, uma disponibilidade para o outro e uma facilidade de lidar com a diversidade, com uma privilegiada expansividade afetiva. Essa geração de psicoterapeutas é, portanto, fundadora da dimensão transgeracional, e todas as implicações que ora descrevemos estão implícitas em suas reflexões e práticas.

AMPLIAÇÃO DA FAMÍLIA: A TEORIA MORENIANA E A TEORIA SISTÊMICA

Moreno (1972) vê o homem como ator espontâneo que se situa em um universo aberto e em uma concepção de tempo calcada no momento. O tempo presente reúne passado e futuro. Em vez de pesquisar experiências passadas, o sujeito volta sua mente para o presente, para a produção imediata, não baseada no raciocínio explicativo causal. Todos os ingredientes do sistema sociométrico (socionomia), também comumente chamado de psicodrama, convergem para a compreensão do funcionamento do indivíduo no grupo, nas relações interindividuais, nos grupos sociais. Teoria e método que estudam a estrutura grupal em *status nascendi*, em processo: a pessoa, o grupo ou o sistema em situação.

Todos os homens são, por natureza, seres dinâmicos, não permanecendo em nenhum estado particular, sempre mudando e reagindo a essas mudanças. O conhecimento se constrói na interação, no aqui e agora fenomenológico existencial, no qual passado e futuro interagem no presente e se constroem nessa interação. O co-inconsciente coletivo contém as marcas transgeracionais que eclodem na situação presente. É impossível dar origem a atos sem que exista organismo e não é possível tornar-se organismo produtivo a menos que ele se torne ator. O ator é a pessoa em situação que contém uma expressão somática, uma expressão psicológica e uma expressão social (Moreno, 1994).

Segundo Martin Buber (1974), a análise fenomenológica existencial da vida social pressupõe uma dimensão de compromisso pessoal. Não é estar simplesmente com aquele a quem me dirijo; esse outro a quem me dirijo não é um mero instrumento de expressão emocional, senão, pelo menos no momento, é o referencial, a contrapartida dialética de minha existência.

Tanto o paradigma socionômico quanto o sistêmico constituem uma importante base de sustentação para pesquisas. Aqui, destacamos o sociograma (Moreno, 1994) e o genograma (McGoldrick e Gerson, 1996), instrumentos gráficos capazes de organizar as informações sobre os grupos e o grupo familiar, respectivamente, e suas interações, as pautas de funcionamento e o lugar de cada membro no grupo. As leis de funcionamento que regem as relações, tanto verticais como horizontais, são também informações dadas por esses instrumentos.

A estruturação das relações nos grupos – e especialmente nas famílias – é um mecanismo extremamente complexo. A flexibilidade e o equilíbrio da adaptação do indivíduo no sistema contribuem para sua saúde, ao passo que a inflexibilidade nas pautas do sistema pode levar a uma patologia (Boszormenyi-Nagy e Spark, 1983). Segundo esses autores, provavelmente uma das maiores contribuições metodológicas da terapia familiar tem sido o conceito multipessoal ou sistêmico da teoria motivacional. Segundo esse conceito, o indivíduo é considerado como entidade biológica e psicológica, cujas relações, sem dúvida, estão determinadas tanto pelos aspectos psicológicos do indivíduo quanto pelas regras que regem a existência de toda a unidade familiar. Nas famílias, as funções psíquicas de um membro condicionam as funções dos demais. Muitas regras que governam os sistemas de relações familiares dão-se de forma implícita, sem que os membros sejam conscientes delas. O código tácito do sistema se apóia numa vinculação genética e histórica. Os padrões (pautas) determinam a escala de equivalência de méritos, vantagens, obrigações e responsabilidades, a que Moreno chamou de critério de escolhas, desaguando em mutualidades ou incongruências relacionais.

Ao comentar sobre o conceito de *lealdades invisíveis* de Boszormenyi-Nagy, Schutzenberger (1997, p. 28) aponta que a "lealdade se compõe da unidade social que depende da lealdade de seus membros com os pensamentos e as motivações de cada um dos membros como indivíduo". Para melhor compreender as "contas familiares" e aquelas do "grande livro de crédito e débito", é necessário fazer um estudo transgeracional ou longitudinal da família, isto é, recuperar a lembrança dos vivos em relação aos mortos, o que cada pessoa, aqui e agora, conhece das demais, e o que as move, ainda que não sejam conhecedores, conscientes ou inconscientes, do que lhes foi transmitido. As histórias vividas, contadas, escritas ou experimentadas por meio do acaso, da interação entre pessoas, se convertem num sistema de relações multigeracional ou sociométrico. Há, portanto, diversos e diferentes sistemas de contabilidade entre grupos e famílias, conforme cada cultura e a movimentação de todos esses aspectos no interior do átomo social.

Moreno (1994) fala da importância da família (matriz de identidade) implicada na saúde social do ator em situação, de todas as questões geradas e vividas com base no co-consciente e no co-inconsciente e presentificadas na ação do aqui e agora. Traz também a emergência da libertação das pessoas via desenvolvimento da espontaneidade/criatividade em uma família sociométrica (escolha de seus pares e parceiros), possibilitando uma melhor adequação (ajustamento a si e à situação) e uma maior produtividade. Quanto mais coerentes formos em nossas escolhas afetivas (tele desenvolvidas), melhor perceberemos nossas verdadeiras necessidades e cada vez mais escolheremos companheiros mais compatíveis e, conseqüentemente, relações mais saudáveis e duradouras.

A MÃE: MATRIZ TRANSGERACIONAL

Segundo Moreno (1994), duas pessoas – um homem e uma mulher – um dia se unem pelo matrimônio diante de um juiz de paz e o amor e a reprodução cuidam dos demais aspectos. O autor realça e reconhece que o amor por uma criança desempenha papel determinante na definição de seus relacionamentos futuros. O relacionamento entre a criança e seus pais é a pedra angular de nossa vida social. O autor reconhece, ainda, que esse amor existe muito antes do nascimento da criança e continua a corresponder às expectativas a partir do momento do nascimento. De acordo com a Teoria da Espontaneidade, o autor concebe o desenvolvimento humano pela matriz de identidade, berço biopsicossociocósmico da criança. Ele ressalta que o bebê não é lançado ao mundo sem sua participação. O primeiro lugar de desenvolvimento e assimilação dos papéis é a matriz de identidade, placenta social da criança, o lócus em que mergulha suas raízes. A matriz de identidade é o universo inteiro da criança. A existência é única e total. Nessa perspectiva, a família é tudo o mais que a rodeia, virtual e concretamente, vivendo no presente as marcas transgeracionais de um passado. Prospecta para o futuro com base em como lida no presente com a movimentação atual dessa matriz de identidade geradora. A família, matriz de identidade, concentra todos os fatores materiais, sociais, psicológicos e culturais – pontos de partida para o processo de definição como indivíduo. É, portanto, o lócus, o *status nascendi*, a matriz das futuras relações sociais e o desempenho de papéis. Nesse processo relacional, na matriz de identidade, o indivíduo se converte em ator espontâneo de seu próprio drama, forma sua personalidade, relaciona-se por intermédio de papéis, estrutura seus vínculos e libera ou não sua espontaneidade na relação com as pessoas (Marra, 2004).

Os conceitos básicos de espontaneidade e criatividade, aplicados ao fenômeno social, contribuíram para clarificar a inter-relação entre pessoas, entre pessoas e coisas, entre pessoas nos grupos, na comunidade, na sociedade. A espontaneidade ou os estados de espontaneidade funcionam como um guia ou um farol. Indicam as emoções, os pensamentos e as ações mais apropriados de acordo com a situação apresentada no momento. A espontaneidade é um catalisador psíquico, e a criatividade, a substância que capacita o sujeito a agir, enfrentando as situações de forma adequada, isto é, em conformidade e ajustamento a si e à situação. São fatores que impulsionam o ser humano à evolução, a agir, transformando as situações, garantindo sua sobrevivência. É no desempenho de seus papéis, desenvolvidos na matriz de identidade, que o ator manifesta sua inter-relação com as pessoas e cria vínculos. Papel, para Moreno (1972), são as formas reais e tangíveis que o eu adota e expressa sua coexistência, sua co-experiência e sua co-ação no contexto, tornando-se uma ponte constante entre o indivíduo e o coletivo.

Conseqüentemente observamos, então, a família como um sistema relacional, no qual são transmitidas as necessidades individuais e as exigências sociais, um sistema que funciona imbricado numa teia relacional, em constante transformação. Um organismo que se altera à medida que seus membros passam pelo processo de diferenciação. Essas contínuas mudanças e transformações só podem ser compreendidas no contexto, na situação, o ator *in situ*. O contexto dá a compreensão e o significado do aqui e agora (Bateson, 1972; Moreno, 1972). A família é um grupo social complexo, no entender de Moreno (1994), formado por diversos agrupamentos ou subsistemas (denominação sistêmica) que interagem, originando diversos conflitos inter-relacionais. O lar psicológico se desenvolve com base em vínculos com determinados núcleos de pessoas que oferecem proteção e estímulo. É uma qualidade do "lar" ser núcleo de atração e repulsa. Todas as pessoas que fazem ou fizeram parte de um certo grupo deixam suas marcas e suas posições ao sair dele. Os novos integrantes encontrarão uma organização em mudança que visa à sobrevivência e à defesa. A personalidade de cada indivíduo que foi membro do grupo deixa impressões que sobreviverão muito tempo após sua partida, o que pode gerar reações negativas e, conseqüentemente, muitos distúrbios.

A matriz de ação registra atos e eventos. Já a matriz de comportamento registra observações de atos e eventos. O ator deve tornar-se observador de si e ator em relação ao observador. É necessário co-atuar com o outro. Ator e co-autor estão no mesmo plano. O sistema de ação está baseado em um consenso que existe somente dentro de uma coletividade de atores, trabalhando com potenciais de interação, como a espontaneidade/criatividade (Moreno, 1994). A organização e a função do grupo estão intensamente relacionadas, ou seja, o tipo de organização de um grupo influencia em seu funcionamento e vice-versa.

Bowen (1978) afirma que o sistema familiar é uma realidade tridimensional, na qual relações familiares passadas manifestam-se no presente a fim de se desenvolverem no futuro. Vemos, dessa forma, que as movimentações vividas e expressas por um grupo, átomo social, tais como motivações, emoções, sentimentos, percepções, escolhas, possibilitam um bolo que fermenta e toma formas, configuração, cor, gosto, temperaturas as mais variadas e diversas. A movimentação espontânea dos atores sociais em seus átomos sociais visa à produção de subsídios para a compreensão dos processos interativos. Átomo social é o núcleo de relações que se estabelece em torno de cada indivíduo, isto é, todos os indivíduos com quem uma pessoa se relaciona emocionalmente e vice-versa. Esse núcleo é constituído pela expressão de afeto (amor, desamor) entre as pessoas (Moreno, 1994). A dimensão interativa desses aspectos possibilita o entendimento do grupo como geração do conhecimento e a implicação da ressonância dessa construção inserida em todas as intersecções do sistema (Elkaim, 1990).

O átomo social, portanto, é a menor unidade social viva, impossível de ser dividida, e ilustra dramaticamente que vivemos em um mundo ambíguo, meio real, meio fictício, que nem sempre vivemos com pessoas com quem gostaríamos, que nem sempre trabalhamos com pessoas com quem queremos, que isolamos pessoas de quem mais precisamos e que, às vezes, nossas vidas são lançadas contra pessoas que nos fazem sofrer, que com muitas delas estamos em um processo transferencial e não télico. Vivemos com essas pessoas papéis e relações complementares, funções e expectativas adormecidas e reativadas, expressas por motivações ou regras familiares ou grupais que, muitas vezes, são mais tácitas que explícitas. Assim, o átomo social é o mundo pessoal do sujeito, sua família, amigos, vizinhos, colegas de trabalho, aqueles que estão presentes em sua vida pelo amor ou pelo ódio, estejam mortos ou vivos. Seria, pois, um genograma no aqui e agora; um sociograma, caracterizado por um entrelaçamento sociométrico (*status* ou lugar afetivo que cada pessoa ocupa no grupo).

Essas projeções afetivas que o átomo social configura nada mais são do que o universo social da pessoa, sua complexidade relacional e sua singularidade, suas redes de comunicação sociométricas (Marra, 2004). Redes sociométricas são cadeias complexas de interação dos átomos sociais. A interação entre vários átomos sociais (Moreno, 1994) são vias por meio das quais os afetos e desafetos circulam, constituindo conjuntos de inter-relações que possibilitam aproximações, distanciamentos e interferências. Os sociogramas (sistematização das correntes psicológicas e das relações dos sujeitos) revelam tais redes (Martim, 1996).

O fenômeno *tele* (do grego: distante, agindo a distância) é responsável por explicitar toda essa fermentação relacional no interior do átomo social. É responsável pelo aumento na taxa de interação entre membros de determinados grupos, pois a maior mutualidade das escolhas supera a possibilidade de acaso (Moreno, 1972). É responsável ainda pela coesão grupal. Tele "refere-se à correta percepção, apreensão ou captação em duplo sentido da experiência relacional entre duas ou mais pessoas" (Fonseca, 2000, p. 131).

Moreno (1994) aponta que alguns indivíduos possuem, a respeito uns dos outros, uma sensibilidade, e parecem ligados por uma alma em comum. Quando se animam e liberam sua espontaneidade, estabelece-se, entre eles, uma espécie de acordo afetivo ou uma série de escolhas que resultam em atração, repulsa ou indiferença. O fator tele, portanto, cria canais de comunicação, os quais expressam opiniões, normas, rumores e sentimentos que circulam num grupo (Marra, 2004).

Ao estudar e compreender a movimentação dos grupos, vistos como átomos sociais, Moreno (1994) procedeu a distinções no universo social. Deixou-nos a tricotomia social "ressaltando que a humanidade é constituída por uma rede de relações aparentes e subjacentes em interação" (Fonseca, 2000, p. 195), que se desdobra em três movimentos: sociedade externa, matriz sociométrica e realidade social.

A *sociedade externa* é a descrição da coletividade; compõe-se de grupos visíveis, aparentes e observáveis e toda a estrutura externa desses grupos é passível de ser vista a olho nu, estando constituída por todos os grupos legalmente conhecidos como legítimos ou rechaçados.

A *matriz sociométrica* é a sede das alterações dinâmicas das motivações internas e do fluxo de sentimentos (tele)presentes no interior dos átomos sociais. Compõe-se de diversas constelações em funcionamento, que são os campos de interação das pessoas e dos grupos, as correntes psicológicas e as forças contrapostas.

Vamos nos voltar agora para o que Moreno (1983) chamou de co-consciente e co-inconsciente: "ver-se pelos olhos do outro". As formas, as percepções, os estados de espírito e os sentimentos estão continuamente passando pelo processo de vir-a-ser, estão sempre em vários estágios de desenvolvimento no interior do átomo social, sendo uma condição psicológica e social em quantidades e intensidades variáveis. As associações livres estão incluídas numa espécie de fluxo livre que acompanha a intensidade do vínculo, o comportamento e a ação. Além disso, a vontade, as percepções, os fenômenos conscientes e inconscientes estão fundidos num só curso da experiência e convertem-se em valores idênticos.

Grupos naturais comportam-se diferentemente de grupos estranhos. Os membros de uma família, amigos, por exemplo, têm uma forma comum de se entenderem em silêncio, vivem como em simbiose, raramente explicando significados. Parecem comunicar o que Moreno chamou de situações comuns conscientes e inconscientes. O conceito de inconsciente individual não é suficiente para esclarecer o que se passa na relação entre A e B. Existem estados inconscientes que não se originam de um só psiquismo, mas de vários, ligados mutuamente de forma concreta. De acordo com essa dinamicidade, onde quer que duas ou mais pessoas se encontrem formando um grupo, este não se formará apenas desses indivíduos, pois também incluirá suas relações, sem as quais sua função de grupo social não poderia ser expressa.

Nosso co-consciente e co-inconsciente são construídos na interação, que, ao longo de vivências significativas, forma modelos transgeracionais de comunicação. É por meio dessas relações e comunicações que os antepassados nos deixam legados e os transmitimos para a posteridade. A matriz sociométrica invisível que contém então todas essas informações só pode vir à tona e tornar-se visível e macroscópica por meio do processo sociométrico de análise.

O terceiro movimento, a *realidade social*, é a síntese dinâmica e a interpenetração das duas tendências. Em uma dimensão macro, seria todo produto dessa luta, na qual não há mais espectadores, e sim atores. Seus códigos de funcionamento na interação dinâmica já viraram conserva cultural e necessitam ser pensados no conjunto de cada situação, portanto, interpretados e reinterpretados. Em uma dimensão micro, é toda produção do grupo no aqui e agora. Quando o grupo familiar ou os demais grupos entram em contato com sua verdadeira realidade social, estabelece-se o potencial espontâneo-criativo do grupo. Sabe-se qual sistema de valores os sujeitos escolhem e pretendem incorporar em suas atitudes. Esses critérios, que são diferentes para cada grupo e cultura, respondem pela sustentabilidade do sistema. Portanto, a realidade social revela sua estrutura, a qualidade da relação entre seus participantes e as correntes psicológicas que compõem as redes de relações, e como são vividos e desempenhados os papéis sociais e psicodramáticos (dimensão psicológica).

Para Boszormenyi-Nagy e Spark (1983), o importante aspecto sistêmico das famílias baseia-se no fato de que a consangüinidade, ou o vínculo genético, dura por toda a vida. Os laços próprios da relação genética têm primazia sobre a determinação psicossocial, na medida em que essas duas esferas só podem ser separadas conceitualmente.

Moreno (1994) nos fala do mito da destinação. A religião nos deu um mito maravilhoso: o Pai do Universo decide onde deveremos ser colocados, em qual planeta, país e família. Nossa chegada a determinado meio não é fruto de fator genético-social, e sim da escolha do que seria o mais adequado para nós, que é esse nosso lugar determinado. Como conseqüência fatalista da reprodução, aqueles que procriaram tornam-se pais e tutores, e, assim, está constituída a primeira organização social, na qual o recém-nascido cresce e torna-se pessoa. "Os pais são dados e não escolhidos" (Moreno, 1994, p. 15). A criança que nasce é observada como objeto de posse, como propriedade, uma recompensa talvez pelo sofrimento inerente à gestação e ao nascimento. Tanto os pais como os criadores são vítimas da mesma ambição desmedida, que pode ser chamada de "ilusão ou síndrome parental". Ainda falando sobre o mito da destinação, Moreno diz que tão logo um trabalho emana do criador, este não tem mais nenhum direito a ele, exceto do ponto de vista psicológico, passa a pertencer à universalidade. Um indivíduo raramente conscientiza-se da posição que ocupa nas correntes culturais da comunidade, do vasto material que ele continuamente absorve, e que com freqüência é moldado pelas milhares de outras mentes individuais das quais é devedor anônimo. A biogenética nos aponta que as unidades que entram na composição de uma criança não são apenas o produto de dois pais individuais. O autor realça que temos conhecimento de pais que são descuidados ou mesmo cruéis com seus filhos, e sabemos de pessoas sem filhos que se tornam pais excelentes para crianças que adotam. O instinto de reprodução e o instinto de paternidade não são idênticos. Fica distinta a função de pai biológico e a de pai social. Irmãos e irmãs também nos são dados e não escolhidos.

Portanto, nosso universo, segundo Moreno (1994), consiste em organizações que são ou moldadas por pressões mecânicas e econômicas, ou por pressões biológicas, como as famílias. Em nenhum lugar vemos a realização do mundo apropriado segundo a necessidade de cada pessoa. Assim como no grupo familiar, nos demais grupos, conviver é às vezes fruto de circunstâncias, recomendações, ou simplesmente fruto do acaso. Os grupos e as situações com os quais deparam formam seu destino social. A consangüinidade, o vínculo genético ou o mito da destinação são vividos no grupo familiar, são experimentados nos demais grupos, pois aí também, quase sempre, não podemos escolher com quem queremos conviver.

A partir daí, Moreno (1994) nos diz da possibilidade de trabalhar para a construção sociométrica da comunidade – a família sociométrica, na qual as situações de vida, trabalho e convivência social possam ser utilizadas como cenários terapêuticos. Aqui poderemos fazer escolhas que sejam compatíveis com as nossas necessidades, isto é, escolhas espontâneas.

Para isso, os grupos vivem a aplicação de profundos métodos de ação na forma de psicodrama, sociodrama, *role playing*, teste sociométrico. "Os relacionamentos expressos são inscritos em Sociogramas que se constituem como 'bússola social', orientando o terapeuta por meio de um labirinto da estrutura do grupo" (Moreno, 1994, p. 63). Os fenômenos que ameaçam a coesão grupal, as questões emocionais e sociais, todos os conteúdos psico e sociodinâmicos ficam presentes. O grupo investiga, diagnostica e modifica a estrutura grupal, os membros do grupo se deslocam de determinados papéis e movem-se em direção a novos e mais espontâneos desempenhos, tomando consciência de todos os efeitos que suas inter-relações causam uns sobre os outros e sobre o grupo. Uns membros tornam-se agentes terapêuticos de outros ao trabalhar em prol de encontrar sua família sociométrica no grupo. Trabalha-se a elucidação das relações transferenciais para o desenvolvimento da tele. Os membros do grupo se escolhem, possibilitando a formação de estruturas horizontais e verticais. Embora sejam estruturas diferenciadas, os organismos que delas participam são interligados e interdependentes. Podemos observar indivíduos altamente diferenciados, outros indiferenciados, e aqueles que se sentem pertencentes ou não. Essa estrutura do grupo, ao se tornar manifesta por meio dos métodos que desenvolvem a espontaneidade, ditos acima, possibilitam a cada membro do grupo observar sua contribuição na ordem ou desordem social ou mental que afetam os demais indivíduos ou o grupo como um todo.

Moreno (1994), ao construir os métodos de ação com a perspectiva de reorganização do indivíduo e do grupo – "treinamento da espontaneidade social" –, quis possibilitar, por meio da vivência das situações reais da vida, a descoberta de uma família sociométrica. Promoveu que cada pessoa e cada grupo se tornasse mais "feliz", produtivo e espontâneo na interação entre todos os seus membros – um *insight* da proximidade ou da distância psicológica entre todos.

Para Moreno (1983), a tele garante a estabilidade e a coesão grupais, ao passo que a transferência ameaça a dissociação do grupo. A tele é considerada dinâmica, encorajando atos construtivos rumo a uma ação criativa. Essa ação, embora sofra as interferências do passado e do co-inconsciente coletivo, acontece no presente, no aqui e agora da situação: o ator *in situ*. O ator constrói a vivência, no momento, com a ajuda do poeta criador, que é fonte inicial de informações (co-consciente e co-inconsciente). Essas escolhas reais e explícitas aumentam nossa probabilidade de encontrarmos e convivermos em átomos sociais – famílias sociométricas que retroalimentam novas escolhas, em uma contínua mudança e transformação dos ciclos de desenvolvimento.

Quem sobreviverá? Do ponto de vista da sociometria, todos devem nascer. Nascer, para Moreno, significa viver a espontaneidade plena, ter a oportunidade de utilizar todos os seus recursos internos, ajustar-se a si mesmo, ao outro e às situações, e buscar uma melhor adaptabilidade de oportunidade e solução de dificuldades. Nesse sentido, enfatiza o não desperdício de parte considerável de seu elemento humano. Na sociedade sociométrica, ninguém será excluído, todos devem ter as mesmas oportunidades de participar com o máximo de suas habilidades, todos devem nascer e compartilhar as conseqüências. Mesmo que nossa proximidade ou distanciamento espacial e nossa proximidade ou distanciamento temporal determinem escolhas de dimensões objetivas, subjetivas ou intersubjetivas, devemos coexistir, co-experienciar e co-agir em igualdade de oportunidades, formando unidades sociais, átomos sociais. Grupos capazes de manter relacionamento interpessoal harmonioso, um processo de individuação e diferenciação cada vez maior. Moreno tinha o sonho da construção de pequenos grupos, da revolução criadora, uma sociedade dinâmica com reformulações contínuas. A sociometria é, pois, uma ciência social, à medida que dá aos membros do grupo *status* de pesquisadores dispostos a avaliar seu funcionamento e suas intercorrências. Trabalha fazendo "pequenas revoluções" nos grupos presentes ou futuros e desenvolve procedimentos que podem ser usados em situações reais.

OS FILHOS: SOCIOGRAMAS E GENOGRAMAS

Linhas, traços, gráficos, redes e verdadeiros mapas são o que encontramos nos livros de Moreno (1992, 1983) para a denominação de sociograma, e em McGoldrick e Gerson (1996) para a denominação de genograma. Terão esses mapas algo em comum, alguma conexão? Os métodos de ação ligados à sociometria possibilitam que o grupo viva o máximo possível a estrutura de uma sociedade aberta e favorecem que o microcosmo espelhe o macrocosmo. Para ter e definir melhor a realidade social do grupo, torna-se necessário estabelecer critérios reais, concretos e únicos que permitam avaliar o critério estabelecido pelo grupo. Nesse sentido, o critério que organiza a existência do átomo social ou do grupo mostra as reais possibilidades e necessidades de cada indivíduo no grupo.

Critérios sociométricos representam as normas sociométricas que, na verdade, são valores, objetivos, padrões ou normas em razão dos quais os grupos são formados. Esses critérios permitirão ao indivíduo manifestar sua expansividade afetiva (energia emocional de um indivíduo, capaz de manter a afeição de outros por um determinado período de tempo). As motivações que os próprios indivíduos nos fornecem são gravadas com suas palavras com o objetivo de articulá-las e ajustá-las aos desejos e às expectativas desses indivíduos. Quanto mais estudamos as motivações dadas pelos sujeitos, mais prestamos atenção em suas escolhas (atração, repulsa, indiferença) e nas associações com pessoas que pertencem a seu círculo de conhecimento.

Os métodos sociométricos podem detectar e classificar os problemas em seus estágios iniciais, desenvolvendo medidas preventivas e novas motivações no grupo. Os sociogramas revelam a estrutura de relações do grupo, a posição psicológica de cada indivíduo e seu papel dentro do grupo. Assim, os gráficos representam reações emocionais específicas de um indivíduo para com os outros. Linhas de cor vermelha, preta e verde, pontilhada, tracejada, tênue, espessa e vários símbolos, como círculo, quadrado, retângulos e traços formam uma legenda para a compreensão e a leitura da estrutura grupal. Os diagramas sociométricos que possibilitam a exploração e a medição das relações interpessoais podem ser enumerados em: interação espontânea, de familiaridade, sociograma, sociomatriz, diagrama de papéis, diagrama, espaço e movimento (Moreno, 1994).

Os genogramas (McGoldrick e Gerson, 1996), por sua vez, favorecem uma descrição elaborada dos dados do grupo familiar, reunindo-os e interpretando o processo vivido pela família. São também uma forma gráfica de organizar as informações explicitadas em uma avaliação familiar. Os genogramas ajudam os membros da família a verem-se a si próprios e a distinguirem seu lugar no sistema. Incluem, também, todos os atores (membros da família nuclear, os que vivem ou viveram com a família presente ou ausente). Portanto, temos um ponto de vista atual e histórico da estrutura vincular e funcional. O estudo da família via transgeracionalidade está associado à teoria sistêmica por referenciar a um grupo de pessoas que interatuam como um todo funcional. As pessoas e os problemas estão interligados a um contexto, tendem a ser altamente recíprocos, pautados e interativos. Da mesma forma que o sociograma, o genograma apresenta símbolos como círculo, triângulos, quadrado, linhas tracejadas de diferentes formatos e uma série de diagramas.

Enfim, tanto os genogramas quanto os sociogramas refletem uma situação grupal vivida no momento e agregam repetições de pautas transgeracionais ou do co-inconsciente coletivo construído ao longo das interações com as pessoas atuais e anteriores. Eles têm a perspectiva de organização de um futuro mais feliz e produtivo. São reconhecidos como medida preventiva para dar maior mobilidade, plasticidade e flexibilidade ao sistema. Podemos ainda considerar que esses instrumentos e ferramentas, na mão dos membros do grupo ou da família, convertem-nos em investigadores participantes de seu processo de busca, conhecimento e transação dos sintomas que impedem seu crescimento. Tanto um quanto outro possuem características psicométricas, quantitativas, mas seu maior valor está na qualidade da informação, que favorece articulações e trânsito por todo o sistema.

A DIMENSÃO TRANSGERACIONAL COMO PERSPECTIVA DE FUTURO

O estudo aqui apresentado nos mostrou a importante relação entre o funcionamento do grupo e os equilíbrios e desequilíbrios da estrutura socioatômica ou sistêmica. Demonstra-nos que o referencial dessa estrutura não é um determinado indivíduo, mas "todos" que com ele estão ou estiveram envolvidos por um passado transgeracional. O caminho do grupo consiste em investigar a inter-relação. Uma investigação individual será sempre direcionada para o plano coletivo.

Pudemos destacar o nascimento, a infância e todo o passado vivido pelo indivíduo como importantes para a saúde social. Porém, a questão relevante é o que o sujeito, ator em situação, faz do que lhe foi feito. O presente reflete o passado e prospecta o futuro das relações interpessoais, portanto, são nelas que devemos intervir, são elas que devem ser reorganizadas, se quisermos alterar toda essa estrutura estabelecida. Resgatar a espontaneidade e a liberdade dos pequenos grupos para, então, atingir a sociedade como um todo. Nesse sentido, é necessário, no dizer de Moreno (1994), que se transplante o indivíduo de seu velho ambiente para um ambiente mais adequado às suas necessidades.

Como jardineiros e utilizando as ferramentas adequadas como o sociograma e o genograma, podemos fazer essa passagem de modo mais espontâneo e natural. O indivíduo saudável é aquele que responde às exigências da vida detendo as repetições e os estragos dos não-ditos de maneira espontânea, que apresente respostas com base na história própria de cada um, respostas adequadas e criativas, no sentido moreniano, às novas exigências. Preservar e aumentar sua plasticidade na interação com seus pares torna-se mais importante do que ensiná-lo a agir com precisão, ou ajudá-lo a diferenciar-se e pertencer com base no reencontro com sua história e com os aspectos antes incompreendidos de seu co-inconsciente coletivo. Recriar e reinventar a própria vida, eis a questão. "Quem sobreviverá" está relacionado à sobrevivência da espontaneidade/criatividade do universo humano. O homem precisa assumir seu destino como criador para modificar seus próprios inventos.

REFERÊNCIAS BIBLIOGRÁFICAS

BATESON, G. *Steps to an echology of mind.* Nova York: Ballantine, 1972.

BOSZORMENYI-NAGY, I; SPARK, G. M. *Lealtades invisibles.* Buenos Aires: Amorrortu, 1983.

BOWEN, M. *Family therapy in clinical practice.* Nova York: Jason Aronson, 1978.

BUBER, M. *Eu e tu.* Trad. N. A. Von Zuben. São Paulo: Moraes, 1974.

ELKAIM, M. (1989). *Se me amas, não me ame. Abordagem sistêmica em psicoterapia familiar e conjugal.* Trad. N. da Silva Júnior. Campinas: Papirus, 1990.

FONSECA, J. *Psicoterapia da relação. Elementos de psicodrama contemporâneo*. São Paulo: Ágora, 2000.

MARINEAU, R. F. (1989). *Jacob Levy Moreno. 1889 – 1974. Pai do psicodrama, da sociometria e da psicoterapia de grupo.* Trad. J. S. M. Werneck. São Paulo: Ágora, 1992.

MARRA, M. M. *O agente social que transforma. O sociodrama na organização de grupos.* São Paulo: Ágora, 2004.

MARTIN, E. G. *J. L. Moreno: psicologia do encontro.* São Paulo: Livraria Duas Cidades, 1996.

MCGOLDRICK, M.; GERSON, R. *Genogramas en la evaluación familiar*. Barcelona: Gedisa, 1996.

MORENO, J. L. (1942). *Psicodrama.* Trad. A. Cabral. São Paulo: Cultrix, 1972.

______ (1959). *Fundamentos do psicodrama*. Trad. M. S. Mourão Netto. São Paulo: Summus, 1983.

______ (1953). *Quem sobreviverá. Fundamentos da sociometria, psicoterapia de grupo e sociodrama,* vols. 1, 2, 3. Trad. D. L. Rodrigues e M. A. Kafuri. Goiânia: Dimensão, 1994.

SCHUTZENBERGER, A. A. *Meus antepassados. Vínculos transgeracionais, segredos de família, síndrome de aniversário e prática do genosociograma*. Trad. J. M.C. Villar. São Paulo: Paulus, 1997.

5 DO TRANSGERACIONAL NA PERSPECTIVA SISTÊMICA À TRANSMISSÃO PSÍQUICA ENTRE AS GERAÇÕES NA PERSPECTIVA DA PSICANÁLISE

JÚLIA SURSIS NOBRE FERRO BUCHER-MALUSCHKE

Nas últimas décadas a literatura científica tem se desenvolvido, trazendo resultados de pesquisas sobre herança das mais diversas formas. Na esfera do direito, as heranças são definidas como os bens materiais que são passados de pais para filhos no interior da família. Elas estão subordinadas às leis, aos impostos e à Justiça. Tratase, nesse contexto, da transmissão do patrimônio familiar e da sucessão. Na área da biologia, a herança tem sido estudada e pesquisada, despertando a curiosidade do homem para a perspectiva genética, que, nos últimos decênios, teve maior ênfase com os estudos da seqüenciação do genoma, que estabelece, cientificamente, o patrimônio genético como uma mistura de heranças paterna e materna, cuja informação se recombina para dar origem a um novo ser. Vemos as repercussões na área da saúde do ponto de vista da transmissão recessiva ou dominante ou ainda das transmissões de doenças por via de contato direto ou indireto. Portanto, as heranças e transmissões têm sido o centro das preocupações do ser humano, por serem identificadas como tudo o que é herdado, transmitido, passado de pais para filhos, netos e descendentes, sejam bens materiais ou genéticos.

Como o tema das heranças surge e se mantém no contexto das gerações, do parentesco, da família?

Responder a essa questão nos coloca diante de sujeitos membros das famílias, numa cadeia sincrônica e diacrônica, na qual ocorrem transmissões as mais variadas possíveis e onde surgem os fenômenos de repetições de eventos. Vemos ainda que, na transmissão, há um que dá e outro que recebe, e essa interação tem sido objeto de muitos estudos acerca do que é dado, como é dado e recebido.

Hoje, a literatura a respeito da herança é abundante, tanto na perspectiva sistêmica quanto na perspectiva psicanalítica, abrangendo os mais variados enfoques. Ora como transmissão transgeracional, intergeracional, transubjetiva, multigeracional, cogeracional, ora como produção intersubjetiva que incide sobre o intrapsíquico e na subjetividade do sujeito, ou ainda podendo fomentar delegações, missões, lealdades invisíveis, segredos, mitos e ritos nas interações entre os membros da família através das gerações.

O conceito de geração é definido por Áries (1997) pelo espaço decorrido do nascimento de homens e mulheres no período de uma vintena de anos. A geração, nesse sentido histórico, torna-se a medida da mudança dos contextos econômico, social, cultural e tecnológico nos quais a família está inserida. Podemos exemplificar pelos períodos em que nasceram e se desenvolveram as gerações dos bisavôs, dos avôs, dos pais, dos filhos, dos netos e dos bisnetos de uma determinada linhagem. Ao situar o período em que cada uma dessas gerações viveu, perceber-se-á que suas vivências foram marcadas pelo tempo, por épocas com repercussões importantes para a compreensão de questões vinculadas ao transgeracional e ao intergeracional. Nessa perspectiva, o sujeito é analisado como o produto de muitas heranças que ocorrem no interior de sua família, mas também da herança que ele recebe das esferas social, econômica e cultural, próprias do contexto em que sua família está inserida no momento de seu nascimento e no período de seu desenvolvimento. Esse conjunto de heranças certamente contribuirá para a formação de sua identidade.

Neste ensaio, apresentaremos as duas áreas do conhecimento que têm trabalhado sobre essa questão, visando a um melhor entendimento dos campos de estudos: a abordagem sistêmica e a abordagem psicanalítica.

A ABORDAGEM SISTÊMICA

Os terapeutas de família, pioneiros nos estudos da família e da interação entre seus membros, investigaram os aspectos do que acontece entre as gerações, identificando as transmissões, as heranças passadas, aceitas ou rejeitadas. Foram influenciados pela psicanálise, e, para alguns deles, esta fez parte de sua formação anterior.

Esses terapeutas são denominados sistêmicos, uma vez que consideram a família como um sistema constituído pelos subsistemas conjugal, paterno e materno, filial, fraterno, e por outros, que funcionam de acordo com as características desse sistema: hierarquia, fronteiras, regras, modalidades de comunicação, entre outras. São também denominados psicodinâmicos porque levam em consideração as questões emocionais e psíquicas presentes nessas interações e não se atêm unicamente aos aspectos comportamentais. Entre eles, destacamos, nos Estados Unidos, os terapeutas de família e pesquisadores Ivan Boszormenyi-Nagy (1965a, 1965b, 1966, 1967a, 1967b, 1968, 1970, 1973, 1974, 1978, 1985, 1986, 1987) e Murray Bowen (1961, 1978a, 1978b); na Alemanha, Helm Stierlin (1969, 1970, 1971, 1972a, 1972b, 1973, 1974, 1978, 1979) e Stierlin, Wirsching e Kauss, (1977); na Itália, Maurizio Andolfi e Claudio Ângelo (1988); e, no Brasil, os trabalhos desenvolvidos por Bucher (1985, 1986) nas questões do segredo e do mito percorrendo gerações; no estudo da esquizofrenia, a pesquisa desenvolvida por Costa (1994), e, mais recentemente, a publicação de Wagner (2003), entre os trabalhos escritos na perspectiva sistêmica/psicodinâmica.

A contribuição dos trabalhos na perspectiva sistêmica faz-se com base nos estudos das famílias, notadamente na esquizofrenia inicialmente, e em vários tipos de disfuncionalidade. Da vasta literatura proveniente desses estudos, surgiram aqueles que marcam o campo da transgeracionalidade e que definem algumas de suas características, apontando para os aspectos que percorrem as gerações e que as transcendem em busca de sua perpetuação. Entre os principais conceitos que têm sido explorados, está o do papel da memória transgeracional e familiar, ou seja, é na família que se reproduzem os conteúdos das memórias supra-individuais.

Considera-se que cada membro do casal que se constitui traz consigo uma memória familiar vinculada ao que lhe foi transmitido e vivenciado em sua família de origem, a qual será repassada a seus filhos, que, por sua vez, terão a mesma missão de transmissão desses conteúdos, numa sucessão de gerações, ainda que, nessa transmissão, ocorram transformações.

Miermont (1987, p. 374) considera que as memórias familiares

> são a parte das memórias transgeracionais que, através dos aprendizados individuais, garantem a transmissão cultural dos ascendentes aos descendentes, a estrutura das memórias é influenciada pelos ritos e os mitos, que funcionam como organizadores, e a violência nasceria da destruição quantitativa e qualitativa das memórias.

Nas questões transgeracionais, aspectos como memória, esquecimento e lembrança têm sido estudados, na perspectiva sistêmica, numa concepção que transforma a memória como depósito em memória como processo, no qual estão em jogo o esquecimento, a lembrança, a nostalgia (Neuburger, 1995; Rey, 1994, 1999). Portanto, a memória transgeracional como processo é um conceito importante para a compreensão dos conceitos que vêm a seguir. Os conceitos de Justiça familiar, lealdade e parentificação foram desenvolvidos por Boszormenyi-Nagy e Spark (1973) e apresentados em seu livro *Invisible loyalties: Reciprocity in intergenerational family therapy,* publicado em 1973 e até hoje não traduzido no Brasil. Esses conceitos dão as bases de compreensão para a perspectiva sistêmico-psicodinâmica da família e para o desenvolvimento do que denominam de ética relacional da família. No nível sistêmico, por se tratar de um conceito vinculado à família como um microssistema social, e no nível psicodinâmico, por desenvolver uma compreensão no nível psicológico individual e relacional familiar.

Boszormenyi-Nagy (1986) desenvolve um novo paradigma de psicoterapia familiar, denominado de contextual, com base no referencial teórico voltado para a dimensão transgeracional. Para ele, cada família traz consigo um mandato transgeracional cujo patrimônio ou legado compreende tanto elementos positivos quanto negativos. Para melhor compreensão do modelo por ele desenvolvido, é necessário discorrer sobre o vocabulário conceitual por ele criado. O patrimônio ou legado é o mandato transgeracional que veicula entre as gerações, na dimensão psíquica, e que, na maioria das vezes, se passa em nível inconsciente. A herança recebida de uma geração cria obrigações em relação a seu doador. Estabelece-se um vínculo entre o que dá e o que recebe. Nesse sentido, o patrimônio tem uma vertente positiva, pois assegura a sobrevivência não só transgeracional, mas também é facilitador da sobrevivência da espécie humana. A vertente negativa do legado seria aquela em que o patrimônio é sobrecarregado de conteúdos disfuncionais. Um exemplo mencionado seria o de um "patrimônio de alcoolismo" na família. Essa família não teria nenhuma razão para perpetuar esse patrimônio tão destrutivo numa "perspectiva ética relacional"; haveria, sim, necessidade de se livrar desse problema, contribuindo para a saúde mental da família e das gerações seguintes.

Outro conceito utilizado por Boszormenyi-Nagy (1986) é o de Justiça, considerada na perspectiva da eqüidade nas relações familiares. Ela é o fundamento dinâmico das relações viáveis, duradouras e íntimas; é promotora da manutenção de uma relação digna de confiança. Para o referido autor, a Justiça "representa o grande desafio para manter o equilíbrio da eqüidade entre os membros de uma família" (p. 417). Ele faz uma distinção entre a Justiça retributiva (a de retribuição) e a Justiça distributiva, aquela que "caracteriza os caprichos do destino", que é exemplificada com a transmissão de uma doença. A legitimidade é outro conceito utilizado em seu referencial teórico. Trata-se da "garantia ética" que só pode se atualizar no interior de uma relação. É a soma dos méritos de um ou mais membros da família que se converte na legitimação do(s) outro(s). No decorrer das gerações se estabelece uma contabilização de

méritos que se converte em um modelo para medir a idéia que tem a família da Justiça no âmbito familiar. Essa dimensão positiva pode também se tornar uma legitimidade destrutiva na qual não há legitimação do outro, mas uma espécie de desqualificação ou de indiferença em relação ao outro. (p. 416-7)

A iniqüidade vivenciada como conseqüência de uma legitimidade destrutiva produzirá pessoas que passarão sua vida imaginando que os outros lhe devem algo e reivindicando a outros membros da família para compensar o que não tiveram, tornando-se, por sua vez, injustos novamente, perpetuando, assim, a iniqüidade. Na maioria das vezes, o mandato que se veicula entre as gerações ocorre no nível invisível ou inconsciente.

Outro conceito central na obra de Boszormenyi-Nagy é o de lealdade. Trata-se de um sentimento de solidariedade e compromisso que unifica as necessidades e expectativas na família. "No sistema familiar a lealdade é entendida como a expectativa de adesão a certas regras cuja transgressão gera a exclusão" ou "a identificação do membro da família com o grupo, numa relação objetal genuína com os outros membros, de confiança, fiabilidade, responsabilidade, compromisso, fidelidade e uma devoção inquebrável" (Simon, Stierlin e Wynne, 1988, p. 212). É um tipo de vinculação que pode produzir uma configuração relacional mínima triangular: aquele que prefere, aquele que é preferido e aquele que não é preferido. O problema ocorre quando surge o conflito de lealdades, ou seja, quando a pessoa desenvolve lealdade a duas pessoas concorrentes. Um exemplo dessa situação encontra-se descrita por Shakespeare, em *Hamlet,* cujo conflito de lealdade para com o pai e para com a mãe é desencadeador de um processo que leva à loucura. Trata-se aqui de um *split loyalty*. A lealdade invisível, ou a inconsciente, manifesta-se nos membros de uma família que ficam ligados às demandas também inconscientes de seus ancestrais, levando-os a uma fidelidade que vai até mesmo contra seus próprios desejos. Esse tipo de lealdade apresenta-se como uma "força patológica" que paralisa todo engajamento numa relação autêntica.

Na descrição de um atendimento de família que fizemos em artigo publicado (Bucher, 1986), fizemos alusão a esse tipo de lealdade, que se organiza com base na formação de mitos e segredos, e que pode percorrer mais de uma geração. Tal lealdade pode ser compreendida como uma tentativa mascarada de equilibrar as relações verticais que interferem nas relações horizontais.

Outro conceito desenvolvido por Boszormenyi-Nagy é o da parentificação (Boszormenyi-Nagy e Spark, 1973), que consiste na atribuição do papel parental a um ou mais filhos no sistema familiar. Essa ação de um adulto em relação a uma criança, transformando-a em alguém cujas exigências estão acima de sua capacidade cronológica, implica uma inversão de papéis perturbadora da fronteira intergeracional. A parentificação pode ser destrutiva: quando a criança esgota suas possibilidades de realizar as expectativas muitas vezes absurdas dos adultos, conseqüentemente perdendo, pouco a pouco, a confiança em si mesma. Esse conceito foi retomado e aprofundado posteriormente, sobretudo por Stierlin (1978), Minuchin, Rosman e Baker (1978) e outros terapeutas de família.

Boszormenyi-Nagy (1985, 1987) desenvolve, com base nos conceitos acima descritos, a idéia de que toda família possui um "grande livro" simbólico no qual está contida a contabilidade das dívidas e dos méritos acumulados de um lado e de outro em toda relação através das gerações. Trata-se do legado, da herança dos méritos. O grau de legitimidade ou da não legitimidade própria a cada membro da família "depende em todo momento da eqüidade de suas concessões mútuas (o dar e o receber ou *given-and-take*)" (1986, p. 379). É a dimensão simétrica ou assimétrica da relação que modelará os limites das concessões mútuas entre os parceiros da relação. Tais conceitos, sobretudo o de lealdade, levam em consideração as dimensões éticas e morais, nas quais as necessidades do indivíduo, em uma rede formada pelos membros da família, podem "calibrar-se e receber o merecido". Esse fenômeno é por ele denominado de "ética das relações intrafamiliares" (1986, p. 378).

Na mesma direção teórica vemos, na Alemanha, Helm Stierlin, outro terapeuta de família, vinculado à Universidade de Heidelberg. Stierlin (1971), ao perceber que a maioria das noções da cibernética era muito limitada para dar conta do fator dinâmico inerente às estruturas familiares, aproxima-se de Hegel e desenvolve um modelo de atendimento de famílias tendo como ponto de partida a dialética, elemento importante para a compreensão das relações psicodinâmicas complexas, inseridas em dois eixos principais: o horizontal e o vertical. Essa perspectiva dialética está vinculada às qualidades e aos papéis específicos dos membros da família, assim como às posições de força que uns e outros detêm. Em alguns casos, uma profunda agressividade pode estar presente naquele que exerce um papel de mártir, uma vez que esse papel mobilizará uma dose maciça de sentimentos de culpabilidade em outros membros da família. Pela dialética, descobre-se nas relações interpessoais um movimento que pode tomar a forma de uma reciprocidade positiva ou negativa (Stierlin, 1971). A reciprocidade positiva tem uma característica de distensão comunicacional: os cônjuges aceitam-se e reconhecem-se mutuamente em profundidades existenciais, sempre as mais ricas, o que permite uma autêntica confrontação. No caso de reciprocidade negativa, a dinâmica comunicacional encontra-se, ao contrário, travada, em vez de considerar a especificidade de cada um, os parceiros depreciam-se mutuamente e as possibilidades de uma confrontação real desaparece ou, pelo menos, diminui fortemente.

O modelo desenvolvido por Stierlin faz uma distinção entre os sistemas relacionais verticais, denominados transgeracionais, por se estenderem por várias gerações, e os sistemas horizontais, que reagrupam os membros da família que pertencem a uma mesma geração, ou seja, cônjuges, irmãos e irmãs, primos e primas. Geralmente os sistemas verticais têm uma dinâmica mais fecunda que os sistemas horizontais; nessa perspectiva, a dinâmica do casal não pode estar dissociada de uma dinâmica familiar de origem, que é determinada, sobretudo, verticalmente. Stierlin aponta para a distinção entre as estruturas verticais e horizontais e nos faz descobrir a possibilidade de uma oposição entre um passado carregado historicamente e um presente aberto para o futuro: nossas motivações e nossas atitudes, as mais pessoais, revelam-se como conseqüência e expressão de uma vivência familiar correspondente a várias gerações. As estruturas dinâmicas, os processos e os esquemas conflitantes que consideramos significativos são quase sempre escondidos. Quer dizer que eles passam, total ou parcialmente, despercebidos dos membros da família, mesmo se esta, muitas vezes, apresentar-se como uma observadora interessada.

Stierlin aprofunda o tema da delegação já apontado por Boszormenyi-Nagy (1970) e parte do duplo significado atribuído ao verbo latino *delegare*: o de remeter, enviar e o de confiar uma missão. Stierlin ressignifica essa palavra e a apresenta nos processos interpessoais da família, indicando que a pessoa a quem se delega algo é enviada para cumprir a missão, porém, ela estará vinculada a uma rede de lealdades e que, ao cumprir conscientemente a missão que lhe foi atribuída, sua realização gerará sentimentos de auto-estima (Simon, Stierlin e Wynne, 1988). A "delegação" fortifica as forças centrípetas e centrífugas. O jogo dessas forças tem como elemento-chave o vínculo de lealdade que une aquele que delega àquele que é delegado. Esse vínculo já toma forma na intimidade da relação pais e filhos, sobretudo, mãe e filho. Os conteúdos que são "delegados" dos pais aos filhos podem surgir de níveis de motivações as mais diversas. A "delegação" não é necessariamente patológica. Quando uma pessoa assume uma "delegação", sua vida recebe uma direção e um sentido, e ela se integra a uma cadeia de obrigações que recobre as gerações. No papel de delegado dos pais, é possível provar a lealdade e a honestidade e preencher as missões, que não têm somente uma significação diretamente pessoal, mas também um sentido supra-individual. O processo de "delegação", algumas vezes, pode se desenvolver de diferentes formas.

As missões podem se tornar impossíveis quando não estiverem relacionadas aos talentos, quando as possibilidades e necessidades correspondentes à idade daquele que é o delegado a cumpri-las estiverem acima de seus meios. Nesse caso, um desenvolvimento pessoal torna-se disfuncional com aquilo que é imposto ao "delegado", implicando sempre uma exploração psicológica. Um exemplo de desenvolvimento desse tipo manifesta-se quando o pai de uma criança medianamente dotada exige que ela vença para se tornar uma brilhante esportista, delegando-lhe tal missão, uma vez que ele mesmo não pôde realizar esse feito, frustrando as expectativas de seus próprios pais.

Outro desenvolvimento disfuncional observado por Stierlin é quando há conflito de missões, que surge quando as tarefas confiadas por uma ou mais pessoas que delegam revelam-se incompatíveis, contraditórias, forçando o delegado a tomar direções diferentes. Por exemplo: quando uma criança recebe uma "delegação" que vai no sentido do desejo da mãe e é contraditória com o desejo do pai ou vice-versa, surgirão conflitos de lealdade. Ao ser leal a seu pai, poderão surgir sentimentos de estar sendo desleal a sua mãe. Nesse caso, o delegado estará exposto a um sentimento de culpa, pois, ao realizar a missão que lhe outorgou o pai, em detrimento do desejo da mãe, viverá um sentimento de traição à mãe.

Stierlin (1978) chama a atenção para esses "acidentes nos processos de delegação", assinalando para os conflitos intrapsíquicos e interpessoais, que levaram longos anos a se desenvolver e se reforçar numa perspectiva intergeracional. Ele distingue ainda entre delegados vinculados e delegados rejeitados. Os delegados vinculados são aqueles que

> devem cumprir as missões que os mantêm constantemente prisioneiros no interior do perímetro afetivo controlado pela família. O típico nesse ponto de vista é a carga consistindo em perseguir a vida de um irmão ou de uma irmã, tragicamente desaparecido, ou seja, preencher as esperanças e os ideais, colocados no morto, e a economizar aos pais o necessário trabalho de luto, ora, isto ultrapassa sempre as possibilidades do delegado. (Stierlin, 1978, p. 41)

Os delegados rejeitados, por sua vez, são expostos a uma supersolicitação, que, por ser diferente daquela vivida pelos delegados vinculados, nem por isso é menos intensa. As pessoas que, desde a mais jovem idade, experienciam frieza e desinteresse por parte dos pais acabam por se convencer de que não ganharão a consideração deles se não cumprirem as missões que lhe foram confiadas com uma devoção desesperada.

Para Stierlin, o paciente designado, ou seja, aquele membro da família que assume o papel do doente, do problemático, aparece muitas vezes como um delegado explorado. De um lado, ele tenta cumprir fielmente as missões que ultrapassam e muitas vezes se revelam inconciliáveis, de outro, se revolta diante delas e procura devolver a seus pais a violência que eles lhe fizeram vivenciar. Como delegado de seus pais, ele assume, primeiramente, um papel de vítima, cumprindo suas missões e tornando possível a sobrevida psicológica dos pais, e, ao mesmo tempo, descarrega seus pais de todo medo, vergonha e culpa, pois é ele que está doente, é ele que é o fracassado, e não os pais. Muitas vezes, ele é também o único membro da família que pode manifestar, na sua pessoa, os problemas e conflitos que os outros devem esconder. Mais tarde, Laing (1976) definiu esse tipo de "delegado" como o herói da família, pois tem como missão salvá-la do sentimento de fracasso. Entretanto, os serviços que ele lhe oferece, sua missão de vítima, inquietam profundamente seus pais e outros membros da família, os envergonha e os culpabiliza, pois o simples fato de apresentar sintomas, de se definir como doente perturbado, indicador de ser um fracassado, constitui precisamente a prova viva do fracasso de seus pais. Assim, é ele quem dispõe do maior poder para culpabilizar seus pais, sua família, utilizando o fato de que ele é o doente, o perturbado, o incapaz, numa vingança inquestionável e obstinada de uma exploração real ou suposta da qual ele está sendo vítima por parte de seus pais.

Não podemos nos esquecer de que os próprios pais, muitas vezes, carregam um pesado fardo de decepções, necessidade de amor e lealdade, frustrações, traumatismos, que transmitem de bom ou mau grado a seus filhos, de uma maneira ou de outra, delegando-lhes algo de forma sufocante ou procurando neles satisfazer alguma coisa que não puderam cumprir. Esse conceito tem sido muito importante para as terapias de família, pois permite explicar vários conceitos sistêmicos e psicodinâmicos inerentes a esse processo, numa perspectiva intergeracional e transgeracional, tornando possível trazer à luz para a família a trama invisível na qual está prisioneira.

Destacamos ainda o trabalho desenvolvido por Murray Bowen (1961) que, ao ressaltar os conceitos de individuação, individuação conexa, coindividuação e diferenciação do *self*, entre outros, muito contribuiu para o desenvolvimento da teoria familiar e o conhecimento da dinâmica transgeracional. Bowen desenvolveu seus estudos baseado na relação mãe–filho, observando as formas de vínculo, a fusão possível que impossibilita de estabelecer limites que permitem o desenvolvimento de um *self* próprio. O modelo de Bowen parte da idéia de que a família é uma unidade emocional, e cuja emoção torna-se um movimento reflexível da família como um sistema e suas partes. De sua pesquisa sobre a simbiose mãe–filho, observou padrões de relacionamentos repetitivos e constatou a necessidade de um equilíbrio entre união e diferenciação, pois um desequilíbrio dessas forças poderá levar à fusão e à aglutinação ou à indiferenciação (Kerr e Bowen, 1988).

Bowen desenvolveu conceitos importantes para a compreensão do sistema emocional da família, entre eles, a diferenciação do *self*, conceito-chave que permite que cada membro da família se diferencie de seu sistema de origem. O autor aprofunda essa questão e chega a observar em algumas estruturas familiares uma profunda dificuldade de diferenciação, definindo-a como massa indiferenciada do ego familiar e deficiência na discriminação do *self*, o que leva a um caos cognitivo coletivo, a uma fusão e a um apego excessivo. O segundo conceito apresentado por ele é o da teoria dos triângulos, pelo qual procura esclarecer que quando um conflito se desenvolve entre duas pessoas, uma terceira entra como reforço. Observou que nos sistemas familiares o fenômeno da triangulação ocorre com muita freqüência, ora podendo gerar ansiedade, ora tendendo a equilibrar o estresse na relação.

Outro conceito importante foi o de processo de projeção no interior da família. Trata-se, aqui, da transmissão da própria imaturidade emocional e de uma dinâmica familiar não resolvida por parte dos pais, projetadas no filho, que se torna o sujeito da projeção, com base em uma fusão parental muito forte, que lhe dificulta diferenciar-se no interior da família. Bowen observou ainda o impacto da posição na fratria, nas dinâmicas de personalidade e nas relações entre irmãos. O conceito que constatamos como característico de sua contribuição ao fenômeno do transgeracional é o processo observado por ele de que os esquemas familiares se repetem de geração em geração, reaparecendo os papéis e os triângulos que se reativam através das gerações. Esses fenômenos são esquemas geralmente inconscientes. A contribuição de Bowen foi certamente muito importante na perspectiva da psicodinâmica da família ao longo das gerações.

No Brasil, destacamos o estudo de casos, em que foi descrito, na perspectiva transgeracional, como se estruturam mitos com base em segredos criados numa geração, cuja repercussão segue nas gerações seguintes. A lealdade invisível, nesses casos, é o motor da estruturação e da dinâmica da família que segue com a denominação de um de seus membros visando à perpetuação do mito familiar em torno do salvador da família. Em 1986 descrevemos, no artigo "Mitos, segredos e ritos na família: uma perspectiva intergeracional", com base em um caso clínico por nós atendido em terapia familiar, a análise das noções de dívida, mérito, delegações e missões, bem como a relação entre a negação da morte, e o surgimento do mito do herói e a lealdade invisível percebida em três gerações sucessivas (Bucher, 1986).

Os estudos sistêmicos da família, na perspectiva transgeracional, desenvolveram e utilizaram o genograma da família, que permite mapear sua estrutura e sua dinâmica, identificando as transmissões na perspectiva das repetições de eventos ocorridos através das gerações. A construção do genograma familiar realizado por meio de entrevistas com a família revela uma dimensão transindividual, intergeracional e transgeracional pelo mapeamento das relações entre os familiares presentes nas memórias de seus membros (Foster, Jurkovic, Ferdinand e Meadows, 2002; Frame, 2000, 2001).

Procuramos apresentar as principais idéias desenvolvidas pelos teóricos da dinâmica transgeracional e intergeracional na perspectiva sistêmica/psicodinâmica. Convém observar que, quando nomeamos o intergeracional, estamos identificando os fenômenos que estão situados em uma e outra geração ou outras gerações, ou seja, os fenômenos que estão ocorrendo numa geração, repetindo-se na ou nas seguintes. O transgeracional está situado numa dimensão que transcende a geração real, concreta. É tudo o que se organiza entre as gerações, mas que as transcende no sentido mais elaborado, por exemplo, dos mitos, dos segredos, dos ritos, que, embora sejam ditos (mitos), não-ditos (segredos) e realizados (ritos) através das gerações (transgeracionalmente), podem ser repetidos entre elas.

Após este breve relato, que sintetiza as concepções dos principais estudiosos do tema, apresentaremos algumas idéias sobre a transmissão psíquica na família, ao longo das gerações, desenvolvida por psicanalistas estudiosos da família.

A ABORDAGEM PSICANALÍTICA DA FAMÍLIA

Essa abordagem emerge por dois caminhos: um teórico, por meio de uma releitura dos textos de Freud, e outro, por meio da prática da terapia de grupo, na qual se distinguem os trabalhos de Kaës (1976, 1979, 1989, 1993, 1994, 1995, 1997, 1998, 2001), assim como os estudos que levaram à formulação de uma teoria vincular e das identificações da perspectiva psicanalítica da família, cujos principais expoentes são Berenstein (1981, 1984); Puget e Berenstein (1993); Eiguer (1983, 1986, 1987a, 1987b); Ruffiot (1984), Ruffiot *et al.* (1981); Piva (2006), dentre outros.

A releitura dos textos freudianos, já numa visão do sistema familiar (embora os psicanalistas não aceitem a nomenclatura de sistema familiar), muda a ótica de Freud, que desenvolveu uma teoria do indivíduo e não do grupo familiar. Todavia, é interessante observar que mesmo sem a intenção de desenvolver uma teoria psicanalítica da família, Freud não pôde deixar de apresentar em seus textos fenômenos próprios às interações familiares na relação com seus membros, o que hoje está claramente identificado e aprofundado nos psicanalistas da família ou naqueles voltados para os estudos do vínculo.

Identificaremos alguns trabalhos de Freud nos quais ele explicita questões do sujeito/paciente em sua relação familiar. Em seu trabalho sobre a etiologia da histeria (1967/1896), Freud afirma que devemos procurar as causas dos abusos sexuais ocorridos na infância, na maior parte dos casos, com os parentes próximos dos pacientes, apontando para uma dinâmica familiar muito problemática. Na mesma direção, Freud, ao escrever os "Três ensaios da teoria da sexualidade" (1967/1905), aponta para uma dimensão transgeracional quando nos chama a atenção para o fato de que pais neuróticos podem transmitir suas perturbações a seus filhos, de forma mais direta do que as transmitidas pela herança. Em outra publicação, "Fragmentos da análise de um caso de histeria" (1968/1905), ao apresentar o caso Dora, ele assinala a necessidade de se observar as relações familiares dos pacientes e não só dos antecedentes hereditários. Na releitura do caso Dora, ficam evidentes as questões das lealdades e dos segredos familiares. A todos aqueles interessados nas interações familiares, é um caso a ser relido e analisado na perspectiva sistêmica, pois as questões da intersubjetividade dos sintomas ficam bem evidenciadas nesse caso (Freud, 1968/1905).

Em 1909, Freud, em seu livro *Análise da fobia de um menino de 5 anos* (o caso do pequeno Hans/Joãozinho), intuitivamente realiza uma intervenção terapêutica por meio da família, que, para alguns psicanalistas de família, teria sido a primeira seção de terapia familiar, o que, da perspectiva sistêmica, nos parece ser um pouco exagerado (Freud, 1968/1909). Em 1910, apresenta o trabalho sobre Leonardo da Vinci e novamente se refere às interações familiares, ao desenvolver sua teoria sobre a homossexualidade masculina, com base na fixação da mãe que, insatisfeita, usa o filho como substituto do marido (Freud, 1968/1910).

Em 1968/1913, em seu livro *Totem e tabu*, Freud cria um mito/ficção histórica na qual procura identificar a questão do pai e de seus filhos, apresentando a gênese da constituição de uma família com base nas regras civilizatórias imprescindíveis. Em 1967/1914, em seu texto "Para introduzir o narcisismo", escreve que o indivíduo leva uma dupla existência, como se fosse uma peça de uma cadeia à qual ele se sujeita contra sua vontade ou pelo menos sem a sua intervenção. Nesse texto, Freud percebe a dimensão transgeracional na qual estão assujeitados os membros de uma família. No mesmo texto, usa a expressão "sua majestade, o bebê", o qual é visto como aquele que pode cumprir os sonhos e os desejos não realizados dos pais, sendo, por isso, narcisado por eles, o que indica que o sujeito é membro de uma dupla cadeia na realidade, a das gerações que o antecedem e a de seus contemporâneos. Na perspectiva sistêmica, Stierlin indicou as dimensões verticais e horizontais, como já vimos anteriormente.

Em 1967/1914, na XXIII Conferência para Introduzir o Narcisismo, Freud afirma que as disposições constitucionais são conseqüências (seqüelas) de vivências dos antepassados. Nesse contexto, ele indica o que é transmitido transgeracionalmente, os legados e mandatos das gerações anteriores, ao discutir as questões da transmissão filogenética. Freud afirma ainda que "a intromissão familiar" constitui-se em um perigo que não sabemos como remediar.

> Os próximos ao paciente, às vezes, demonstram mais interesse em que este siga como está agora e que não se cure. E toda vez que a neurose se mistura com conflitos entre os membros da família, como é tão freqüente, o indivíduo são não vacila muito entre seu interesse e o restabelecimento do enfermo. (p. 1.095)

Essa observação de Freud é muito interessante, pois leva a um conceito sistêmico de homeostase familiar; o mais interessante ainda é a colocação de Freud ao perceber o perigo dessa interação, não sabendo como remediá-lo. Nessa mesma conferência, ao citar o caso de uma paciente com fortes episódios de angústia, visando a impedir que a mãe saísse com o amante, embora ela mesma não ignorasse aparentemente a presença desse amante, Freud, nessa descrição, sem dizer, apresenta a questão do segredo na família patológica, estudada mais tarde pelos sistêmicos psicodinâmicos da família. A releitura de Freud numa dimensão sistêmica é muito oportuna, pois nos permite reafirmar a importância da família para a estruturação da subjetividade do indivíduo e de que não é possível desvinculá-la de uma intersubjetividade.

Kaës (1993) apresenta a noção de transmissão psíquica no pensamento de Freud constatando que ela é "fortemente polissêmica", e aprofunda o conceito distinguindo as seguintes formas de transmissão: transmissão intrapsíquica, transmissão intersubjetiva e transmissão transpsíquica. O referido autor (2001) analisa a transmissão intrapsíquica como a desenvolvida por Freud e apresenta uma outra forma de transmissão, a qual denomina de transmissão intersubjetiva, que se origina na família como grupo e, portanto, que precede o sujeito que dela fará parte. Essa forma de transmissão proporcionada pela família possibilita ao recém-nascido organizar seu mundo interno, fornecendo-lhe as condições de apreensão do mundo externo. Ruffiot *et al.* (1981) apontam para uma dimensão histórica do que denominam de aparelho psíquico familiar.

Na perspectiva da transmissão intersubjetiva, Kaës (2001) apresenta a transmissão intergeracional como sendo constituída pelo espaço entre uma geração e outra. Nesse espaço são realizadas as vivências psíquicas do grupo familiar, no qual a história da família é formada, assim como os subsídios para a formação dos mitos que, ao se constituírem, vão passando para as novas gerações. A transmissão definida por Kaës (2001) como transpsíquica é aquela constituída pelo psiquismo dos outros membros da família, portanto, fora do sujeito. Esse tipo de transmissão elimina os limites entre os sujeitos; é como se ela fosse fundada pela necessidade de a família ver cumprida a formação de um vínculo familiar, no qual está inserida sua vertente narcisista.

Piva (2006, p. 23) enfatiza a idéia de que "a transmissão transgeracional é universal e co-formadora de subjetividade". Ela apresenta as vias de transmissão: o discurso familiar, a identificação e a trama fantasmática. É pelo discurso familiar que circulam os enunciados transgeracionais que podem se suceder e se repetir por gerações. Os estudos da transmissão psíquica têm intensificado e ampliado os conceitos psicanalíticos de forma a sistematizar e integrar conceitos que, ilustrados com estudos de caso, tornam-se fonte de reflexão acerca do tema do transgeracional na perspectiva do sujeito e de sua família.

Finalizando esta apresentação, consideramos que os estudos das questões transgeracionais são de grande importância para a compreensão do sujeito e da família, e sua contribuição para a prática clínica tem grande relevância, seja para a clínica na perspectiva sistêmica/psicodinâmica quanto para a clínica psicanalítica na perspectiva familiar ou vincular.

REFERÊNCIAS BIBLIOGRÁFICAS

ANDOLFI, M.; ÂNGELO, C. *Tempo e mito em psicoterapia familiar*. Porto Alegre: Artmed, 1988.

ÁRIES, P. "Gerações". In: *Enciclopédia Einaudi, Vida/morte, tradições/gerações,* vol. 36. Lisboa: Imprensa Nacional/Casa da Moeda, 1997, p. 353-59.

BERENSTEIN, I. *Psicoanálisis de la estructura familiar. Del destino a la significación*. Barcelona: Paidós, 1981.

______. *Familia y enfermedad mental.* Barcelona: Paidós, 1984.

BOSZORMENYI-NAGY, I. "A theory of relationships: experience and transaction". In: BOSZORMENYI-NAGY, I.; FRAMO, J. L. (orgs.). *Intensive family therapy.* Nova York: Harper & Row, p. 33-6, 1965a.

______. "Intensive family therapy as process". In: BOSZORMENYI-NAGY, I.; FRAMO, J. L. (orgs.). *Intensive family therapy*. Nova York: Harper & Row, p. 87-142, 1965b.

______. "From family therapy to a psychology of relationships: fictions of the individual and fictions of the family". *Comprehensive Psychiatry*, 7(5), 1966, p. 408-23.

______. "Relational modes and meaning". In: ZUK, H. G.; BOSZORMENYI-NAGY, I. (orgs.). *Family therapy and disturbed families*. Palo Alto: Science and Behavior Books, 1967a, p. 58-73.

______. "Types of pseudo individuation". In: ACKERMAN, N. (org.). *Expading theory and practice in family therapy*. Nova York: Family Service Association of America, 1967b, p. 89-92.

______. "Assumptions of a theory of relationships". *Psychotherapy and Psycho-somatics*, 16, 1968, p. 296-7.

______. "Review of Helm Stierlin's conflict and reconciliation". *Family Process*, 9(1), 1970, p. 105-8.

______. "Loyalty implications of the transference model in psychotherapy". *Archives of General Psychiatry*, 27, 1973, p. 374-80.

______. "Ethical and practical implications of intergenerational family therapy". *Journal of Psychotherapy and Psychosomatics*, 24, 1974, p. 261-8.

______. "Visión dialéctica de la terapia familiar intergeneracional". *Terapia Familiar*, 2, 1978, p. 90-110.

______. "Commentary: transgenerational solidarity – Therapy's mandate and ethics". *Family Process*, 24, 1985, p. 454-6.

______. "Transgeneration solidarity: the expanding context of therapy and prevention". *American Journal of Family Therapy*, 14(3), 1986, p. 195-212.

______. *Foundations of contextual therapy*. Nova York: Bunner/Mazel, 1987.

Boszormenyi-Nagy, I.; SPARK, G. *Invisible loyalties: reciprocity in intergenerational family therapy*. Nova York: Harper & Row, 1973.

Bowen, M. "Family psychotherapy". *American Journal of Orthopsychiatry*, 31, 1961, p. 42-60.

______. *Family therapy in clinical practice.* Nova York: Janson Aronson, 1978a.

______. "Schizophrenia as a multi-generation phenomenon". In: Milton, M. e Berger, M. D. (orgs.). *Beyond the double-bind.* Nova York: Brunner/Mazel, 1978b, p. 103-23.

Bucher, J. S. N. F. "Mitos, segredos e ritos na familia". *Psicologia: Teoria e Pesquisa*, 1(2), 1985, p. 110-7.

______. "Mitos, segredos e ritos na família II: uma perspectiva intergeracional". *Psicologia: Teoria e Pesquisa*, 2(1), 1986, p. 14-22.

Costa, I. I. *Família e esquizofrenia: um estudo transgeracional.* Dissertação (Mestrado em Psicologia) – Universidade de Brasília, Brasília, 1994.

Eiguer, A. *Un divan pour la famille. Du modele groupal à la thérapie familiale psychanalytique*. Paris: Le Centurion, 1983.

______. "Les representations transgénérationnelles et leurs effets sur le transfert dans la thérapie familiale". *Gruppo*, 2, 1986, p. 55-72.

______. *El parentesco fantasmático.* Buenos Aires: Amorrortu, 1987a.

______. "El objeto transgeneracional en terapia familiar". *Revista Argentina de Psicologia y Psicoterapia de Grupo*, vol. X(2-3), 1987b, p. 91.

Foster, M. *et al.* "The impact of the genogram on couples: a manulized approach". *Family Journal Couseling and Therapy for Couples and Families*, 10(1), 2002, p. 34-40.

Frame, M. "The spiritual genogram in family therapy". *Journal of Marital and Family Therapy*, 26(2), 2000, p. 211-6.

______. "The spiritual genogram in training and supervision". *Family Journal Counseling and Therapy for Couples and Families*, 9(2), 2001, p. 109-15.

FREUD, S. (1967). "La etiologia de la histeria". In: FREUD, S. *Obras completas*, vol. 1. Madri: Editorial Biblioteca Nueva, 1967, p. 131-45.

______. (1905). "Una teoria sexual". In: FREUD, S. *Obras completas*, vol. 1. Madri: Editorial Biblioteca Nueva, 1967, p. 771-823.

______. (1905). "Análisis fragmentario de una histeria". In: FREUD, S. *Obras completas*, vol. 2. Madri: Editorial Biblioteca Nueva, 1968, p. 605-58.

______. (1909). "Análisis de la fobia de un niño de cinco años". In: FREUD, S. *Obras completas*, vol. 2. Madri: Editorial Biblioteca Nueva, 1968, p. 658-715.

______. (1910). "Un recuerdo infantil de Leonardo de Vinci". In: FREUD, S. *Obras completas*, vol. 2. Madri: Editorial Biblioteca Nueva, 1968, p. 457-93.

______. (1913). "Totem y tabu". In: FREUD, S. *Obras completas*, vol. 2. Madri: Editorial Biblioteca Nueva, 1968, p. 511-99.

______. (1914). "Introducción al narcisismo". In: FREUD, S. *Obras completas,* vol. 1. Madri: Editorial Biblioteca Nueva, 1967, p. 1.083-96.

KAËS, R. *L'appareil psychique groupale. Constructions du groupe*. Paris: Dunod, 1976.

______. "Introduction à l'analyse transationelle". In: KÄES, R.; MISSENARD, A.; GINOUX, J.-C. *et al. Crise, rupture et dépassement*. Paris: Dunod, 1979, p. 35-47.

______. "Le pacte degéneratif dans les ensembles transsubjectifs". In: MISSENARD, A.; ROSOLATO, G. *et al. Le negative, figures et modalités*. Paris: Dunod, 1989, p. 28-39.

______. *Le groupe et le sujet du groupe. Eléments pour une théorie psychanalytique du groupe*. Paris: Dunod, 1993.

______. *La parole et le lien. Processus associatifs dans les groupes*. Paris: Dunod, 1994.

______. "Le complexe fraternal. Aspects de sa specificité". *Topique*, 51, 1995, p. 5-38.

______. *O grupo e o sujeito do grupo: elementos para uma teoria psicanalítica do grupo.* São Paulo: Casa do Psicólogo, 1997.

______. *Introducción. Dispositivos psicoanalíticos y emergencias de lo generacional in lo generacional.* Buenos Aires: Amorrortu, 1998.

______. *Transmissão da vida psíquica entre gerações.* São Paulo: Casa do Psicólogo, 2001.

KERR, M. E. e BOWEN, M. *Family evaluation: an approach based on Bowen theory.* Ontário: Penguin Books, 1988.

LAING, R. "Mistificación, confusión y conflicto". In: BOSZORMENYI-NAGY, I.; FRAMO, J. L. (orgs.). *Terapia familiar intensiva*. México: Trillas, 1976, p. 38-49.

MIERMONT, J. *Dictionnaire des therapies familiales.* Paris: Payot, 1987.

MINUCHIN, S.; ROSMAN, B.; BAKER, L. *Psychosomatic families*. Cambridge: Harvard University Press, 1978.

NEUBURGER, R. *Le mythe familial.* Paris: ESF, 1995.

PIVA, Â. *Transmissão transgeracional e a clínica vincular*. São Paulo: Casa do Psicólogo, 2006.

PUGET, J.; BERENSTEIN, I. *Psicanálise do casal*. Porto Alegre: Artmed, 1993.

REY, Y. "Le jeu de l'oie (loi) systhemique". *Ressonances*, 6, 1994, p. 53.

______. "A transmissão familiar". In: PRIEUR, B. (org.). *As heranças familiares*. Lisboa: Climepsi, 1999, p. 119-31.

RUFFIOT, A. "La terapia familiar psicoanalitica: un tratamiento eficaz del terreno psicótico". *Revista Argentina de Psicologia y Psicoterapia de Grupo*, 7(1), 1984, p. 107.

RUFFIOT, A. *et al. La thérapie familiale psychanalitique*. Paris: Dunod, 1981.

SIMON, F. B.; STIERLIN, H.; WYNNE, L. C. *Vocabulario de terapia familiar.* Barcelona: Gedisa, 1988.

STIERLIN, H. *Conflict and reconciliation.* Nova York: Science House, 1969.

______. "The functions of inner objects". *International Journal of Psychoanalisys*, 51, 1970, p. 321-9.

______. *Das Tun des einem ist das Tun des anderen*. Frankfurt: Surkamp, 1971.

______. "Family dynamics and separation patterns of potential schizophrenics". Proceedings of the 4th Int. Symposium of Psychotherapy of Schizophrenia. Amsterdã: Excerpta Medica, 1972a, p. 156-66.

______. "A family perspective of adolescent runaways". *Archives of General Psychiatry*, 29, 1972b, p. 56-62.

______. "Group fantasies and families myths – Some theoretical and practical aspects". *Family Process*, 12, 1973, p. 111-25.

______. *Separating parents and adolescents*. Nova York: Quadrangle, 1974.

______. *Delegation und Familie*. Frankfurt: Suhrkamp: 1978.

______. *Le premier entretien familial*. Paris: Jean Pierre Delarge, 1979.

STIERLIN, H.; WIRSCHING, M.; KAUSS, W. "Family dynamics and psychosomatic disorders in adolescence". *Psychotherapy and Psychosomatics*, 28, 1977, p. 243-51.

WAGNER, A. (org.). *La transmisión de modelos familiares*. Madri: CSS, 2003.

Parte 2

6 TRANSGERACIONALIDADE PERCEBIDA NOS CASOS DE MAUS-TRATOS

MARIA EVELINE CASCARDO RAMOS
KAMILLA DANTAS DE OLIVEIRA

Este capítulo discute aspectos educacionais transgeracionais presentes em famílias que maltratam seus filhos. Baseia-se em sete anos de trabalho socioterapêutico na perspectiva sociodramática com grupos de pais, mães e avós, realizado no Fórum de Justiça de uma cidade-satélite do Distrito Federal, em parceria com o Laboratório de Psicologia Social Comunitária da Universidade Católica de Brasília. Os casos, encaminhados pelo Juizado Especial Criminal daquela cidade-satélite, são referentes ao artigo 129 do Estatuto da Criança e do Adolescente, que diz respeito aos maus-tratos infringidos a crianças e adolescentes. Esse trabalho tem como característica possibilitar um ambiente de liberdade para tratar desse assunto, sem censura e julgamento, permitindo que os problemas sejam trazidos aos encontros, que possam ser discutidos e sejam procuradas alternativas de ação.

Desde tempos remotos crianças são maltratadas e sacrificadas em virtude da cultura e de crenças locais. Gonçalves (2000) relata que a violência ganha sentido de acordo com a cultura que a produz. A criança é maltratada de diversas formas; do abandono à impossibilidade de ser criança, passando pelo abuso sexual, pelo trabalho infantil, pela exposição a situações de risco e ao crime. Embora nenhuma dessas situações seja menor ou mereça algum destaque especial, deter-nos-emos, neste estudo, aos maus-tratos sofridos por crianças e praticados por seus pais, avós ou responsáveis, pois esse é um tema que temos trabalhado, professores, supervisores e estagiários de psicologia, com a população encaminhada pela Justiça ao Laboratório de Psicologia Social e Comunitária da Universidade Católica de Brasília.

O que percebemos é que os maus-tratos de pais contra filhos têm-se tornado um assunto cada vez mais freqüente, principalmente entre profissionais da área de saúde, por ter se transformado em uma das mais importantes causas de mortalidade de crianças e adolescentes em todo o mundo (Gomes *et al.*, 2002), o que faz dessa questão, hoje, preocupação nacional. Nesse sentido, é possível perceber que muitos avanços têm ocorrido na área de saúde para ampliar seus conhecimentos e contribuições diante dessa problemática. Na esfera jurídica, a preocupação tem-se intensificado, o que é demonstrado pelos programas de atendimento aos que praticam tal ato. Contudo, ainda é difícil tratar a violência contra a criança como um problema social mais amplo, pois muitos ainda não percebem as conseqüências da violência doméstica, como a bagagem psíquica e emocional daquele que terá a violência e os maus-tratos como elementos de interação social, e, mesmo porque, muitos acham que essa é a maneira de educar. Com essa confusão entre imposição de limites e castigos, o processo educacional fica comprometido. Este é, talvez, o ponto mais delicado do trabalho realizado, pois a transgeracionalidade, no que se refere aos maus-tratos, aparece como ponto de referência para o processo educativo.

Para compreender melhor essa temática é preciso contextualizar esse tipo de violência doméstica, identificar motivos internos e externos para a agressividade, o não-entendimento, pelos pais e crianças, do processo educacional, e a impossibilidade de os pais perceberem a criança e o adolescente como seres em desenvolvimento, com capacidade de resposta própria da idade, nas relações que desenvolvem com os adultos, os colegas e o mundo. Os motivos que levam os pais a praticar violência contra seus filhos, portanto, só podem ser percebidos se for considerada a complexidade do ato, que envolve aspectos "socioculturais, psicossociais, psicológicos e biológicos" (Gomes *et al.*, 2002). Isso nos obriga a olhar a violência contra crianças de forma mais ampla. Considerando a perspectiva histórica e com base nos trabalhos realizados com pais e/ou responsáveis envolvidos com a prática dos maus-tratos contra crianças e adolescentes, podemos dizer que, atualmente, essas questões se tornaram um problema de dimensão social e pública. Em termos gerais, pode-se dizer que as explicações referentes aos maus-tratos definem-se como multicausais, das quais não é possível destacar apenas um fator determinante para essa problemática, que se mostra como uma questão delicada e abrangente.

O trabalho está dividido em três partes: inicialmente discutimos questões teóricas sobre o fenômeno da violência contra crianças e adolescentes, posteriormente descrevemos a metodologia utilizada, e, finalmente, procuraremos integrar a teoria com a nossa prática, com base na apresentação de um grupo supervisionado pela primeira autora e realizado pela segunda, como estagiária do projeto.

ASPECTOS TEÓRICOS SOBRE A VIOLÊNCIA

A violência contra a criança: uma relação de poder e dominação

Historicamente, o médico Tardieu foi o primeiro que buscou definir com clareza o conceito de "criança maltratada". Além disso, o avanço das pesquisas e a utilização da radiologia na área de pediatria possibilitaram que as lesões sofridas por crianças fossem mais bem diagnosticadas, o que ocorreu a partir do século XX, no campo da saúde (Guerra, 1984).

Depois de Tardieu, outros pesquisadores da área médica, como Ingraham, Caffey, Silverman e Wooley, também chegaram às mesmas conclusões (Guerra, 1984). Mas, de acordo com Gonçalves (2000), somente na década de 1960 o tema teve seu auge, quando, em 1962, Kempe e outros médicos estabeleceram o conceito de abuso físico, publicado em vários periódicos. Além de definirem com mais clareza o diagnóstico das lesões, eles apontaram as contradições entre as explicações dos pais para as causas dos ferimentos e o que realmente era constatado clinicamente, considerando o problema uma questão social e psicológica. Desde então, vários outros estudos foram realizados a fim de se identificar os pais agressores e as questões relacionadas aos maus-tratos.

Talvez o fato de a família e a comunidade terem sido consideradas, até 1959, as maiores instâncias capazes de promover e assegurar os direitos das crianças sobre qualquer outra instituição possa explicar o motivo pelo qual somente a partir dos anos 1960 surgiu a real preocupação com os maus-tratos cometidos contra elas. Nesse mesmo período a função do Estado estaria limitada ao suporte, em condições de exceção, quanto às funções protetoras da família, o que sugere uma escassa participação/intervenção dos setores públicos na forma que os pais elegiam para cuidar de seus filhos. Em 1989, com a nova Convenção da ONU sobre os Direitos da Criança, e em 1990, com o Estatuto da Criança e do Adolescente, no Brasil, ocorreu uma grande mudança no que se refere aos cuidados da família sobre as crianças. Em primeiro lugar, a elas são garantidos direitos básicos "à sobrevivência, à educação, e à proteção contra o abuso e a exploração" (Gonçalves, 2000). A partir desse momento os profissionais de saúde e educação passam a ter obrigação de informar aos setores responsáveis a ocorrência ou a suspeita de maus-tratos contra crianças. Além disso, programas com o intuito de identificar e inibir a violência doméstica são criados para evitar a ocorrência de casos extremos que podem sugerir uma intervenção jurídica e até mesmo o afastamento das crianças de seus lares. Desse modo, vê-se que é priorizada a proteção da criança, que passa a ser dever de todos e não somente da família, que, em alguns casos, é justamente quem promove a violência. Nesse sentido, considera-se fundamental entender como é conceituada a violência doméstica contra crianças.

A violência pressupõe dominação, e está presente como instrumento de sujeição de grupos ou pessoas, convertendo sujeitos em objetos, coisificando-os, negando-lhes a possibilidade de viver com liberdade, igualdade e respeito. Como processo de vitimização, a violência contra a criança e o adolescente os reduz à condição de objetos de maus-tratos. Segundo Cury (2005), essa violência pode ser representada por diferentes ações, entre as quais o autor destaca: violência interpessoal, abuso do poder disciplinador e coercitivo dos pais ou responsáveis, vitimização que às vezes se prolonga por vários meses e até anos, imposição de maus-tratos à vítima com sua completa objetalização e sujeição, violação dos direitos essenciais da criança e do adolescente como pessoas, e, portanto, negação de valores humanos fundamentais, como a vida, a liberdade e a segurança.

Como os maus-tratos incluem todas essas formas de violência, passamos a defini-las para que possamos entender do que os pais, mães e avós falam nos grupos de trabalho realizados com eles, e do que a Justiça se ocupa quando os encaminha para o atendimento psicossocial ou socioterapêutico.

Como definir e classificar a violência contra crianças e adolescentes?

De acordo com o Ministério da Saúde (2002), a violência contra crianças atinge grande parcela da população infantil e envolve vários profissionais de diferentes áreas do saber, setores do governo e da sociedade civil. Ela é caracterizada por Ferreira e Shramm (2000, p. 2) como um ato que deve implicar algumas condições, tais como: "causar um dano a terceiros; usar a força (física ou psíquica); ser intencional; e ir contra a livre e espontânea vontade de quem é objeto do dano". Considerando essas acepções sobre violência sugeridas pelas autoras, é possível fazer um paralelo entre alguns conceitos de violência doméstica, também tida como interpessoal, e de maus-tratos cometidos contra crianças, que incluem atos de omissão; atos que causam danos físicos, psicológicos e sexuais; exposição a constrangimentos; negação ou impedimento de usufruir de seus direitos; obstrução do processo natural de desenvolvimento. Portanto, estão incluídas aqui ações que envolvem o uso intencional da força e ações que têm o objetivo de ferir uma criança ou um adolescente, mesmo que não deixem marcas visíveis.

Tais definições permitem uma referência no que diz respeito às práticas de maus-tratos contra a criança. Todavia, ao analisarmos os conceitos elaborados por vários autores sobre o tema, verifica-se que não é fácil definir esses fenômenos de forma completa e generalizada. Para isso, é preciso considerar dois pontos importantes. O primeiro está relacionado a fatores culturais, nos quais conceitos universais de abuso e violência vão-se tornando como tais, de acordo com a significação negativa que será atribuída ao ato. A segunda questão se refere à amplitude e à abrangência do conceito de violência. De acordo com Gonçalves (2000) e Guerra (2001), alguns pesquisadores classificam todas as formas de abuso físico que cause dor como atos de violência, inclusive aqueles considerados mais leves; outros admitem apenas as práticas cometidas de forma mais grave, quando apresentam danos para a vítima. Para Guerra (2001), o que a literatura moderna, especialmente no final dos anos 1980, afirma insistentemente é que qualquer ação que cause dor física – de um simples tapa ao espancamento propriamente dito – representa um só *continuum* de violência. Podemos concluir, portanto, que muitos pesquisadores têm transitado por diversos aspectos na tentativa de explicar e definir o ato da violência. Entretanto, o que se pode afirmar, de fato, é que esse é um fenômeno altamente complexo, com diversas origens e formas de concretização, e com diferentes entendimentos, principalmente por aqueles que o praticam, sendo significado por muitos pais como forma de disciplinar e corrigir as crianças.

De acordo com Guerra (2001), são reconhecidos quatro tipos de violência doméstica: *violência física, violência sexual, violência psicológica e negligência*. De todos esses tipos relacionados, a definição de violência física é considerada por essa autora como sendo a mais difícil de ser conceituada, em virtude das várias controvérsias no que se refere ao abuso físico propriamente dito. Por esse motivo, a violência física será abordada mais detalhadamente após a caracterização dos demais tipos de violência.

A *violência psicológica*, segundo Ballone e Ortolani (2002), pode ser caracterizada como um ato de "rejeição, depreciação, discriminação, humilhação, chantagens, xingamento, desrespeito e punições exageradas". Os autores afirmam que esse tipo de violência não causa marcas visíveis, mas pode causar danos emocionais para o resto da vida. Guerra (2001, p. 33) também define essa violência como uma tortura psicológica, na qual o adulto "deprecia a criança, bloqueia seus esforços de auto-aceitação, causando-lhe grande sofrimento mental".

Outra violência com freqüência significativa, mas que muitas vezes é mascarada e mantida como um segredo da família, é a *violência sexual*. Esse fato talvez aconteça, segundo Ballone e Ortolani (2002), pela dificuldade que existe em se resolver esse assunto, pois são questões que envolvem mudanças na dinâmica familiar e que provocam punições e separações. A violência sexual contra a criança é configurada, de acordo com Guerra (2001, p. 33):

> [...] como todo ato ou jogo sexual, relação hetero ou homossexual entre um ou mais adultos e uma criança ou adolescente, tendo por finalidade estimular sexualmente esta criança ou adolescente ou utilizá-lo para obter uma estimulação sexual sobre sua pessoa ou de outra pessoa.

No que se refere à *negligência*, Lippi (1985) a define como sendo um ato de omissão dos pais às necessidades de seus filhos, que, de forma consciente ou não, podem causar situações lesivas a eles. A negligência é uma forma de violência na qual ocorrem descasos em termos básicos de alimentação, vestuário, condições de vida, educação e outros. De alguma forma ela poderia ser explicada nos casos em que as mães são jovens e se encontram imaturas e despreparadas para o casamento e a maternidade. A gravidez, nessas condições, pode ser indesejada, favorecendo a rejeição do bebê pela mãe e impedindo uma vinculação afetiva suficiente para seu desenvolvimento adequado.

Todos esses tipos de violência são considerados como maus-tratos praticados contra as crianças, porém, segundo estatísticas do Ministério da Saúde (2002), a violência mais comumente cometida é a agressão física, que tem sido interpretada de diferentes formas ao longo da história. A primeira tentativa de conceituar a *violência física* surgiu em 1962, quando Kempe e Silverman caracterizaram esse fenômeno como a "Síndrome da Criança Espancada", referindo-se "a crianças de baixa idade que sofreram ferimentos inusitados, fraturas ósseas, queimaduras, etc., ocorridos em épocas diversas [...] sempre inadequada ou inconsistentemente explicadas pelos pais [...]" (Guerra, 2001, p. 34).

Posteriormente, vários outros autores propuseram definições sobre a violência física. Guerra (2001) e Gonçalves (2000) apontam as diferentes percepções dos autores sobre o assunto, em que, de um lado, estão os que acreditam na agressão física como aquela que causa danos físicos às vítimas, e, de outro, aqueles que consideram violência todo ato que causa dor física. A violência doméstica, e, nesse caso mais específico, a violência física, caracteriza-se, então, como um fenômeno amplo e complexo, não sendo unanimidade entre os autores.

É importante frisar que a violência psicológica está presente em todos os tipos de violência contra a criança e o adolescente. É necessário, igualmente, um estudo destinado a ela, pois as conseqüências são muitas vezes drásticas e definidoras de ações e modo de enfrentamento da vida e, em geral, não é considerada pela Justiça pela falta de materialidade. Entretanto, temos de reconhecer que o encaminhamento dos responsáveis para grupos de intervenção é um avanço no entendimento desses atos como prejudiciais ao desenvolvimento da criança, abrindo um questionamento importante sobre seu futuro e os papéis sociais que desempenhará.

Multicausalidade dos maus-tratos

Deluqui (1985) acrescenta aos fatores socioculturais, psicossociais, psicológicos e biológicos envolvidos na multicausalidade dos maus-tratos, aspectos clínicos, psiquiátricos, terapêuticos, preventivos, éticos e jurídicos. Para o autor, tanto fatores superficiais ou manifestos quanto motivações latentes ou inconscientes podem levar o indivíduo a cometer agressão física contra crianças. Algumas situações patológicas, como deficiência mental, alcoolismo, psicoses, paranóias, sadismo, desajustamentos conjugais, filhos conscientemente indesejados, só conseguem explicar indevidamente as causas da agressão.

Para compreender os fatores que podem estar envolvidos com a prática de maus-tratos contra crianças, será utilizada a classificação dos fatores, segundo Cecconello, De Antoni e Koller (2003), com base nas perspectivas sociais, familiares e pessoais.

Os *fatores sociais* são multifacetados, sendo que o primeiro a ser levantado por esses autores está relacionado ao isolamento social e à falta de uma rede de apoio social e afetiva ligada às famílias. O isolamento foi um fato que surgiu a partir do estabelecimento da família moderna do século XIX, tornando essa instituição mais vulnerável a situações de risco, por exemplo, a violência doméstica. Pode-se pensar que uma rede de apoio eficiente para essas famílias poderia ajudá-las a contornar dificuldades e a encontrar ações que contribuíssem para a resolução de crises; entretanto, isso não ocorre, pois a rede social de que dispõem, muitas vezes, reforça os comportamentos agressivos dos pais ou responsáveis, justamente porque é desses comportamentos que se valem em situações semelhantes, o que dá continuidade à desproteção da criança e do adolescente.

A pobreza também tem sido considerada por Cecconello, De Antoni e Koller (2003) como fator relevante dos maus-tratos. A dificuldade financeira, o desemprego, a insegurança no trabalho, a falta de condições adequadas de habitação, saúde, educação, alimentação, as desigualdades sociais, o alcoolismo e tantas outras teriam um papel relevante na violência. Entretanto, não temos, na prática diária com esses pais, depoimentos que confirmem isso. Não é mencionado por um pai e/ou uma mãe, por exemplo, que tenham batido na criança porque não tinham o que comer ou porque estavam preocupados com a perda do emprego, ou, ainda, porque não tinham sido atendidos no posto de saúde. O que é trazido é a dificuldade que sentem com aquela criança, que "é igual ao pai" ou que "não tem quem dê jeito", ou "que me desafia o tempo todo"; ou ainda que "é isso que funciona, porque deu certo comigo!". Em nossa experiência, mesmo que momentos estressantes possam estar emparelhados com a ocorrência de violência contra crianças, de forma geral, o que é muito explicitado é a lembrança de como eles, pais, foram educados: "debaixo de pancada!".

Além disso, a pobreza, mesmo que relevante nos contextos de violência, pode não ser considerada como sua causadora. Indo mais além, acreditamos que ela deve ser vista como um fator de sofrimento, em vez de produtor da agressão. Se assim fosse, poder-se-ia pensar que nas classes média e alta não existem maus-tratos a crianças e adolescentes, o que seria, no mínimo, ingênuo. O que acontece é que existe, nessas classes sociais, um pacto de silêncio familiar quanto às ações tidas como inadequadas ou inaceitáveis. Outra constatação é de que as famílias que são encaminhadas pela Justiça pertencem a uma faixa social menos favorecida, mas não seria correto classificá-las como carentes, pois vivem de um trabalho ou pensão, têm os filhos na escola, se alimentam adequadamente, muitas delas moram em casas próprias e, na maioria das vezes, pai e mãe trabalham, o que melhora o rendimento familiar. As famílias mais pobres, para as quais o emprego é mais difícil e o acesso às políticas públicas é mais conturbado, normalmente não chegam aos grupos de atendimento, ou melhor, não chegam à Justiça. Isso não quer dizer que não existem maus-tratos físicos nas classes mais pobres. Na realidade, essas famílias lutam mais pelo pão-de-cada-dia, e suas crianças e adolescentes participam desse trabalho, indo para as ruas fazer o que está ao seu alcance: pedir esmolas, vigiar carros em estacionamentos, vender balas e até drogas, mas o dinheiro que levam para casa lhes dá o *status* de provedores e favorece o respeito dos demais familiares, o que os tira de um papel submisso aos rompantes agressivos dos pais/responsáveis e os coloca em situação de proteção intrafamiliar. Mesmo assim, também aqui se instala a violência, que se caracteriza pela exposição da criança a outros tipos de risco, dos quais pelo menos dois são evidentes: o social, retirando essa criança da escola, do estudo, da relação com outras crianças; e o urbano, que os torna vulneráveis a atropelamentos, maus-tratos, assaltos, brigas, tiros e outras agressões, que têm vitimado tantas pessoas neste país.

Os *fatores familiares* que podem predispor à violência referem-se aos aspectos disfuncionais que afetam os membros da família como um todo e que incluem falta de comunicação, de confiança, tipo de estrutura e de configuração familiar, dificuldades de relacionamento conjugal, divórcio, gravidez indesejada, relação de poder exercido pelos pais e a educação transmitida de geração em geração, sendo que a experiência vivenciada pelos pais em suas famílias de origem pode indicar uma maior incidência de violência doméstica se eles também tiverem sido vítimas de maus-tratos (Cecconello, De Antoni e Koller, 2003).

Fatores pessoais, como impulsividade, agressividade, doenças mentais e físicas, transtornos de personalidade, do agressor ou da vítima, também podem ser considerados causadores de violência doméstica. As limitações cognitivas dos pais e o envolvimento com drogas e álcool também devem ser avaliados quando se trata de maus-tratos contra crianças. O alcoolismo é apontado como um dos fatores mais importantes causadores de maus-tratos, muitas vezes incontroláveis pelos usuários crônicos. De acordo com Gomes *et al.* (2002), ele pode provocar comportamentos agressivos, negligência e abandono dos cuidados com os filhos.

Educação dos filhos: a perpetuação transgeracional do ciclo da violência

A constatação mais recorrente dos estudos sobre o tema é que existe uma reprodução do modelo de educação recebido pelos pais na infância. Isso significa que muitas crianças vítimas de maus-tratos se tornam adultos agressores. Pais que foram criados de forma severa e que sofriam punições físicas podem desenvolver um modelo disciplinar corporal e coercitivo que justifique a criação dos filhos e a educação dispensada a eles, perpetuando a violência como modelo educativo. Para Cecconello, De Antoni e Koller (2003), é dessa forma que se mantém o "ciclo da violência", no qual indivíduos tratados de modo agressivo ao longo de suas vidas tendem a utilizar os mesmos métodos com seus filhos. Buriolla e Marques (1999) também relatam que o abuso sofrido por crianças é repetido em outras gerações a partir do momento que a criança agredida internaliza os métodos de criação utilizados pelos pais. Aloísio (2002) discute a violência familiar relacionada à violência social, sendo um fenômeno aprendido, muitas vezes, no lar.

No entanto, é preciso tomar cuidado ao generalizar esse fato transgeracional. Nem todos os pais que sofreram violência durante a infância podem ser apontados como potenciais agressores. Segundo Cecconello, De Antoni e Koller (2003), existem alguns atores mediadores, tais como a rede de apoio social, a coesão familiar e a resiliência infantil, que são capazes de romper com esse "ciclo de violência" dentro da família. A resiliência se refere à capacidade que o indivíduo possui de lidar com fatores estressantes, superando as dificuldades vivenciadas e buscando estratégias alternativas para seu enfrentamento (Junqueira e Deslandes, 2003). Sendo assim, pode-se pensar que não apenas as experiências vivenciadas pelos pais serão determinantes nos cuidados que terão com seus filhos, mas também fatores socioculturais e modos de enfrentamento de cada indivíduo podem permitir uma construção diferente da forma de lidar com a situação.

Cecconello, De Antoni e Koller (2003, p. 8), em pesquisa recente, relacionam os fatores que contribuem para a interrupção desse ciclo, quais sejam:

> [...] a manutenção de um relacionamento amoroso estável, que forneça apoio e bem-estar emocional aos pais; a participação em psicoterapia e em grupos de auto-ajuda; e a rede de apoio social estabelecida com pessoas significativas e com os recursos disponíveis no mesossistema, como o centro de saúde, a igreja e o próprio trabalho [...].

A família é a transmissora de valores e regras sociais, mas ela o fará de acordo com sua vivência e percepção. Temos deparado com pais e mães que são fruto de uma educação que privilegia o castigo físico ao diálogo, a independência, mesmo que precoce, ao cuidado e orientação. Exemplo disso é a mãe que acha que seu filho de dois anos pode comer e fazer sua higiene sozinho ou brincar com o que quiser: "Ele se queimou porque gosta de brincar com fogo..." ou "Eu vivo falando que ele está sujo, mas ele vive assim". Ou, ainda, que coloca seu filho de seis anos para tomar conta dos menores: "Ele tem que ajudar, sim, porque eu não dou conta de tudo, não...". Nesses casos, se as crianças não obedecem, merecem castigo, que vem da mesma forma como a mãe e/ou o pai foram educados, acompanhado dos mesmos sentimentos que percebiam em seus pais, tais como raiva, impaciência e direito de dominação sobre os filhos.

O que pais e mães vivem em sua infância e adolescência parece ser, portanto, determinante em sua relação de educadores com seus filhos. Por outro lado, cobra-se deles o papel de educadores, mesmo que não lhes sejam dadas condições de mudança de entendimento do que seja o processo de desenvolvimento das crianças e adolescentes, nem do papel dos educadores nesse processo. Informações sobre os papéis paternos e maternos, sobre as necessidades das crianças, sobre a importância da família na proteção da condição humana parecem não fazer parte das funções das instituições educacionais, de saúde ou de assistência social. Nesse sentido, nem as escolas nem os centros de saúde têm se responsabilizado por um trabalho sistemático ou consistente com as famílias.

Outro ponto que temos percebido na prática diária é que a violência doméstica se dá com freqüência muito maior em relação à criança do que ao adolescente. Talvez porque, ao contrário da criança, o adolescente já tenha uma reserva de informações sobre as regras sociais tal como vistas por sua família, e sobre formas agressivas ou violentas de resolução de conflitos, o que lhe dá instrumentos suficientes para agir auto-orientado.

REFLEXÕES SOBRE OS GRUPOS DE ATENÇÃO PSICOSSOCIAL A PAIS DENUNCIADOS POR MAUS-TRATOS

A metodologia do grupo

Apresentamos aqui nossa experiência de sete anos de trabalho com grupos de pais, mães e avós encaminhados pela Justiça por desrespeitarem ao artigo 129 do Estatuto da Criança e do Adolescente, que se refere aos maus-tratos infringidos a crianças e adolescentes. Esses grupos têm como objetivo ajudá-los a construir novas referências sobre o processo educativo. O trabalho é realizado em uma sala adequada a esse fim, no Fórum de Samambaia, cidade-satélite do Distrito Federal. O atendimento é parte do programa da Central de Medidas Alternativas, do Ministério Público do Distrito Federal e Territórios, em parceria com o Laboratório de Psicologia Social Comunitária da Universidade Católica de Brasília. O método utilizado é o sociodramático, eficiente no trabalho com grupos pela união do discurso com a vivência, pela atenção a cada um dos participantes, pelo respeito às suas opiniões e posições e pelo favorecimento do compartilhar dificuldades e desejos, que ensejam uma análise das relações – não só com os filhos, mas com as pessoas de seu universo social – baseada na troca de papéis.

Os grupos se desenvolvem uma vez por semana, durante duas horas. Os participantes vêm revoltados, primeiro, por terem sido denunciados, o que comumente é feito por algum desafeto, pelo ex-marido, por uma vizinha "inimiga"; e, em segundo lugar, por não reconhecerem seu comportamento como maus-tratos. O que todos alegam é estarem "educando seus filhos", coisa que eles desafiam os psicólogos dirigentes dos grupos a fazer, "se forem capazes". Demanda, por menor que seja e por qualquer motivo que possa haver, não existe. O que há é uma agressividade contra a instituição Justiça, seus representantes – promotores, juízes – e pelos psicólogos e estagiários que estão ali com eles. No intuito de tentar trabalhar com eles, facilitar-lhes a identificação de situações de difícil manejo e estratégias de enfrentamento de uso comum, o primeiro encontro é dedicado a receber as queixas e dar atenção aos seus argumentos. As queixas, normalmente, referem-se à Justiça que os intima por estarem corrigindo seus filhos e os argumentos seguem esse raciocínio, pois precisam educar e o filho(a) tem de respeitá-los. O que se percebe é que esses pais, mães e avós se colocam como educadores, como seus pais e avós; têm a agressão aos filhos e netos como uma punição comum e eficiente, mesmo que precisem repeti-la com alta freqüência. "Mas é só o que dá resultado", dizem, sem se darem conta de que o resultado alegado não existe, pois a criança se aquieta por alguns momentos e volta ao mesmo comportamento, ou a outro tão "horrível" quanto o anterior: "Ele não dá sossego, não. Acaba de apanhar, não demora um minuto tá fazendo besteira de novo"; "A culpa é dele, que me tira do sério"; "Se ele não estivesse com o dedo na frente, (eu) não teria cortado"; "Mas eu só dei um puxão na orelha dela. Ela ficou surda porque tinha que ficar mesmo".

Essas não são afirmativas levianas ou falsas. Todos demonstram acreditar no que estão falando. Com o desenvolvimento do trabalho, temos visto que a percepção que têm sobre as crianças e adolescentes, sobre si mesmos e sobre a qualidade das relações que desenvolvem consigo mesmos, com a família de origem e com os filhos vai se ampliando e, mais adiante, se modificando. Embora não se possa dizer que surge algum tipo de demanda de atendimento pelos psicólogos, aparece um novo tipo de relacionamento com eles e com os outros participantes. Aos poucos, chegam informações de conversas entabuladas com os filhos, de outros tipos de castigos, de comportamentos mais aceitáveis por parte dos dois: pais/mães/avós e crianças/adolescentes. E a presença no grupo deixa de ser penosa e negativamente avaliada por eles, que, ao contrário, dizem: "Se eu tivesse vindo ao grupo antes, não teria feito muita coisa que eu fiz".

Quando nos questionamos sobre o que acontece com esses adultos, que estão certos da propriedade de seus atos e da eficiência de seu papel de educadores, ao modificarem, mesmo que de forma branda, o seu comportamento com as crianças, pensamos em alguns indicadores: em primeiro lugar, a atitude dos diretores do grupo (psicólogos e estagiários) dá continência às queixas, aos sentimentos vindos do repúdio ao chamado da Justiça, às dificuldades que têm de educar os filhos; em segundo lugar, o entendimento de seus atos, mesmo sem cumplicidade, mas com respeito à história de cada um; e, por fim, a chance que têm de reviver cenas difíceis de sua vida com as crianças e adolescentes, para que percebam seus atos e atitudes com base nos vários papéis que experimentam no encontro (de filho(a), pai, amigo e tantos quantos possam estar envolvidos nas cenas que trazem), a partir do que podem buscar alternativas de ação e analisar sentimentos e motivos presentes naquela relação específica.

Muito freqüentemente os participantes trazem, na cena psicodramática, a presença de seus pais e mães, dizendo-lhes que "é assim mesmo que se educa", que "temos que ser severos com os filhos, senão eles montam na gente", que "deu certo com eles, portanto, vai dar com seus filhos". Quando, ainda em cena, uma mãe discorda disso, é percebido um alívio do grupo, que parece pegar para si a liberdade de fazer diferente na sua família. Como a cena é dramatizada, a liberdade de expressão é total, o que possibilita o surgimento de várias posições e propostas relacionadas ao tema em questão, que serão discutidas e assimiladas por alguns como legítimas. As dramatizações possibilitam o aparecimento dos fatores transgeracionais, principalmente porque os ascendentes não estão presentes aos encontros e, durante as cenas, todas as conversas são possíveis.

Em relação à criança, muitas vezes é percebido que, apesar de a criança estar fazendo algo "errado", a razão está no fato de ela estar solicitando atenção da mãe há algum tempo, no que não foi atendida. Ao perceber isso, essa mãe reorienta sua fala e, por conseguinte, sua atitude, que passa, imediatamente, a ser mais afetiva, de compreensão para com a criança, que por sua vez, reage afetuosamente também. Não raro, essas cenas são relacionadas com outras, vividas por outras gerações. Não é mágica nem é fácil; faz parte de um processo em que o método e o grupo são fundamentais para o estabelecimento da percepção correta do outro e da situação que estão vivendo, desenvolvida em um contexto de compreensão e respeito que enseja a liberdade para a discussão do ocorrido, favorecendo mudanças.

CONSIDERAÇÕES SOBRE O QUE OUVIMOS NO GRUPO A RESPEITO DA PRÁTICA DOS MAUS-TRATOS

Culpabilização da criança pela agressão recebida: "Ele mereceu!"

A análise dos encontros realizados com os pais, mães e avós no Fórum de Samambaia deixa claro que os pais atribuíam às crianças a responsabilidade pelos maus-tratos ocorridos. Esse fato parece surgir como uma tentativa dos pais em querer explicar ou minimizar o fato ocorrido, atribuindo às crianças a culpa por terem "perdido a cabeça". Os depoimentos a seguir são exemplares dessa situação:

> [...] se ele tivesse ficado lá nos fundos onde eu botei ele, eu não tinha cortado o dedo dele; [...] ele é muito teimoso; Toda vida ele foi inquieto, mas na medida em que ele está crescendo ele está piorando" (mãe); [...] Mas ela sempre foi bruta, sempre eu falava palavras de amor pra ela e ela sempre me dando aquelas pancadas que doía mesmo; [...] Aí foi só ela voar em cima de mim... eu pronto acabou! Aí eu estourei; [...] eu errei, mas você errou mais do que eu...; Só que essa é mais danada, ela é mais petulante [...] Ela enfrenta, ela encara, entendeu? [...] (Mãe)

Relatos como esses foram comuns no decorrer dos encontros, demonstrando que para os pais o fato de os filhos serem agressivos, teimosos, desobedientes constitui-se no fator que os levou a cometer a agressão. Nesse sentido, os pais se colocam não como agressores, mas como vítimas das crianças, que não cumprem ordens ditadas para "seu próprio bem", ou daquelas que são "naturalmente" mais agressivas ou teimosas. Ou seja, parece que, na concepção dos pais, a qualidade da relação familiar e a educação que essas crianças receberam desde o nascimento não interferiram em tais características, já que são tidas como inatas. Dessa forma, a agressão é utilizada como uma maneira de punir a natureza agressiva dos filhos, de modo autoritário, o que caracteriza o abuso do poder de educador.

Falta de repertório para educar os filhos: "Não sei fazer de outro jeito!"

Muitos pais demonstraram não possuir repertório variado que lhes permita educar os filhos, limitando-se a puni-los, de acordo com o que aprenderam com seus pais e avós, repetindo o castigo e/ou as agressões físicas que sofreram em sua própria infância:

> Eu bato nele, eu coloco ele de castigo, eu converso com ele, eu faço tudo que você imaginar eu faço com ele, mas eu não sei mais o que eu faço; [...] lá em casa ele só falta subir na parede, e no telhado; no caso do meu menino, conversando não escuta; [...] às vezes eu batia nele quando eu já tava assim, não agüentando mais de tanto falar aquela mesma coisa pra ele, e ele teimar; [...] eu não tô sabendo como controlar. Então isso pra mim é pior. Eu não sei mais o que fazer. [...] Gente, eu tô desesperada, eu não sei mais o que eu faço. (Mãe)

Como é possível perceber pelos relatos, os pais não conseguem encontrar outra forma de educar e disciplinar seus filhos que não seja por meio da agressão física. Eles não acreditam que outras técnicas educativas, como o diálogo, sejam tão eficazes quanto a surra: "[...] não existe esse negócio de falar que você vai castigar, porque você conversa, eles te escuta hoje, mas amanhã eles não tão nem aí. Dá na mesma. Então, você dá logo uma cintada que resolve. Eles escutam". Esses pais não têm a percepção de que esses efeitos são apenas imediatos, mas não acreditam na mudança em longo prazo, o que os torna incapazes de trocar as estratégias de educação, o que faz que a agressão se mantenha.

Outro dado de extrema importância que chega ao grupo é o fato de que nem sempre a agressão é dirigida a todos os filhos, mas a um apenas. É comum o relato de que a dificuldade ocorre com aquela criança ou com aquele adolescente que não lhes obedece, que os enfrenta, mas não com os outros, o que pode denunciar uma transmissão transgeracional em que um filho é eleito como o problema da família, carregando todo o peso de ser o diferente.

A transmissão transgeracional dos maus-tratos: "Repito o que aprendi!"

A experiência que buscamos apresentar neste trabalho nos mostra que há dificuldade desses pais em lidar com as especificidades do papel de educadores. Acreditamos que isso ocorre, em grande parte, pela impossibilidade de romper com padrões de relação construídos pela família de origem, em contraposição com a necessidade de individualização de cada um de seus filhos.

A questão da repetição do fenômeno da agressão entre gerações foi um ponto discutido pelos pais, sendo que, com exceção de uma integrante do grupo, todos os demais relataram que apanharam muito de seus pais:

> Eu acho que eu já apanhei de tudo um bocado; [...] o que ocorreu muito é que minha madrasta, eu acho que ela gostava de ver meu pai me bater. Então, ela tava sempre arrumando alguma coisa, algum problema, pra quando meu pai chegasse em casa à noite, ela falar e ele me bater. [...] Ela gritava muito comigo [...] Gritava, xingava. [...] Minha mãe fazia isso [...] ela descontava a raiva dela na gente. (Mãe)

Com relação aos maus-tratos sofridos pelos pais podemos identificar duas situações. Por um lado, eles reconhecem que o uso da agressão como forma de educação está atrelado à maneira como eles mesmos foram educados e que, por mais que não queiram reproduzi-la, em alguns momentos é a única maneira de cuidar que conhecem. Mesmo avaliando que podem escolher fazer diferente, repetem o padrão estabelecido por sua família:

> Voltando aqui o tempo atrás. Isso aí a gente traz na mente da gente e você fica pensando assim: não, eu tenho que criar este moleque aqui do mesmo jeito que meu pai me criou. Você põe isso na sua cabeça, porque eu já fui machucado quando eu era criança então vou machucar este moleque também. Você pensa dessa forma, mas se não quiser você não age assim. (Pai)

Outra situação é o reconhecimento de que as surras que levaram na infância são as responsáveis por terem se tornado "pessoas de bem". Ou seja, existe a compreensão de que a agressão física recebida quando criança permitiu a correção dos maus comportamentos que pudessem gerar desvio de conduta. Em alguns momentos vemos que os participantes entendem o prejuízo que podem estar causando às crianças ou têm noção do exagero de suas punições, entretanto, questionam-se imediatamente sobre o tratamento que dispensam aos filhos e procuram benefícios que justifiquem a agressividade, freqüentemente voltando atrás e validando a educação que receberam. A repetição, em algumas falas, aparece como um alívio, uma satisfação ou um reconhecimento devido a seus pais e avós, que sofreram muito e que sempre tiveram muito boas intenções e fizeram tudo por amor: "[...] é, tem que ser como meus pais me educaram; é o que dá certo" (mãe), "[...] eu tive que apanhar muito pra virar gente" (Pai).

CONSIDERAÇÕES FINAIS

A dinâmica das relações familiares vem sendo transformada ao longo dos anos. Muitos costumes e crenças familiares, como a utilização de força física por parte dos pais ou dos cuidadores na educação dos filhos, tornaram-se hoje motivo de discussão e desaprovação de profissionais e críticos em educação. Entretanto, nossa experiência na realização desses grupos nos mostra que a agressão física continua sendo utilizada como justificativa para as práticas disciplinares, acarretando muitos danos às crianças.

Nos grupos, a educação tem sido um argumento utilizado pelos pais para justificar os maus-tratos e o uso do poder autoritário, em nome da disciplina, perpetuando um modelo patriarcal existente desde o Brasil colônia, quando os filhos eram considerados propriedades do pai (Brito, 1993). Freqüentemente, os pais têm um discurso de amor aos filhos, em que a punição física se insere como a busca do bem. É como se bater fosse um "presente" para a criança ou adolescente, que será uma pessoa melhor no futuro, graças a isso. Nos encontros socioterapêuticos, observamos que tal argumento cai por terra quando as mães/pais/avós vivem os papéis de seus filhos/netos na cena psicodramática. Nesses papéis, descobrem que isso nada mais é do que uma desculpa para seus atos; que o futuro não está sendo definido naquele instante; que o que existe, concretamente, naquele momento, é uma agressão sofrida pela criança que deve obediência ao pai ou mãe ou avó, de quem não tem como se defender.

Para Weber, Viezzer e Brandenburg (2004), a utilização da punição acontece por dois motivos. O primeiro deve-se ao efeito imediato que a punição produz no comportamento da criança; o segundo refere-se à falta de conhecimento sobre o desenvolvimento infantil e sobre outras estratégias educativas que sejam menos maléficas às crianças. Esses autores relatam que pesquisas na área constataram que, na maioria dos casos de punição, estavam presentes as expressões de irritação dos pais quando cometeram o ato de bater. Ou seja, quanto mais os pais estão irritados, maior a probabilidade de que eles batam com maior grau de violência por pequenos comportamentos inadequados da criança. Nesse sentido, a punição deixa de ter um caráter educativo e passa a demonstrar a falta de autocontrole dos pais.

Martins e Bucher (2005) também concordam quanto à irritabilidade dos pais na perda de controle. Elas afirmam que quase sempre os pais batem nos filhos porque não conseguem controlar a própria impulsividade. Além disso, as autoras não acreditam que o uso de violência física seja um bom instrumento educativo, pois, aos poucos, as palmadas vão perdendo o efeito. Ou seja, as crianças não temem mais a agressão física e com o tempo os pais precisam bater mais para conseguir os mesmos efeitos que obteriam com simples palmadas. Portanto, a agressão física como prática educativa deve ser abolida, já que não funciona como método de educação das crianças, mas de deseducá-las.

Aspectos de transmissão transgeracional são facilmente percebidos nos discursos dos pais, mães e avós que participam dos grupos. Entretanto, verificamos que o trabalho sociodramático leva-os a perceber que o modelo de educação pode ser substituído por outro e que os filhos também podem ser tratados como são tratados os patrões, os pais, os amigos, a mulher e o marido, pois, com essas pessoas, há uma aceitação de discordâncias de posições pessoais sem que haja agressões, diferentemente do tratamento desigual e violento que é dispensado aos filhos, que são vistos como aqueles que *devem obediência,* passando, por vontade dos pais, à condição de objeto, de seres escravizados às suas decisões e ao seu humor. Além disso, esse processo socioterapêutico tem ampla chance de sucesso no que se refere à tomada de consciência das relações que cada um estabelece em sua vida, principalmente em sua relação de educadores com seus filhos ou netos, o que é determinante na mudança de parâmetros concernente à educação e à interação familiar, como é apresentado nos relatos dos participantes dos grupos.

Quanto à demanda, podemos falar com base na definição de trabalho socioterapêutico que, na realidade, se refere ao tratamento dos grupos sociais. Como esse grupo é formado com base no artigo 129 do Estatuto da Criança e do Adolescente, já existe, *a priori*, uma permissão para falar de sua indignação por estar ali; somando-se a isso, existem as dificuldades que os membros do grupo encontram para lidar com as especificidades do papel de educadores, com a impossibilidade de romperem com padrões de relação construídos pela família de origem, com a necessidade de verem e escutarem cada um de seus filhos como seres únicos, com desejos e atitudes próprios. Percebe-se que, a partir do momento em que há liberdade de tratar desses assuntos, sem censura e julgamento, os problemas vêm sendo trazidos aos encontros e se apresentam com as angústias próprias da incapacidade de encontrar soluções. Pode-se compreendê-los, então, como a tradução das demandas do grupo que, ao serem trabalhadas, apontam para a descoberta de novos caminhos para a educação.

REFERÊNCIAS BIBLIOGRÁFICAS

Aloísio, T. M. F. *Violência intrafamiliar: estudos dos padrões intergeracionais de relacionamento.* Dissertação (Mestrado em Psicologia), Universidade Católica de Brasília, Brasília, 2002.

Ballone, G. J.; Ortolani, I. V. (2002). "Violência doméstica". Disponível em: <http://www.psiqweb.med.br/infantil/vioIdome.html>. Acesso em 27 abr. 2005.

Brito, L. M. T. *Se-pa-ran-do*. Rio de Janeiro: Relume Dumará, 1993.

Buriolla, M. A. F.; Marques, M. A. B. "Fatores causadores e integrantes de violência contra crianças". *Psico-USF*, 4(1), 1999, p. 57-75.

Cecconello, A. M.; De Antoni, C.; Koller, S. H. "Práticas educativas, estilos parentais e abuso físico no contexto familiar". *Psicologia em Estudo*, 8, 2003, p. 45-54. Disponível em: <www.scielo.br>. Acesso em 18 maio 2005.

Cury, M. *Estatuto da Criança e do Adolescente comentado. Comentários jurídicos e sociais*. São Paulo: Malheiros, 2005.

Deluqui, G. C. "A síndrome da criança espancada". In: Krynski, S. (org.). *A criança maltratada*. São Paulo: Almed, 1985, p. 25-39.

Ferreira, A. L.; Schramm, F. R. "Implicações éticas da violência doméstica contra a criança para profissionais de saúde". *Revista de Saúde Pública*, 34(6), 2000, p. 659-65.

Gomes, R.; Deslandes, S. F.; Veiga, M. M. "Por que as crianças são maltratadas? Explicações para a prática de maus-tratos infantis na literatura". *Cadernos de Saúde Pública*, 18(3), 2002, p. 707-14.

Gonçalves, H. S. "Infância e violência doméstica: um tema da modernidade". In: Brito, L. M. T. (org.). *Temas de psicologia jurídica*. Rio de Janeiro: Relume Dumará, 2000, p. 133-60.

Guerra, V. N. A. *Violência de pais contra filhos: procuram-se vítimas.* São Paulo: Cortez, 1984.

______. *Violência de pais contra filhos: a tragédia revisada*. 4. ed. São Paulo: Cortez, 2001.

JUNQUEIRA. M. F. P. S.; DESLANDES, S. F. "Resiliência e maus-tratos à criança". *Cadernos de Saúde Pública*, 19, 2003. Disponível em: <www.scielo.br>. Acessado em 25 abr. 2005.

LIPPI, J. R. S. "Maltrato: um grave problema humano". In: KRYNSKI, S. (org.). *A criança maltratada*. São Paulo: Almed, 1985, p. 11-8.

MARTINS, A. F. M.; BUCHER, J. S. N. F. "Bater para educar ou maltratar? Contribuições ao estudo da violência intrafamiliar". In: COSTA, L. F., ALMEIDA, T. M. C. de (orgs.). *Violência no cotidiano: do risco à proteção*. Brasília: Universa, 2005, p. 59-73.

MINISTÉRIO DA SAÚDE. *Violência intrafamiliar: orientações para a prática em serviço*. Brasília: Secretaria Executiva, 2002.

WEBER, L. N. D.; VIEZZER, A. P.; BRANDENBURG, O. J. "The use of spanking and physical punishment in parenting". *Estudos de Psicologia*, 9(2), 2004, p. 227-37.

7 ABUSO SEXUAL INFANTIL E TRANSGERACIONALIDADE

MARIA APARECIDA PENSO
VIVIANE LEGNANI NEVES

Este capítulo discute questões sobre a transmissão transgeracional da violência e do abuso sexual entre gerações, com base na apresentação de dois casos atendidos no Centro de Formação em Psicologia Aplicada da Universidade Católica de Brasília, sendo um dentro do projeto de "Intervenção em crise com famílias e adolescentes em situações de abuso sexual" e o outro no projeto de pesquisa–intervenção "Construção de metodologia de grupos multifamiliares de famílias com crianças e/ou adolescentes vítimas do abuso sexual". O objetivo desta discussão é apontar para as repetições que ocorrem nessas famílias, no que diz respeito ao cuidado e à proteção das crianças, bem como à sua exposição a situações de violência sexual. Isso não significa assumir uma postura determinista. Ao contrário, significa mostrar como essas pessoas, ao receberem um atendimento psicossocial adequado, podem romper com esse ciclo de repetições, instaurando novas dinâmicas de relacionamento com suas crianças, bem como com o abusador, optando pela proteção de seus filhos.

BREVE APRESENTAÇÃO DA PROPOSTA DOS GRUPOS MULTIFAMILIARES

Os grupos multifamiliares de famílias com crianças e adolescentes que sofreram violência sexual encaminhadas pela Seção Psicossocial Forense do Tribunal de Justiça do Distrito Federal e Territórios iniciaram-se em 2001 com base em uma demanda existente na Seção Psicossocial Forense por apoio profissional e acadêmico a casos em que as vítimas ainda se viam desamparadas pela família e pelo entorno comunitário, com danos psíquicos e vulneráveis a outros abusos. Com base nessa demanda, firmou-se uma parceria entre a Universidade Católica de Brasília e o Tribunal de Justiça para a realização de pesquisas sobre essa problemática e para o atendimento dessas famílias, que se mantêm até o presente momento.

O pressuposto central da metodologia de reuniões multifamiliares, em sua proposta original e também nos grupos dos projetos de pesquisa, é considerar a família em sua totalidade como *cliente* (Bowen, 1976; Costa, 1998; Laquer, 1983). Por isso, todos os membros são convidados a comparecer às atividades quinzenais. O grupo multifamiliar preconiza que várias famílias sejam atendidas conjuntamente, e, dessa forma, amplia as possibilidades de ajuda mútua, por mecanismos de identificação e/ou oposição entre seus participantes, ao mesmo tempo em que possibilita a divisão do grupo em subgrupos, por idade, sexo, entre outros (Costa, Penso e Almeida, 2004). Os aportes teóricos básicos desse modelo são: a psicologia comunitária, a teoria sistêmica e a dimensão lúdica do psicodrama (Moreno, 1993). Soma-se a esses aportes o conceito de rede social, com seu pressuposto de que a aproximação dessas famílias deve necessariamente acontecer com base em sua rede natural de pertencimento e sociabilidade (Dabas, 1995).

O grupo multifamiliar tem o formato de quatro ou cinco sessões, com duração de três horas cada uma, sendo constituído por quatro a cinco famílias. Os temas dos encontros buscam avançar em questões relacionadas à proteção e ao cuidado às crianças, restabelecer a auto-estima dos membros das famílias, trabalhar a dimensão transgeracional do abuso e a responsabilização dos pais, bem como oferecer um espaço de expressão do sofrimento para que haja mudanças na vida intrafamiliar, possibilitando um projeto de compromisso no futuro que garanta a proteção e o cuidado das crianças e adolescentes. O desenrolar da metodologia do grupo multifamiliar é ativado com ênfase na dimensão lúdica, com uma preocupação na responsabilização de todos com relação aos membros violentados na família, bem como à voz e à significação feitas pelas crianças acerca das problemáticas vivenciadas. Procuramos, todo o tempo, enfatizar o papel de cuidadoras das mães ou de algum(a) substituto(a) destas, mobilizando-os diante dos temas acima relacionados (Costa, Penso e Almeida, 2005).

No caso do grupo multifamiliar de famílias que haviam acabado de vivenciar o abuso sexual de um de seus filhos, dentro do Projeto de Intervenção em Crise do Laboratório de Psicologia Clínica e da Saúde, foram atendidas famílias encaminhadas por diversas instituições, como hospitais, conselhos tutelares, Delegacia da Criança e do Adolescente, e até mesmo por procura espontânea dos pais. Tais famílias tinham em comum o fato de a situação de abuso ter ocorrido há pouco tempo e de não ter sido instaurado e/ou concluído ainda o processo judicial (Costa *et al.* 2005).

As adaptações incluíram a abertura de um espaço de escuta da família para que pudéssemos compreender a história do ato abusivo, de sua descoberta pela família e da realização da denúncia ou não, já que não tínhamos o relatório do setor psicossocial forense, como era feito na proposta original de atendimento. Para isso, optamos pela realização de uma ou até duas entrevistas individuais com as mães/cuidadores, e uma entrevista lúdica com a criança, realizadas concomitantemente. Foi necessária também uma orientação específica para as mães/cuidadores sobre como lidar com sua criança, visivelmente abalada pelo evento. Essa orientação era programada sempre após a realização dos grupos multifamiliares. Em alguns casos, precisamos ainda orientá-los sobre a denúncia policial e os caminhos do processo judicial. Outra diferença foi a respeito da construção da história transgeracional (genograma), que precisou ser feita durante os atendimentos, sendo que, nos casos encaminhados pela Seção Psicossocial Forense, essa tarefa era realizada pelas técnicas daquele serviço (Costa *et al.*, 2005). A seguir, apresentamos os casos selecionados bem como o levantamento dos aspectos transgeracionais.

Ana e Júlia[1]: mãe e filha buscando ajuda na crise após a revelação do abuso sofrido

O primeiro caso que discutiremos é o de Ana, uma criança encantadora de 9 anos, que foi atendida juntamente com sua família. Ana era filha de Júlia e João, um casal de nível socioeconômico médio, e tinha dois irmãos mais velhos. Apresentava-se como uma menina meiga, com um bom nível cognitivo, mas que se posicionava de forma retraída, fechada, demonstrando grande dificuldade de se expressar acerca das experiências da violência sexual a que fora submetida. Gostava de estar sempre entre as crianças menores do grupo e de brincar com elas. Em uma dessas atividades, ao projetar-se numa linha de tempo em uma brincadeira imaginária sobre seu futuro, destacou de forma resoluta que não iria se casar e que não queria ter filhos, pois não queria sentir dor, expressando, então, seu embotamento afetivo, decorrente da angústia traumática ocasionada pelos episódios recentes e violentos de abuso sexual perpetrados por um primo adolescente, sobrinho do pai.

A relação conjugal de seus pais foi descrita pela mãe como sendo perpassada por crises constantes em virtude de traições e do alcoolismo do marido. Júlia nos relatou sua desconfiança e seu descontentamento com o parceiro: "Quando acordava e percebia que João não estava dormindo do meu lado, levantava-me sobressaltada e ia até o quarto de Ana, pois temia que ele estivesse lá. Também fazia comentários com ele sobre a questão do abuso, quando algo aparecia na televisão, para ver qual seria sua reação". Se, por um lado, Júlia buscava identificar alguns sinais de uma relação abusiva entre o pai e a filha, não conseguiu detectar esses mesmos sinais em relação ao sobrinho do marido, que, de fato, cometera o ato de abuso sexual

1 Todos os nomes foram trocados, objetivando manter a identidade dos sujeitos.

com sua filha por várias vezes, na casa dos avós paternos, inclusive machucando-a muito.

A revelação do abuso só ocorreu quando Júlia levou Ana para assistir a uma aula sobre educação sexual em um curso técnico de enfermagem que cursava. A criança, diante dos *slides* e gravuras sobre os órgãos sexuais masculinos e femininos, teve uma crise de ansiedade, desencadeando o desdobramento dos fatos com base em uma conversa entre a mãe e a filha. Ana, segundo o relato da mãe, já há algum tempo apresentava crises constantes de choro ou riso sem motivo, mas não revelava o que estava acontecendo.

Diante dessa "descoberta", Júlia relatou que viu seu mundo ruir. Nesse contexto, mesmo com um sofrimento intenso, encarregou-se da denúncia contra o sobrinho e levou a filha ao Instituto Médico Legal para os exames de corpo de delito. Os médicos, em virtude dos sangramentos na região anal e do comportamento que Ana apresentava, comunicaram à escola o ocorrido. Júlia nos relatou que, estranhamente, em meio à sua dor, teve uma espécie de alívio, pois havia meses desconfiava que sua filha estivesse sendo abusada, mas não sabia por quem. Uma vez, perguntou diretamente a um de seus filhos se ele sabia de algo nesse sentido. Recebeu como resposta, nesse momento, que ela deveria estar louca por pensar em algo assim.

Quanto à sua história, Júlia relatou-nos que em sua infância não se sentia cuidada e protegida por seus pais. Sua família era de nível socioeconômico baixo, composta por sete irmãos. A mãe encarregou suas filhas mais velhas de cuidarem de Júlia, pois não tinha tempo para se dedicar a todos os filhos em razão da desgastante luta pela sobrevivência.

Essas irmãs, quando Júlia ingressou na pré-adolescência, levavam-na para a casa de um vizinho de idade avançada para que ele tocasse em suas partes íntimas, mas tinham um acordo com esse senhor de que não poderia haver penetração nem marcas visíveis no corpo da irmã. Ao término desses encontros, as irmãs, que sempre esperavam do lado de fora da casa, diziam-lhe que era uma brincadeira, riam muito e depois entravam na casa do vizinho para receber algum dinheiro como pagamento por essas "visitas".

Essa situação se prolongou durante um tempo. Júlia tentou contar para sua mãe, que não acreditou na história relatada, concluindo que se tratava de uma indisposição afetiva entre Júlia e suas irmãs. Sua mágoa, principalmente em relação a uma dessas irmãs, nunca se desfez, e até hoje as duas não se relacionam.

Desprotegida e acuada, na adolescência engravidou de seu atual marido, mas perdeu o filho. Envolveu-se afetivamente com um novo parceiro e chegou a se casar com ele, mas este foi assassinado logo após o casamento. Retornou, então, ao relacionamento com o antigo parceiro e com ele se casou, constituindo, assim, sua família, o que lhe possibilitou afastar-se de sua família de origem.

Quando participou do grupo, pudemos observar que cumpria a função materna com seus filhos de forma compensatória. Ou seja, tentava "ser" e "dar" aos filhos tudo o que sua família não conseguiu lhe oferecer: carinho, proteção, limites etc. No entanto, na ausência de modelos para o desempenho dessa função, colocava-se em uma posição de "grande amiga dos filhos", sempre pronta a escutá-los e ajudá-los. Trabalhou-se nesse contexto a angústia dessa mãe com a repetição de algo tão sofrido e também sua relação com seus filhos, reforçando seu papel de mãe protetora e zelosa, mas, ao mesmo tempo, a importância da diferenciação geracional entre mãe e filhos.

Em relação à forma como analisava o cumprimento da função paterna pelo seu marido, destacou que ele não sabia colocar limites para os filhos, não assumindo, assim, o papel de educador e protetor, fato que a sobrecarregava e a deixava preocupada: "Ele não diz 'não' às crianças, mas não as protege".

Após um ano de sua participação no grupo multifamiliar de intervenção em crise, nossa equipe fez uma visita de acompanhamento a essa família. Nessa ocasião, Júlia relatou que logo após o encerramento dos atendimentos resolveu colocar um ponto final em seu tumultuado relacionamento e que havia pedido o divórcio ao marido. Morava, então, com seus três filhos e trabalhava para provê-los. Disse que o divórcio foi significativo para maior união de todos e que agora contava com a ajuda e com o suporte afetivo de sua família de origem. Destacou que seus dois filhos mais velhos desdobravam-se para cuidar de Ana e que quando visitavam a família da avó paterna zelavam para que a irmã não se encontrasse com o primo adolescente que fora o abusador.

Todo esse cuidado que Ana passou a receber após a denúncia de abuso sexual tinha, segundo a mãe, tornado sua filha manhosa, pois todos sentiam muita pena da criança. Ressaltou que havia sido chamada à escola e que a professora havia destacado essa posição de Ana. Sobre João, seu ex-marido, relatou que ele ainda mantinha contato com o sobrinho que cometera o abuso sexual e que isso fazia sua filha sofrer muito: "Ana foi visitar o pai e o viu chegando com o sobrinho. Voltou para casa chorando me dizendo que seu pai não a amava".

As repetições que não puderam ser evitadas: aspectos transgeracionais do abuso sexual

O caso de Ana é exemplar para apontar aspectos da transmissão transgeracional em situações de abuso sexual. Tais aspectos têm sido estudados por vários autores que discutem o fato de que os pais repetem com seus filhos padrões de educação e proteção que receberam de seus pais. Diversos estudos tratam da dimensão transgeracional em casos de abuso sexual intrafamiliar (Araújo, 2002; Barudy, 1998; Cirillo e Di Blasio, 1991; Corsi *et al.*, 1995; Corsi *et al.*, 2003; Faiman, 2004; Perrone e Nannini, 1997; Ravazzola, 1997).

No estudo de situações de crianças, adolescentes e suas famílias, atendidos em grupos multifamiliares, Penso, Costa e Almeida (2005) também discutem aspectos da transmissão transgeracional. Um fato encontrado nesse estudo diz respeito à perpetuação das histórias de violência cometidas por homens afetivamente próximos, em diferentes gerações, trazendo de volta situações de muito sofrimento para mães e avós. Segundo essas autoras, as mães e as mulheres ficam como que paralisadas quando tomam conhecimento da situação de abuso e reagem como aprenderam em suas famílias de origem, não conseguindo colocar-se como "anteparos protetores" entre tais homens e suas filhas. Nesse sentido, o trabalho terapêutico permite a reelaboração dos papéis de protetoras e cuidadoras junto aos pais, por um processo de repensar suas próprias histórias, especificamente nas experiências vividas no papel de filhas.

Como vimos, Júlia, mãe de Ana, foi uma criança e uma adolescente que viveu em situação de desproteção, pois a mãe a deixava aos cuidados das irmãs, que não exerciam o papel protetor. Ao contrário, expunham-na a situações de cunho sexual, por dinheiro. Essa adolescente, sem a proteção dos pais, entra na fase adulta envolvendo-se com um homem alcoólatra e violento. Inicialmente consegue separar-se desse namorado, mas se envolve com outro parceiro, que é assassinado em situação não claramente explicada. Volta, então, para o antigo companheiro com quem viverá, mas sem confiar em seu papel de cuidador e protetor de seus filhos.

Apesar de tentar proteger sua única filha mulher, por temer a repetição de sua história, Júlia não consegue identificar sinais de que essa criança estava sendo vítima de violência. A situação abusiva vivida pela filha reatualiza seu passado de forma cruel e ela é obrigada, então, a retomar os fatos "esquecidos" que ocorreram em sua adolescência, confirmando o processo de transmissão transgeracional estudado por Boszormenyi-Nagy e Spark (1983), vendo-se frente a frente com seu sofrimento, que não a deixa, ao mesmo tempo, esquecer e lembrar sua história (Penso, 2003).

Discutindo o abuso sexual da perspectiva da transmissão transgeracional, o caso de Ana e Júlia aponta para a repetição do evento traumático. Sua história descreve uma situação de abandono e desproteção materna. Sua mãe, pela necessidade de trabalhar e sustentar os filhos, delega seu papel materno às filhas mais velhas, que, por sua vez, não conseguem ser protetoras e cuidadoras de Júlia. O segredo de sua precoce e forçada exposição sexual é mantido pelo silêncio de todos. De acordo com Imber-Black (2002), os segredos podem ser compartilhados por todos da família e mantidos pela injunção "sabemos, mas fingimos que não sabemos": "Assim, cada um dos membros carrega um segredo sobre o segredo, que opera no sentido de distanciar e dividir as pessoas" (p. 33).

No entanto, é preciso pontuar que, se, por um lado, a história do abuso se repete, por outro, Júlia consegue ser uma mãe protetora, privilegiando a fala da criança e suas necessidades em detrimento de qualquer outra relação. Rompe, então, com a posição detectada por Amendola (2004), em que as mães desacreditam e desqualificam o relato da criança, deixando-a em suspenso, sem a possibilidade de se expressar e nomear sua dor, seu medo e sua perplexidade.

Mais que proteger a filha, Júlia, ao sentir que o companheiro não vai apoiá-la na denúncia do abuso, finaliza essa relação tumultuada. Portanto, essa mãe não conseguiu evitar a repetição do abuso, mas consegue romper com a transmissão transgeracional do modelo presente em sua família de origem, ao ouvir e acreditar no relato da filha, ao denunciar o fato, dessa maneira, protegendo-a, mesmo que isso lhe custasse muito sofrimento pessoal e também na relação com a família do companheiro. Vale ressaltar que essa mãe chegou ao grupo multifamiliar muito abalada com o ocorrido e, ao ser acolhida em suas angústias, pôde relatar sua história, chorar por ela e reelaborá-la com o intuito de provocar mudanças. Isso, com certeza, deve ter contribuído para que ela se sentisse fortalecida com essa escuta e pudesse romper com seu relacionamento e também com a situação abusiva da filha.

Márcia e Maíra: duas crianças à procura de proteção

O outro caso que relataremos aqui para discutir a questão da transmissão transgeracional é o de duas crianças muito pequenas, 4 e 3 anos, vítimas de abuso sexual perpetrado pelo próprio pai, encaminhadas pela Seção Psicossocial Forense do Tribunal de Justiça.

Jane, a mãe de Márcia (4 anos) e de Maíra (3 anos), nos contou sua história, relatando que sempre teve um relacionamento difícil com o pai desde sua infância, marcado por constantes agressões por parte dele. Sua mágoa maior era de que, entre todos os irmãos, somente ela era espancada pelo pai, sem que conseguisse entender por quê. Isso fez que decidisse fugir de casa, aos 14 anos. Sem ter lugar fixo para morar, dormia na rua, em paradas de ônibus, sendo que, nessa época, sofreu um espancamento e ficou muito machucada. Pouco tempo depois, mudou-se para outra cidade e enfrentou nesse novo lugar um episódio de violência sexual, sendo violentada por vários rapazes, numa mesma noite. Nessa ocasião, sua mãe culpou-a, dizendo-lhe que era responsável pelo que havia lhe acontecido. Sua irmã mais velha também havia sido estuprada aos 13 anos na casa onde trabalhava como empregada doméstica e nada havia sido feito.

Depois de muito sofrimento na adolescência, casou-se pela primeira vez. Dessa união destaca novamente episódios de violência; seu companheiro a espancava a ponto de fazê-la perder seu primeiro filho. Porém, manteve-se casada, porque sentia muito medo da solidão, e teve, então, duas filhas dessa união. O companheiro, desempregado, passou a abusar sexualmente das filhas enquanto Jane trabalhava – com reciclagem de lixo – para sustentar a casa. Descobriu tal fato ao deparar com a cena de incesto um dia que retornou mais cedo para casa, quando Márcia tinha 3 anos, e Maíra, 2.

Diante desse impacto, disfarçou inicialmente acerca do que tinha visto e, lembrando-se de que o companheiro nunca a deixava levar as filhas ao médico, mentiu para ele e foi imediatamente ao hospital. Lá identificou-se que as crianças estavam com doenças sexualmente transmissíveis (DSTs). Após essa constatação, levou as meninas ao Instituto Médico Legal e fez a denúncia formal contra o companheiro em uma delegacia.

Mediante um encaminhamento do serviço psicossocial da Justiça, Jane chegou a nosso serviço de atendimento com as duas filhas – isso ocorreu num prazo de um ano e meio. Durante esse período, Jane envolveu-se com um novo parceiro e teve sua terceira filha. Separou-se desse parceiro quando descobriu, por um noticiário de televisão, que ele havia sido preso por ter cometido um estupro. O encaminhamento para o nosso grupo multifamiliar foi feito durante o processo de julgamento do pai das duas primeiras filhas, pois as psicólogas e assistentes sociais do setor psicossocial detectaram que Jane estava novamente recebendo esse homem abusador em sua casa, a despeito da proibição judicial de sua aproximação das crianças. Alegava que se sentia sozinha e que as filhas sentiam falta do pai, uma vez que era ele que se encarregava dos cuidados de higiene e alimentação das crianças, sendo ela a provedora do sustento do lar. Além disso, dizia ter pena do ex-companheiro, que às vezes chegava em sua casa pedindo comida, e ela não tinha coragem de negar. Nessa ocasião, a mãe foi orientada sobre os riscos que corria de perder a guarda das filhas, caso permitisse essa aproximação do pai-abusador. Também se discutiu com ela a razão de sentir falta daquele homem, que tanto a fazia sofrer. Buscamos trabalhar sua auto-estima e as possibilidades de viver sozinha. Foi-lhe proposta também uma reaproximação com sua família de origem, mas tanto a mãe como a irmã não se mostraram disponíveis para participar do grupo nem para ajudá-la no cuidado com as filhas.

Nos atendimentos multifamiliares, percebeu-se que, em relação à filha mais velha, Jane mostrava-se muito confusa sobre a forma como sua menina havia vivenciado a experiência do abuso sexual. Sua suposição era de que Márcia havia sentido prazer em tais episódios, pois se mostrava muito agressiva com ela, desde a separação do casal. Supunha também que o companheiro havia "viciado" suas filhas com essas práticas. Agora ela não sabia o que fazer para agradá-las. Em virtude da seriedade de seus problemas, Jane foi encaminhada para atendimento individual, mas argumentou que não poderia continuar comparecendo, pois não tinha com quem deixar sua filha recém-nascida e tampouco condições financeiras para arcar com o custo do transporte coletivo para ir à clínica-escola da universidade.

Um ano após o término do grupo, tal como no outro caso, nossa equipe fez uma visita de acompanhamento dessa família. Nessa ocasião, constatou-se que Jane, embora muito tímida, estava visivelmente melhor em comparação à época que estivera conosco no grupo. As crianças também se mostraram mais alegres e pareciam bem desinibidas e cuidadas. Em relação aos atendimentos realizados pela equipe do grupo multifamiliar, Jane nos disse que eles a ajudaram muito, principalmente em sua relação com as crianças, pois elas ficaram mais unidas e estavam mais carinhosas com ela. Sobre o pai das crianças, relatou que estava preso e que elas haviam se distanciado dele.

Como ser mãe sem ter sido filha: a desproteção e o abandono perpetuados

Jane nos apresenta sua história carregada de muito sofrimento desde criança. Agredida pelo pai, foge de casa e vai para a rua, onde as agressões pareciam ser menos dolorosas do que aquelas sofridas em casa. Muda de cidade e é estuprada por vários rapazes, sendo que, ao buscar o apoio da mãe, esta a acusa de ter sido culpada do que lhe havia acontecido. A criança, agredida, torna-se então uma adolescente abandonada e sozinha. Nesse contexto, como esperar que fosse capaz de escolher um companheiro amoroso e protetor? Jane, repetindo sua história de violência, casa-se com um homem muito agressivo, como seu pai, do qual não consegue se separar por medo da solidão. Como pudemos constatar em trabalhos anteriores (Penso, 2003), Jane pertence àquele grupo de mulheres para as quais o casamento apresenta-se como uma salvação, como uma saída para uma vida de sofrimento e uma fantasia de resolução de todos os seus problemas. No entanto, apesar de buscarem algo muito diferente daquilo que viveram, encontram homens muito parecidos com aqueles com os quais conviveram em sua infância e que as tratam com indiferença e/ou agressividade. Esse fato confirma a colocação de Bitencourt (2000) de que o processo de escolha do cônjuge segue na direção daquilo que é familiar a cada um. Em relação à postura de Jane, a forma de lidar com a angústia gerada por suas perdas foi se apegar ao companheiro como uma possibilidade de vínculo amoroso, numa relação mais de fusão do que de intimidade (Bowen, 1991). Para esse autor, essas relações não possibilitam nenhum crescimento de seus componentes, ao contrário, aprisiona-os numa relação em que o *eu* de cada um não pode existir.

É interessante observar também que apesar de Jane ser a provedora econômica de seu lar, ela se sentia impedida de se colocar como cuidadora de suas filhas e de se separar de seu companheiro. Podemos inferir também que a história vivenciada em sua família de origem não lhe permitiu desenvolver confiança em si, fazendo que não se sentisse no direito de desatar-se do homem que abusava de suas filhas, mesmo após a denúncia e a confirmação do ato abusivo. Isso corrobora a colocação de Satir (1995) a respeito do fato de que o autoconceito negativo influencia na escolha conjugal. Para essa autora, quanto menor a auto-estima, maior é a projeção no parceiro dos sentimentos com relação a seu pai e à sua mãe. Assim, do mesmo modo que apanhava do pai, Jane apanha do marido, aceitando isso como uma realidade imutável. Impossibilitada de sair de casa – como fez em sua família de origem – por sentir-se responsável pela manutenção de uma família e pelo cuidado das filhas, submete-se à violência do marido como se isso fosse algo natural. Mas como esperar que uma mulher, que quando criança fora agredida pelo pai, moradora de rua, estuprada e culpabilizada pela mãe, pudesse agir de forma diferente, sem qualquer suporte externo?

Ademais, quando consegue separar-se desse companheiro, mesmo que seja porque a Justiça interfere na situação e impõe a saída dele de casa para garantir a proteção das crianças, Jane une-se a outro homem com um perfil muito parecido – um estuprador. Isso nos leva a pensar numa "cegueira" – uma dificuldade de identificar sinais que a ajudem a decifrar quem é o outro com quem convive –, que entendemos estar relacionada a um sentimento de menos valia, comum em pessoas com autoconceito extremamente negativo.

Podemos nos perguntar se Jane, por ter vivido tantas situações de agressão ao longo de sua vida, não se "acostumou" com os comportamentos agressivos do marido. Este, por sua vez, ultrapassa os limites da violência física contra sua companheira e também passa a usar as filhas como forma de satisfação sexual, estabelecendo relações incestuosas com elas, não conseguindo manter as barreiras geracionais, tão fundamentais para a estruturação da família como contexto de proteção e também para a saúde psíquica da criança (Miermont *et al.*, 1994). Jane, por sua vez, só percebe o que está acontecendo quando vê a cena de abuso e recebe o diagnóstico médico de que as crianças apresentam sinais físicos evidentes dessa violência, expressos pelas doenças venéreas. Quando nos questionamos sobre a demora nessa percepção, encontramos, também, as explicações em sua história de vida, permeada pelo abandono, pelo sofrimento e pelas agressões. Para Castilho (1994) e Bowen (1991), a possibilidade de assumir os papéis parentais está relacionada com o grau de satisfação das demandas básicas obtidas no papel de filhos. Ou seja, para essa mãe, torna-se difícil a constituição do processo nomeado por Miermont (1999) como "integração identitária", que advém da identificação e da internalização do papel de mãe durante a infância e a adolescência, já que não teve a presença dessa figura em sua vida. Jane, então, não consegue se posicionar diante de suas filhas como uma "mãe protetora".

Do ponto de vista do que se passa com a criança, teríamos, então, um duplo abuso – o abuso sexual e o abuso psicológico –, por meio do qual a criança permanece emanharada sem saber o que de fato viveu e ocorreu com seu corpo, sobre o que é certo ou errado, sem poder confiar em sua percepção de mundo e sobre si mesma. Em trabalho anterior (Costa, Penso, Legnani e Antunes, 2005), destacamos questões em torno dos efeitos da experiência traumática nos campos intersubjetivo e intra-subjetivo da criança. Apontamos o fato de que as formações discursivas produzidas sobre o evento do abuso, tanto pela família, pelos profissionais de saúde, de educação, como pelo aparato policial, são falas que dali por diante auxiliarão ou não a capacidade de *nomeação* a ser feita pela criança acerca da vivência do abuso. São os sentidos criados por todos que circundam a criança, construídos pelo impacto dessa violência na subjetividade de cada um, que provocarão *efeitos* na capacidade de simbolização sobre o episódio sexual experienciado. Ou seja, são as sensações sentidas pela criança no próprio corpo com o dito e o não-dito que vêm do campo do outro que formarão o *fundo* em que a *figura* de ter sido vítima de um abuso sexual irá se formar.

No entanto, é preciso deixar marcado aqui que, a despeito de toda sua história de sofrimento, como no caso de Júlia, a mãe de Ana, Jane não se cala e faz a denúncia, indo ao hospital e ao Instituto Médico Legal. Nesse momento, consegue romper a transmissão transgeracional. No entanto, diferentemente do primeiro caso apresentado, esse rompimento é apenas parcial, pois, em seguida, arranja outro companheiro que também apresenta dificuldades na vivência de uma sexualidade adulta. Durante os atendimentos, começa também a se questionar se sua filha mais velha não estaria agressiva porque gostasse da intimidade com o pai e porque a mãe a privara de tal relação. Em um arranjo pouco saudável, alega, então, piedade pelo marido, permitindo que ele entrasse em sua casa para se alimentar e visse as crianças, a despeito do mandado judicial, que impedia o contato paterno com as filhas.

O foco da intervenção, nesse caso, pautou-se em nossa constatação de que em decorrência de toda a violência sofrida ao longo da vida, da falta de apoio familiar, institucional e comunitário e também de condições básicas no que tange à moradia, à alimentação e à educação, que marcaram a história de vida de Jane, ela estava sem parâmetros subjetivos para se colocar como mãe e cuidadora de suas filhas, acabando por repetir o modelo de abandono sofrido em sua família de origem. No atendimento às crianças, percebeu-se que elas reagiam a essa postura da mãe, já que em um dos desenhos feitos por Márcia e Maíra o pai estava presente dentro da casa, deitado na cama, e a mãe, dormindo no chão. Nesse sentido, nossas intervenções buscaram um resgate do vínculo entre mãe e filhas, pautado nos temas de proteção, cuidado, projeto para o futuro, entre outros, pois havia nessa família uma ruptura com as noções de continência, diferenciação geracional e pertencimento. Além disso, buscamos ajudá-la na construção de uma rede comunitária para o cuidado e a proteção das filhas, já que a mãe e a irmã, mesmo depois do ocorrido, negavam-se a fazê-lo.

CONSIDERAÇÕES FINAIS

No contexto da clínica-escola do curso de psicologia, desde 2001 trabalhamos com famílias cujas crianças e/ou adolescentes foram vítimas de abuso sexual. Acreditamos que discutir a transmissão transgeracional nessa questão requer uma análise cuidadosa que somente poderá ser feita mediante uma leitura retrospectiva de alguns traços da estrutura comunicacional mítica e afetiva de famílias que em gerações anteriores vivenciaram experiências semelhantes. No entanto, o raciocínio não poderá ser prospectivo para não se inserir em uma lógica linear de causa–efeito que nos remeta a um determinismo que não abra espaço para a singularidade dos sujeitos, tampouco para a capacidade de significação que estes possam ter diante das experiências vivenciadas.

De forma diferente, uma análise que se pauta na retrospecção das histórias de abuso presentes ao longo das gerações nas famílias ancora-se no campo da complexidade e pode trazer alguns elementos clínicos úteis para os que tentam se colocar em uma posição de acolhimento e ajuda para essas famílias. Uma vez que, aqui, o que determina e passa a ser da ordem da transmissão e da repetição advirá justamente dos impasses e tropeços na significação dessa vivência. Analisar a repetição entre as gerações que viveram essa problemática é justamente confirmar o fracasso dessa abertura, dessa saída. Percebe-se, então, um processo de subjetivação de uma menina que sofreu abuso sexual e que, ao se tornar mãe e mulher, se vê impelida a re-vivenciar essa violência, agora em um episódio no qual sua filha é vítima da mesma experiência. Nesses casos, o traumático prevalece. O que observamos em nossa prática é que o trabalho com grupos multifamiliares possibilita estancar o processo de transmissão e avançar na construção de novos padrões relacionais.

Em uma escuta clínica dessas mães, verifica-se que, quando crianças, elas não tiveram a chance de ter sua palavra acolhida e ratificada por seus cuidadores no momento da violência. Isso faz que permaneçam em um estado de "pane", persistindo, então, uma grande indiferenciação entre o discurso e o agir, o objetivo e o subjetivo, o passado e o presente, o familiar e o social. As intervenções, nesses casos, devem evitar a cristalização de condutas do campo parental, que tendem a se repetir em torno desse *real* traumático. Repetições que não abririam uma nova perspectiva para a criança e não deixariam uma saída para que ela possa se colocar como sujeito diante do episódio vivenciado e do devir de sua vida.

Amendola (2004) intitula o perfil dessas mulheres como "mães que choram". Seriam mães que adotam um perfil de superprotetoras após a emergência da denúncia do abuso sexual em que seus filhos são vítimas de seus parceiros ou de algum outro membro da família. Rompem rapidamente com esses vínculos e apresentam-se como culpadas, aflitas por não terem percebido a violência em seu cotidiano, por não terem detectado os sinais emitidos pela criança acerca da situação abusiva. Esses aspectos precisam ser trabalhados no atendimento a essas mulheres, caso contrário, mais uma vez, serão culpabilizadas pelo que puder vir a acontecer a seus filhos, do mesmo modo que o foram quando, em sua infância, sofreram violência. Assim, o trabalho realizado é dirigido para capacitá-las para a proteção, e não para culpá-las.

Constatar toda essa problemática transgeracional no campo clínico aponta para o fato de que proteger a criança vítima de abuso sexual requer mais que executar a lei para coibir e evitar novos episódios de abuso. Faz-se necessário escutar a criança e a família, quase sempre representadas apenas pela figura da mãe, criando condições para que elas possam elaborar sua versão sobre o episódio de abuso. Mais que isso, no caso da criança, é preciso levá-la a tecer significações capazes de ajudá-la a reconstruir seus caminhos, de forma a não chegar à idade adulta em um estado de aturdimento que a conduza a um padrão afetivo inconsistente com os filhos, assim como para tentar evitar que ela caia nas armadilhas e repita com seu parceiro um padrão amoroso que o sedutor de sua infância lhe impôs.

Para concluir, ressaltamos a contribuição de Ravazzola (1997), quando afirma que, em casos de violência, todos são vítimas: aquelas pessoas que sofrem a violação atual, seus perpetradores e a família na qual esses episódios ocorrem. Todos os envolvidos merecem atenção e suporte psicológico dos profissionais e das instituições competentes. Portanto, mesmo que nossas intervenções estejam centradas nas vítimas e em suas famílias, entendemos a necessidade de que os agressores também possam ser compreendidos em suas histórias. Mais que isso, acreditamos que esse seja o grande desafio do trabalho com essa problemática.

REFERÊNCIAS BIBLIOGRÁFICAS

ARAÚJO, M. F. "Violência e abuso sexual na família". *Psicologia em Estudo*, 7(2), 2002, p. 3-11.

BARUDY, J. *El dolor invisible de la infancia. Una lectura ecosistémica del maltrato infantil*. Buenos Aires: Paidós, 1998.

BITENCOURT, S. "A construção mútua de uma relação: estudo sistêmico das interações conjugais". *Texto Didático: Série Psicologia*, 1(1), 2000, p. 37-49.

BOSZORMENYI-NAGY, I.; SPARK, G. *Lealtades invisibles*. Buenos Aires: Amorrortu, 2001.

BOWEN, E. "Principles and techniques of multiple family therapy". In: GUERIN JR., P. (org.). *Family therapy. Theory and practice*. Nova York: Gardner Press, 1976, p. 388-404.

______. *De la familia al individuo*. Buenos Aires: Paidós, 1991.

CASTILHO, T. "A droga". In: CASTILHO, T. (org.). *Temas em terapia familiar*. São Paulo: Plexus, 1994, p. 116-43.

CIRILLO, S.; DI BLASIO, P. Niños maltratados. Diagnóstico y terapia familiar. Buenos Aires: Paidós, 1991.

CORSI, J. et al. (orgs.). *Violencia masculina en la pareja. Una aproximación al diagnóstico y a los modelos de intervención*. Buenos Aires: Paidós, 1995.

______. Maltrato y abuso en el ámbito doméstico. Fundamentos teóricos para el estudio de la violencia en las relaciones familiares. Buenos Aires: Paidós, 2003.

COSTA, L. F. *Reuniões multifamiliares: uma proposta de intervenção em psicologia clínica na comunidade*. Tese (Doutorado em Psicologia) – Departamento de Psicologia Clínica, Universidade de São Paulo, São Paulo, 1998.

Costa *et al.* "Intervenções psicossociais a partir da Justiça: garantia de direitos humanos para crianças e adolescentes vítimas de violência sexual". In: Maluschke, G.; Bucher-Maluschke, J. S. N. F.; Hermans, K. *Direitos humanos e violência*. Fortaleza: Fundação Konrad Adenauer/Universidade de Fortaleza, 2004, p. 259-72.

______. "O grupo multifamiliar como um método de intervenção em situações de abuso sexual infantil". *Psicologia USP*, 16(4), 2005, p. 121-46.

Costa *et al.* "O grupo multifamiliar com famílias de crianças e adolescentes vítimas de abuso sexual no contexto da crise". In: Costa, L. F.; Almeida, T. M. C. (orgs.). *Violência no cotidiano: do risco à proteção*. Brasília: Líber/Universa, 2005, p. 87-105.

Dabas, L. N. "A intervenção em rede". *Nova Perspectiva Sistêmica*, 6, 1995, p. 5-18.

Faiman, C. J. S. *Abuso sexual em família: a violência do incesto à luz da psicanálise*. São Paulo: Casa do Psicólogo, 2004.

Imber-Black, E. (1993). "Segredos na família e na terapia de família: uma visão geral". In: Imber-Black, E. (org.). *Os segredos na família e na terapia familiar.* Trad. D. Batista. Porto Alegre: Artmed, 2002, p. 15-39.

Laquer, P. (1973). "Terapia familiar múltipla: perguntas e respostas". In: Bloch, D. *Técnicas de psicoterapia familiar*. Trad. M. Khalil e Y. S. Imperatrice. São Paulo: Atheneu, 1983, p. 93-107.

Miermont, J. (1980). "Serão necessárias três gerações para gerar um psicótico?". In: Prieur, B. (org.). *As heranças familiares*. Trad. T. Laguinha. Lisboa: Climepsi, 1999, p. 95-105.

Miermont, J. *et al.* (1987). *Dicionário de terapias familiares: teoria e prática*. Trad. C. A. Molina-Loza. Porto Alegre: Artmed, 1994.

Moreno, J. L. (1959). *Psicoterapia de grupo e psicodrama.* Trad. A. C. M. C. Filho. Campinas: Psy, 1993.

Penso, M. A. *Dinâmicas familiares e construções identitárias de adolescentes envolvidos em atos infracionais e com drogas*. Tese (Doutorado em Psicologia) – Departamento de Psicologia Clínica, Universidade de Brasília, Brasília, 2003.

Penso, M. A.; Costa, L. F.; Almeida, T. M. C. "Pequenas histórias: grandes violências". In: Costa, L. F.; Almeida, T. M. C. (orgs.). *Violência no cotidiano: do risco à proteção*. Brasília: Líber/Universa, 2005, p. 125-37.

PERRONE, R.; NANNINI, M. *Violencia y abusos sexuales en la familia. Un abordaje sistémico y comunicacional*. Buenos Aires: Paidós, 1997.

RAVAZZOLA, M. C. *Historias infames: los maltratos en las relaciones*. Buenos Aires: Paidós, 1997.

SATIR, V. (1993). "A mudança no casal". In: ANDOLFI, M.; ANGELO, C.; SACCU, C. (orgs.). *O casal em crise*. Trad. S. F. Foá. São Paulo: Summus, 1995, p. 29-37.

8 A TRANSMISSÃO TRANSGERACIONAL NO ESTUDO DA RELAÇÃO ADOLESCENTE, DROGAS E ATO INFRACIONAL

MARIA APARECIDA PENSO

LIANA FORTUNATO COSTA

MARIA FÁTIMA OLIVIER SUDBRACK

Este capítulo discute aspectos transgeracionais relacionados à problemática do uso de drogas, com base no estudo de caso de um adolescente que cumpria medida socioeducativa de semiliberdade (SM) e fazia uso de substâncias ilícitas, e de sua família, na periferia de uma grande cidade. Esse adolescente foi atendido numa clínica-escola de uma universidade, dentro de um projeto de atendimento psicossocial denominado "Oficina de Idéias". Buscando compreender como a teoria sistêmica aborda a problemática do uso de drogas na família, apresentamos a seguir os conceitos sobre o tema.

CONCEPÇÕES SISTÊMICAS SOBRE O USO DE DROGAS E O COMETIMENTO DE ATOS INFRACIONAIS NA ADOLESCÊNCIA

Numa abordagem sistêmica, o sintoma de um dos membros da família é compreendido como um fenômeno relacional, que tem uma função no e para o sistema (Miermont *et al.*, 1994). Nessa perspectiva, os problemas vinculados ao uso de drogas ou ao cometimento de atos infracionais situam-se na relação do indivíduo com o meio, numa interação dinâmica entre variáveis individuais e contextuais. O uso de drogas passa, então, a ser analisado como um sintoma de toda a família, sendo encarado como uma forma de lidar com os conflitos, mais do que um problema em si mesmo. As funções desse sintoma são conduzir uma mensagem que denuncia falhas do sistema familiar e social e, ao mesmo tempo, indicar a necessidade de mudança em seu funcionamento (Bulaccio, 1992; Rosset, 2003; Roussaux, 1982; Sudbrack, 1992a). Assim, o usuário de drogas deixa de ser avaliado como vítima, incompetente e irresponsável, para ser considerado útil, adaptativo e necessário para a dinâmica familiar (Ausloos, 1982a).

A chegada da adolescência é um dos momentos propícios para que o uso de drogas surja como um dos sintomas que denunciam as dificuldades familiares em atravessar essa etapa do ciclo de vida familiar (Carter e McGoldrick, 1995), pois esse momento implica crescimento e individuação, movimentos essenciais na busca do jovem pela sua autonomia e pela independência do grupo familiar (Stanton e Todd, 1988; Sudbrack, 2001, 2003). A fantasia vivida pela família, principalmente pelos pais, de que estão perdendo seu filho, quando este demonstra movimentos de saída do sistema familiar, gera um estado nomeado por Stanton e Todd (1988) como "pânico parental". Não se trata apenas de uma reação comum de medo pelo desconhecimento do processo da adolescência ou de tristeza pela falta do filho permanentemente em casa. Mais do que isso, é um sentimento de pavor que não pode sequer ser nomeado, mas paira todo o tempo sobre o sistema familiar, ameaçando-o de destruição. Isso ocorre porque a possibilidade de crescimento e independência do filho é vista como uma ameaça à continuidade familiar.

Assim, esse "pânico" confirma a impossibilidade da separação, vista como ruptura e abandono (Goubier-Boula e Real, 1982), pois, nessas famílias, não há a percepção de que os vínculos são permanentes, mas não são estáticos, e de que as pessoas coevoluem em relação, num processo dialético entre autonomia e dependência (Colle, 2001).

Sobre a relação entre os movimentos de autonomia e dependência, disserta Colle (2001, p. 109-10):

> Ser autônomo é adquirir graus de liberdade num meio em que cada um de nós se encontra numa posição de dependência. É isto que

> torna os seres humanos interdependentes... a dependência é obrigatória e vital para a nossa espécie. De um ponto de vista individual, a morte é a única forma de independência absoluta. Mas, à medida que crescemos, a independência relativiza-se: não passa da expressão da coevolução das pessoas nos seus vínculos de dependência.

O uso de drogas oferece a essas famílias uma solução paradoxal ao dilema criado sobre manter ou dissolver a família (Stanton e Todd, 1988). Esse filho, cuja tarefa é manter a estabilidade da família, encobrindo a realidade inaceitável da passagem do tempo, ao drogar-se, oferece a si mesmo em sacrifício pela manutenção do equilíbrio do sistema familiar (Castilho, 1994; Colle, 2001; Kalina, 1988). Segundo Kalina *et al.* (1999), "O filho que esteja destinado a não ser, ou seja, a não ter uma identidade própria, em seu afã por ser, escolhe uma forma de não-ser, como é a identidade do drogadito" (p. 47). O sintoma serve, então, como um fator de pseudo-união para seus pais, que não precisam lidar com a realidade do crescimento dos filhos (Samaniego e Schürmann, 1999). Essa solução, a despeito do sofrimento que traz para o adolescente e sua família, é bem-vinda, pois a independência do filho é uma ameaça mais destrutiva para a família do que a dependência química (Mowatt, 1988).

Necessitando crescer e tornar-se adulto independente e impedido de caminhar nesse movimento pela ameaça de destruição familiar, o adolescente apela às drogas e torna-se pseudo-independente:

> A drogadição serve de vários modos para resolver o dilema do adito de ser ou não ser um adulto independente. É uma solução paradoxal que fornece uma forma de pseudo-individuação. Ao usar drogas, o adito não está de todo dentro, nem de todo fora da família. É competente dentro de um marco de incompetência. (Stanton e Todd, 1988, p. 34)

O uso de drogas, assim, é um mecanismo substitutivo de tentar equilibrar o que não está sendo possível dentro do sistema familiar, a respeito da autonomia do adolescente, resultando numa pseudo-individuação (Ausloos, 1982b; Goubier-Boula e Real, 1982; Stanton e Todd, 1988). Em outras palavras, é uma tentativa inapropriada de um membro da família em negociar sua emancipação do sistema familiar, que resulta em ciclos repetitivos de partidas e retornos à casa dos pais (Silvestre, 1991).

De forma semelhante, Sudbrack (2003) coloca que seu trabalho com os adolescentes e suas famílias tem revelado que o uso de drogas constitui uma tentativa de separação frustrada, vivida sob a forma de rupturas violentas que resultam em reconciliações fusionais. Desse modo, ao contrário de favorecer um movimento de autonomia, o uso de drogas reforça as dependências relacionais, levando-nos a concluir que o sujeito é um dependente de sua família (Castilho, 1994). Os sistemas familiares dos dependentes químicos nos mostram que a co-dependência afetiva é um laço indestrutível e estável. As mudanças do ciclo de vida familiar, que deveriam perturbar esses vínculos, parecem ter, como único efeito, as oscilações, mas mantêm inalterável a homeostase do sistema (Colle, 2001).

Uma questão que surge diz respeito às características da dinâmica presente nas famílias que levariam ao uso de drogas, como forma de vivência do movimento de separação do adolescente com relação à sua família. Muitos estudos apontam para a importância da compreensão dos aspectos ligados à questão transgeracional na problemática do uso de drogas. Cirillo *et al.* (1997) propõem um modelo de compreensão da dinâmica familiar baseado na reconstrução das histórias das famílias de origem das figuras parentais. Na experiência desses autores, a história do pai, na maioria das vezes, é carregada de sofrimento, na medida em que ele foi privado da contribuição de seu próprio pai durante sua infância ou adolescência, tendo uma passagem precoce para a vida adulta. Tal fato apresenta-se como um grave obstáculo ao desempenho de seu papel paterno. A história da mãe, por sua vez, mostra que ela é prisioneira de uma relação frágil e perturbada com sua mãe, de quem permanece dependente, tanto do ponto de vista concreto como emocional, o que a impede de exercer seu papel materno.

Castilho (1994, p. 126-7) descreve também de forma muito interessante a dinâmica transgeracional presente nessas famílias:

> Observo nestas famílias pais muito imaturos, dependentes da estrutura de poder de suas famílias de origem. Muitas vezes desqualificados ou excessivamente protegidos por suas famílias, os pais passam a exercer o poder de forma autoritária, embora muitas vezes de modo não explícito, ou delegam o poder a outrem, mantendo suas posições de filhos. As mães mantêm com o marido, ou com o pai de seus filhos, a figura de poder que precisam, para se sentirem protegidas ou manterem seus estados melancólicos, enfim, que as mantêm casadas com suas famílias de origem.

Assim, o uso de drogas precisa ser compreendido de uma perspectiva que inclua as histórias das famílias de origem dos pais, em um processo descrito por Bowen (1976, 1991) de transmissão multigeracional, que ocorre em todas as famílias e torna todos os seus membros co-partícipes de um mesmo processo, que pode ser patológico ou não.

> Um conhecimento exaustivo das famílias anteriores pode nos ajudar a compreender que em uma família não existem anjos nem demônios. Todos são seres humanos, com suas forças e debilidades, com suas reações previsíveis segundo o impacto emocional do momento, sendo que cada um tenta dar o melhor de si durante a sua vida. (Bowen, 1991, p. 99-100)

Numa concepção sistêmica, o envolvimento em atos infracionais, assim como o uso de drogas, é um sintoma, e, como todo sintoma, funciona como regulador do sistema, tentando superar a crise, sem que nenhuma mudança real ocorra (Ausloos, 1977; Fishman, 1996; Samaniego e Schürmann, 1999). Mas o sintoma tanto regula o sistema como denuncia suas dificuldades em enfrentar crises específicas. O ato delinqüente é, portanto, uma tentativa inadequada de assinalar de forma dramática que os problemas enfrentados pela família, nesse momento do ciclo de vida familiar, não podem mais ser resolvidos pelas regras familiares habituais e que estas devem ser reajustadas (Chirol e Segond, 1983). Nessas famílias regidas pela "lei do silêncio", em que os conflitos com relação às regras intrínsecas de seu funcionamento não podem ser explicitados pela via da linguagem, uma saída possível é o ato infracional. Como colocam Marcelli e Braconnier (1989), é observado o aumento do agir e das atuações nos sujeitos que dificilmente utilizam a linguagem. Esse ato infracional tem, portanto, a função de comunicar as dificuldades vividas no interior da família, em um movimento de "agir fora o que não se pode falar dentro" (Sudbrack, 1992b, p. 33).

Para Segond (1992), o aparecimento da delinqüência na adolescência está relacionado às dificuldades específicas de comunicação e às características relacionais dentro da família, mais do que aos aspectos individuais de personalidade ou a fatores estruturais, como divórcio, situações de famílias não casadas ou número de filhos. Segundo o autor, a comunicação pelo duplo vínculo clivado ou cindido tem sido observada com freqüência nas famílias por ele tratadas.

Numa compreensão transgeracional, Cirillo *et al.* (1998) apontam uma freqüência elevada de pais precocemente submetidos às obrigações da vida adulta, sendo que, muitas vezes, esses pais viveram em instituições e tiveram um vínculo negativo com seus próprios pais. Sudbrack (1987, 1992a, 1992b) encontrou, como resultado de sua pesquisa, histórias de pais marcadas por separações difíceis, rupturas mal vividas e perdas mal elaboradas. Segundo a autora, nesses casos, o ato infracional pode ser compreendido como uma comunicação que abriga segredos e indica um enorme sofrimento ligado à história dos pais em suas famílias de origem.

A história de Mário e sua família

APRESENTAÇÃO DE MÁRIO[1]

Mário foi um dos 44 adolescentes que participaram do grupo intitulado "Oficina de Idéias". Esse grupo foi o foco de uma pesquisa–ação e também de pesquisa de doutorado (Penso, 2003),

1 O nome do adolescente e de seus familiares foram trocados, preservando assim as identidades.

já tendo gerado algumas publicações (Penso, Ramos e Gusmão, 2003; Penso e Sudbrack, 2004; Penso, Ramos e Gusmão, 2005). As informações sobre o adolescente e sua família foram obtidas em três entrevistas individuais e duas entrevistas individuais com sua mãe. O pai não participou, porque Mário não permitiu que ele fosse convidado. Na ocasião Mário tinha 17 anos.

Mário é o quarto filho de uma família de sete irmãos, por parte da mãe, que teve três companheiros, sendo que seu pai foi o último deles. Do último relacionamento nasceram cinco filhos, sendo que Mário é o segundo. Mora com sua mãe, sua avó materna e todos os sete irmãos, inclusive a mais velha, que é casada. Na ocasião da pesquisa estava cursando a 5ª série do Ensino Fundamental. Seus pais são separados, sendo que o pai vive na mesma cidade e mora com a mãe dele. Seus pais se separaram porque o pai tinha várias mulheres, bebia, e, quando chegava em casa, batia muito na mãe. Mário quer que a mãe entre na Justiça para conseguir que o pai pague pensão a ela, mas ainda não conseguiu convencê-la a fazer isso. A mãe trabalha alguns dias por semana como faxineira. Não sabe se o pai trabalha nem qual é sua profissão, porque a mãe não comenta nada sobre ele. Em uma última entrevista, disse que, de vez em quando, o pai aparece na sua casa e que o relacionamento entre eles está bom. Eles conversam, mas Mário não conta sobre as confusões que arruma na rua. Sai com o pai para ir ao bar, este paga bebida para ele e para seu irmão. De vez em quando o pai lhe dá alguns conselhos.

Mário começou a beber, por volta dos 10 anos, a cachaça que seu pai deixava em cima da geladeira, sendo que, aos 14, já bebia muito. Usa maconha desde os 12 anos. Aos 13 fumava um cigarro por semana quando ia a uma festa. Hoje fuma todos os dias (uma média de três cigarros por dia), inclusive quando veio para o grupo e para a entrevista. Só usou cocaína uma vez e não gostou porque sentiu um gosto amargo na boca. Quase sempre bebia e tomava Rohypnol antes de assaltar e isso o deixava alucinado e o incentivava a roubar. Continua fumando maconha e bebendo. Acha que não dá conta de parar de fumar maconha nem de beber, a menos que virasse evangélico. Disse que a maconha é uma droga muito boa, que o deixa mais calmo, auxilia-o a fazer as tarefas da escola e a não se meter em confusão. Além disso, ajuda a falar com as pessoas, a viver em sociedade, a dormir e a passar o tempo. Se ele está com um problema, acha que a maconha vai auxiliá-lo a encontrar a solução. A maconha ajuda também na escola. Acha difícil agüentar a semiliberdade sem fumar maconha. Fuma também porque gosta de curtir a "lombra". Por outro lado, quando bebe, fica agressivo e tem vontade de brigar e roubar.

Sempre conseguiu a maconha com colegas, comprando com dinheiro que ganhava trabalhando como ajudante de pedreiro e, mais recentemente, assaltando. Afirmou nunca ter traficado, mas já guardou maconha em sua casa para os traficantes. O início do uso de drogas foi bem anterior ao envolvimento em atos infracionais, já que estes só se iniciaram por volta dos seus 15 anos, ao passo que, com 12, já usava maconha. Às vezes roubava em grupo, mas também assaltava sozinho.

TRAJETÓRIA DE MÁRIO NA JUSTIÇA

Mário tem três processos na Vara da Infância e Juventude (VIJ), sendo um por porte de armas, outro por uso e porte de drogas e outro por tentativa de assassinato. Além disso, uma vez ele e os colegas estavam em um córrego tomando banho e fumando maconha quando alguém chamou a polícia porque desconfiou que eles tinham roubado uma bicicleta. Foram levados pela polícia, mas não houve processo.

Sua primeira passagem pela VIJ ocorreu há cerca de dois anos, quando foi pego por uso e porte de merla. Segundo Mário, não era merla e sim maconha, e, além disso, ele não a estava usando, apenas a carregava no bolso. Foi para a Delegacia da Criança e do Adolescente (DCA), mas foi liberado no mesmo dia. A mãe foi buscá-lo. Nessa época, a mãe não sabia que ele usava drogas. Acreditou que ele estava só guardando a maconha para um amigo. A segunda passagem foi por porte de armas. Estava indo fazer um assalto, quando foi abordado pela polícia. Dessa vez, passou um dia no Centro de Assistência à Juventude Especializado (Caje) e foi liberado. A terceira passagem ocorreu doze dias depois, por tentativa de homicídio. Descarregou o revólver em um adolescente que o acusou de roubar a televisão do pai. O que o levou a dar os tiros foi a raiva que sentiu do garoto, por tê-lo acusado de roubar, ter xingado sua mãe e o agredido fisicamente. Depois de atirar, foi para casa arrumar suas coisas para fugir, mas a polícia o pegou. Ficou 45 dias no Caje e agora está em semiliberdade.

TRAJETÓRIA FAMILIAR: DESCRIÇÃO DO CICLO DE VIDA FAMILIAR

Dona Sueli e senhor João viveram juntos por catorze anos e estão separados há quatro, quando, após uma discussão, o senhor João, bêbado, tentou matá-la. No período em que viveram juntos, houve várias separações e reconciliações. Hoje, mesmo separados, o senhor João freqüenta a casa de dona Sueli, sem consultá-la. Chega, fica no sofá vendo televisão, não conversa nem com ela nem com seus filhos. Conforme dito anteriormente, as entrevistas familiares foram realizadas somente com a mãe. Mário não quis estar junto e não autorizou que o pai fosse chamado. Apresentamos a seguir a história familiar que dona Sueli nos contou, organizada e baseada numa adaptação do modelo de construção do ciclo de vida familiar proposto por Carter e McGoldrick (1995).

1 **A FORMAÇÃO DO CASAL** – Quando dona Sueli conheceu o senhor João, ela trabalhava em casa de família e já tinha um casal de filhos: o primeiro, de um relacionamento anterior, e a filha, de um rapaz com quem namorava na época. A menina morava com ela na casa onde trabalhava e o menino morava em uma creche e passava os finais de semana com ela. À época, dona Sueli tinha um namorado, que era casado, e o senhor João estava se casando com sua primeira esposa. Ela foi a esse casamento, porque sua mãe era amiga de uma tia do senhor João. Cerca de três anos depois, o senhor João separou-se da esposa. Naquela época, dona Sueli já havia rompido com aquele seu namorado que era casado, e, então, eles começaram a sair. O senhor João propôs que fossem morar juntos, e dona Sueli aceitou porque achou que seria a chance de uma vida melhor e de deixar de trabalhar em casa de famí-

lia. Quando foram morar juntos, dona Sueli levou o casal de filhos para morar com eles. No início, ele sustentava a casa, cumpria com suas obrigações, mas o casal brigava muito.

2 **NASCIMENTO E PRIMEIRA INFÂNCIA DOS FILHOS** – Segundo dona Sueli, até o nascimento dos filhos, o relacionamento era bom. Os problemas começaram quando os filhos nasceram. Esses problemas se agravaram quando o primeiro filho do casal tinha pouco mais de um ano e dona Sueli ficou grávida de Mário. O senhor João não queria esse filho, pois desconfiava que não era seu. Nessa época, o senhor João começou a sumir por dois ou três dias, a beber muito, a ter muitas mulheres e a não comprar comida para a família. Quando ia para casa, estava bêbado e agredia fisicamente a esposa e os filhos, ameaçando-os com facas e jogando-os contra a parede. Dona Sueli e seus filhos tinham muito medo dele. Ela precisou voltar a trabalhar para sustentar a casa, já que chegou a passar fome com os filhos. O senhor João era contrário ao fato de ela trabalhar, achava que tinha de ficar com os filhos pequenos. Mas ela deixava os filhos com sua mãe (que sempre morou com ela) para trabalhar como doméstica.

Quando Mário nasceu, seus pais estavam separados havia cerca de três meses. Dona Sueli voltou para casa porque o senhor João foi visitá-la e ameaçou denunciá-la ao juiz e tomar seus filhos, pois a casa onde ela morava com os filhos estava com a fossa caída. No outro dia, ela voltou para casa. Por algum tempo, o senhor João continuou dizendo que Mário não era filho dele, porque era mais claro que os outros. Hoje, dona Sueli acha que Mário é o filho que mais se parece com o pai. Dona Sueli relata que cuidou dos filhos sem a ajuda do marido. Ele não gostava de segurar as crianças porque as mulheres saberiam que ele tinha filhos.

Mário, quando pequeno, com aproximadamente 1 ano, tinha problemas de "tomar o fôlego", sendo que o problema persistiu até por volta de seus 4 anos. Um de seus irmãos mais velhos teve problema de epilepsia, que começou por volta dos 9 anos, mas, com 14, a doença desapareceu. Com os outros filhos sempre foi tudo normal. Dona Sueli não queria ter tantos filhos, mas nunca pensou em abortar nenhum deles, porque tinha medo de Deus castigá-la e de que as crianças nascessem com problemas. Sempre ficava grávida quando ainda estava amamentando a outra criança.

3 **ENTRADA DOS FILHOS NA ESCOLA** – O relato de dona Sueli atesta que Mário nunca gostou de estudar. Quando entrou para a escola, chorava para não ir. No pré, chorava tanto que dona Sueli tinha de ir buscá-lo. Então, ela o tirou da escola. Depois o colocou em outra, mas a professora reclamava que ele conversava demais e atrapalhava os colegas. Segundo a mãe, os outros filhos não deram problema na escola. Seu outro filho, de 14 anos, está dando trabalho agora. O mais velho parou na 5ª série por causa de más companhias. A menina parou na 7ª para casar, mas nunca lhe deu trabalho. O outro filho está na 8ª série.

4 **ADOLESCÊNCIA DOS FILHOS** – De acordo com dona Sueli, só Mário deu trabalho na adolescência. Seu filho mais velho bebe, e ela, às vezes, tem de buscá-lo na rua, mas não considera isso trabalho. No momento, está tendo problemas com o outro filho, de 14 anos, que não quer estudar, mata aula, fica muito tempo na rua e tem se envolvido com más companhias. Com os outros, foi tudo normal, mas eles nunca dizem aonde vão e o que vão fazer, quando saem. Segundo dona Sueli, Mário, com 14 anos, era muito revoltado, passava a noite fora, chegava de manhã, não dizia onde estava. Quando ele não chegava pela manhã, ela ia atrás dele, mas não tinha autoridade para marcar um horário para ele voltar para casa e nenhum controle sobre ele. Percebia que alguma coisa estava errada, chamava o filho para casa, mas ele não vinha.

Dona Sueli conta que Mário, na adolescência, incomodava-se muito com as amantes do pai e sempre a chamava para ir vê-lo com outras mulheres. Era quem mais se incomodava, e dizia para a mãe que ela tinha que fazer alguma coisa. Sempre a defendeu. Numa ocasião, quando Mário estava preso, o pai queria tomar o lote da mãe e ele ligou para a casa de sua avó paterna e o ameaçou. Segundo dona Sueli, Mário é o filho que mais gosta dela. É o único que lhe faz carinho, que quer a sua companhia, sendo o filho mais amoroso e obediente. Nunca responde nem a ela nem a sua avó. Sempre quis trabalhar para ajudá-la. Ela acha que ele ficou mais fechado depois que os pais se separaram.

5 **A FAMÍLIA E OS ATOS INFRACIONAIS DOS FILHOS** – Dona Sueli desconfia que Mário se envolveu com problemas por causa das companhias com quem andava e porque ficava muito tempo na rua. Quando o filho foi para o Caje, foi um choque para ela. Ficou muito deprimida, mas ia visitá-lo todos os sábados e conversava muito com ele. O que se sabe da ida do filho para o Caje é que ele foi preso porque brigou com um adolescente da rua, pegou um revólver de um colega, entrou na casa desse adolescente e lhe deu um tiro. O pai foi avisado de que o filho estava preso, mas não apareceu para visitá-lo. Nunca foi à VIJ nem ao Caje. Dizia que não tinha coragem de ver o filho naquela situação. Dona Sueli acha que Mário ficava chateado, porque ele sempre perguntava pelo pai. Além disso, colocou o pai como o primeiro em sua lista de visitas do centro de internação.

6 **A FAMÍLIA E O USO DE DROGAS PELOS FILHOS** – Dona Sueli só descobriu que o filho usava drogas há poucos dias, depois que ele já estava em semiliberdade. Sua atitude foi ter uma conversa com o filho porque queria ouvir dele o que estava acontecendo. Então, ele confirmou que usava drogas mesmo. Segundo ela, a avó de Mário dizia que, às vezes, ele chegava com um cheiro esquisito e com os olhos vermelhos, mas como ele tem um problema nos olhos, ela sempre ficava em dúvida. Os irmãos nunca comentaram se sabiam de alguma coisa ou não.

7 **IMPORTÂNCIA ATRIBUÍDA ÀS MEDIDAS SOCIOEDUCATIVAS** – Dona Sueli diz que a semiliberdade foi importante para Mário, porque no Caje ele estuda. Sabe que o filho está muito bem lá, mas sente muita saudade dele. Acha também que o filho melhorou muito depois de ter recebido as medidas socioe-

ducativas e que, se estivesse em liberdade, estaria pior. Acha que o fato de ele ter sido preso ajudou, porque lhe colocou um limite, mas não gostava de quando ele estava no Caje, pois se sentia muito humilhada.

8 **FUTURO (FILHOS ADULTOS)** – Dona Sueli diz que não espera nada para si. Gostaria de ver os filhos trabalhando, casados ou juntos com alguém. Enfim, cada um com sua família.

TRAJETÓRIA FAMILIAR: DESCRIÇÃO DA HISTÓRIA TRANSGERACIONAL

1 **A HISTÓRIA DA MÃE DE MÁRIO E DE SUA FAMÍLIA** – A mãe de Mário, dona Sueli, é do interior do Nordeste, teve sete filhos com três companheiros, sendo o último deles o pai de Mário. As relações de dona Sueli com os homens sempre foram permeadas de muito sofrimento. Seu primeiro companheiro era de sua cidade de origem. Não chegaram a viver juntos, mas tiveram uma filha. Segundo dona Sueli, ele era muito agressivo, queria matá-la. Por essa razão, ela veio embora para a capital. Seu segundo companheiro era uma pessoa tranqüila, não era agressivo, mas era casado e não lhe contara o fato. Com esse rapaz, teve seu segundo filho. Seu terceiro companheiro foi o pai de Mário, com quem dona Sueli teve cinco filhos.

Dona Sueli é filha natural. Nunca conheceu o pai nem foi registrada no seu nome. Sua mãe não comenta sobre ele. Sabe apenas que a mãe viveu com seu pai até dona Sueli ter mais ou menos 2 anos. Depois ele se mudou para outro estado e sua mãe não quis largar sua família para acompanhá-lo. Desse modo, dona Sueli foi criada pela mãe e pelo padrasto, e eles tiveram três outros filhos. Mas essas crianças morreram todas antes dos 6 anos, e dona Sueli acabou sendo filha única. Quando criança, trabalhava na roça colhendo café e apanhava muito do padrasto. Sua mãe e seu padrasto brigavam muito, mas viveram juntos até dona Sueli ter 21 anos, quando, então, cansada das brigas com o marido, sua mãe resolveu ir para o Rio de Janeiro “tentar a sorte”. Nessa época, dona Sueli já tinha tido sua primeira filha e não acompanhou a mãe. Nesse ínterim, seu padrasto arranjou outra mulher e sua mãe resolveu não voltar mais para lá. Mandou buscar dona Sueli e separou-se do marido. Desde então, ela e a mãe têm morado sempre juntas. Dona Sueli diz não ter boas lembranças de sua vida, nem de quando era criança nem do tempo de casada.

2 **A HISTÓRIA DO PAI DE MÁRIO E DE SUA FAMÍLIA** – As informações sobre a família do pai de Mário foram fornecidas por dona Sueli. Segundo ela, o senhor João tem filhos com seis mulheres diferentes, sendo cinco filhos com ela. Ele teve mais de uma mulher ao mesmo tempo. Assim, alguns de seus filhos têm a mesma idade. Mas ela não soube precisar quantos filhos exatamente ele teria. Sobre sua família de origem, conta que conheceu todos os oito irmãos do senhor João. Os pais dele se separaram depois dos filhos adultos, porque seu pai bebia e era muito agressivo com sua mãe. Quando bebia, ameaçava matá-la, até que ela resolveu dar parte dele e exigir na Justiça sua saída de casa. Sempre teve várias mulheres e não sustentava a casa.

Interpretação do genograma

A história de Mário e sua família é muito rica e poderia ser discutida por diversos ângulos. No entanto, atendendo a nosso objetivo e com base num recorte sistêmico, optamos por discutir as relações entre Mário e seus pais privilegiando aspectos transgeracionais da família paterna relacionados ao uso de álcool e drogas.

A IDENTIFICAÇÃO PELO USO DE DROGAS: "PAI, EU SOU IGUAL A VOCÊ!"

A história de Mário e sua família é exemplar no sentido da transmissão transgeracional da problemática familiar, no caso, o uso de drogas, como possibilidade de identificação com a linhagem paterna. Mário aproxima-se do pai, começando a beber ainda criança (10 anos). Ao fazer isso, "desmancha" a dúvida sobre sua origem, tornando-se igual a seu pai e a seu avô paterno, num processo de delegação familiar de débitos transmitidos de geração em geração (Auloos, 1982a). Assim, enquanto Mário diz "Ele vai lá em casa, mas eu não falo com ele. Não faz parte da minha vida", paradoxalmente assume atitudes muito parecidas com as do pai, na busca de concretizar o processo identificatório, fundamental para a formação de sua identidade e personalidade (Corneau, 1991). Ou seja, identificado com os aspectos negativos desse pai, comporta-se como ele, bebendo e tendo comportamentos violentos, representados aqui no envolvimento em atos infracionais, num processo ambivalente e sofrido de afastamento/aproximação.

Sendo filho de um homem que duvida de sua paternidade, e a quem ele considera violento e irresponsável, Mário parece viver o grande conflito entre parecer-se com esse homem ou não. Mas, paradoxalmente, o álcool marca a única via de identificação possível com esse pai. Assim, desde muito cedo, Mário bebe, como ele mesmo relata: "Com 8, 10 anos, eu já dava uns bico na cachaça que meu pai deixava em cima da geladeira".

A NEGAÇÃO QUE CONDENA: "PAI, JÁ QUE VOCÊ NÃO É PAI, TEREI QUE TOMAR SEU LUGAR E SER MARIDO DA MINHA MÃE E PAI DOS MEUS IRMÃOS!"

Apesar dessa identificação com o lado negativo do pai, Mário também assume o seu lugar junto à mãe e aos irmãos, desempenhando papéis que caberiam ao pai, como cuidar dos filhos e educá-los, como ele mesmo nos relata: "O mais pequeno que desobedece a minha mãe, tem hora que eu tenho que dar uns corretivos nele". Além de cuidar dos irmãos e educá-los, Mário também divide com a mãe o papel de provedor da família, já que, sendo muito sensível às dificuldades financeiras da família, sente-se na obrigação e na necessidade de procurar um trabalho para ajudar a mãe a sustentar a casa (Sudbrack, 1985). Segundo sua mãe, Mário via-se desde muito pequeno como responsável financeiro natural do grupo familiar, em razão da ausência do pai provedor, deixando de ser criança, que brinca e estuda, para ajudá-la no sustento da casa, corroborando os achados da pesquisa de Marques (2001) sobre o trabalho infantil. A seguinte frase da mãe exemplifica essa situação: "Então às vezes eu falava pra ele: 'não, filho, deixa que eu me viro, vai estudar'. 'Não, mãe, quero ajudar a senhora... Ah! mãe, deixa eu lhe ajudar, a gente tá precisando...' O negócio dele é trabalhar até hoje".

Observamos que Mário desempenha os papéis de educador e provedor e também de protetor do grupo familiar, defendendo, do próprio pai, a segurança da família, como nos conta sua mãe, orgulhosa: "(...) depois que o Mário tava preso, ele (o pai) falou pra mim o seguinte: que quando o Mário saísse do Caje que ele ia tomar o lote de mim. Ia tomar o lote de mim, aí eu falei pro Mário, aí o Mário ligou lá pra casa da vó dele, disse, 'oh, minha vó, você fala pro meu pai que eu tô aqui preso, mas ele não fica perto donde tá minha mãe não. Diz que ele que vai vender o lote não, que ele não tem direito no lote' ".

Todos esses papéis que compõem o *status* de Mário na sua família mostram claramente que ele ocupa o lugar do pai nas relações familiares. Além disso, fica claro seu papel triangular na relação com o casal, pois também desempenha os papéis de ajudante e companheiro da mãe, bem como de seu defensor contra as agressões do pai. O papel de defensor da mãe contra as agressões do pai surge também muito cedo no ciclo de vida familiar, pois Mário, além de precisar se defender de um pai violento, aprendeu que precisará defender a mãe, sob o risco de perdê-la, caso não o faça, pois seu pai poderá chegar ao extremo de matá-la. Assim, o filho criança torna-se um adulto precoce e luta com esse pai pela manutenção da vida da mãe e de sua própria vida, num processo doloroso, mas sem outras saídas aparentes. Temos aqui uma criança que, em vez de ser protegida e cuidada, precisa se defender do pai alcoólatra e violento e defender a mãe.

Além de defender explicitamente a mãe, com relação às agressões físicas, Mário sempre esteve muito envolvido nos conflitos conjugais e sempre mostrou-se muito incomodado com o desrespeito do pai com relação à sua mãe, no tocante ao envolvimento dele com outras mulheres: "O Mário via ele dentro do carro com ela, ele chegava lá em casa, acho que o Mário tinha uns 14 anos... 'Mãe, meu pai, eu vi meu pai com uma mulher lá dentro do carro lá'. Eu digo 'não sei que você vai ver com as mulher que ele anda'. Ele dizia: 'vamo lá, mãe, pra senhora ver', 'não, meu filho, eu não vou não'. 'Ah! Mamãe, mas a senhora é besta demais'. 'Não, eu não vou, Mário, deixa isso pra lá'. O Mário vinha me chamar pra ver o pai dele com a mulherada dentro do carro, bem lá pertinho da minha casa, entendeu?".

O papel de companheiro da mãe, quase de marido, fica claro quando a mãe de Mário coloca que ele é o filho que mais gosta dela e o único que lhe faz carinho e companhia: "Apesar de tudo isso, ele parece que é o filho que gosta mais de mim, ele me beija, me abraça. Já os outros não faz isso. Ele sai: 'tiau, mãe, me dá um beijo, mãe, me leva na parada...' ele assim é o mais dado mais comigo... ele é o mais amoroso comigo".

Pela necessidade de desempenhar todos esses papéis, Mário é impedido de concluir seu processo de individuação e de caminhar rumo à construção de uma identidade própria, já que enfrenta um terrível conflito entre seu *status* e seu estatuto. Ou seja, desempenha os papéis, mas não é o pai. Nesse sentido, ele é o que denominamos de filho parental, que, segundo Minuchin e Fishman (1990), são filhos "cortados ao meio", pois, sendo colocados numa posição de poder semelhante aos pais e excluídos do subsistema fraterno, não pertencem completamente a lugar nenhum. Sem pertencer, não podem se separar, ficando presos à mãe, a quem precisam proteger, cuidar e ajudar por toda a vida. Além disso, sua identidade é construída em torno das necessidades dos pais (Jones e Wells, 1996).

A PERGUNTA SEM RESPOSTA: "PAI, COMO POSSO SER PAI SE NÃO PUDE SER FILHO?"

A parentalidade reveste-se de características diferentes para o homem e para a mulher (Bradt, 1995). Se o compromisso da mulher começa com a gravidez, por razões biológicas óbvias, o homem, por sua vez, só começa a se sentir como pai após o nascimento do filho ou mais tarde (Minuchin, 1982). Muitos homens não aceitam o papel de pais até que os bebês cresçam o suficiente para começarem a corresponder a eles (Nichols e Schwartz, 1998).

A possibilidade de assumir papéis de pai e mãe está relacionada também ao grau de satisfação de suas necessidades, aos papéis de filhos vividos em suas famílias de origem, ao âmbito da diferenciação do eu de cada um (Bowen, 1976, 1991; Castilho, 1994; Jones e Wells, 1996; Simon *et al.*, 1988). Assim, procuraremos analisar, a seguir, como o pai de Mário viveu seu papel de filho em sua família de origem, baseados no conhecimento de sua história transgeracional e na construção do genograma.

É importante ressaltar que a história da família paterna de Mário nos foi relatada por sua mãe, já que ele não permitiu que o pai fosse convidado, sob a alegação de que este nunca havia se preocupado com ele. Mesmo assim, pudemos constatar que a relação desse pai com o seu próprio pai também foi complicada, na medida em que ele também foi privado de sua contribuição na infância e na adolescência. Autores, como Cirillo *et al.* (1997), estudando a transmissão transgeracional, sugerem que esse fato parece impedir/dificultar a assunção do papel paterno.

Segundo a mãe de Mário, seu ex-marido era muito parecido com o pai dele, que também bebia muito, tinha várias amantes e não cuidava nem protegia sua família: "O pai dele tinha várias amantes, tirava as coisas de dentro de casa para dar pras amantes". Seu depoimento sugere que o avô paterno de Mário vivia a vida sem se preocupar muito com os filhos, o que provavelmente pode ter feito que os filhos assumissem papéis adultos precocemente, dificultando o processo de maturidade. Um estudo de Stein, Newcomb e Bentler (1993) mostra claramente essa relação transgeracional entre as dificuldades dos pais com seus filhos e suas vivências com seus próprios pais, apontando principalmente para a presença do alcoolismo nos avós: "Ele bebia, só vivia ameaçando, toda vez que ele bebia ameaçava de matar ela" (sobre o sogro e a sogra).

Acreditamos que essas vivências, também presentes na família de origem do pai de Mário, contribuíram para que o senhor João enfrentasse dificuldades em ser pai e nomeasse seus filhos como pertencentes à linhagem paterna. Nesse sentido, sua agressividade em muitos momentos, ou sua indiferença em outros, pode ser encarada como mecanismos que tiveram como função mascarar as dificuldades vividas nas famílias de origem, impedindo o estabelecimento de uma relação de intimidade e proximidade com os filhos, perpetuando, assim, um processo de transmissão transgeracional.

CONSIDERAÇÕES FINAIS

A história de Mário e sua família retrata-nos a repetição transgeracional do uso de drogas, pela linhagem paterna, marcando o processo identificatório com as figuras masculinas e dirimindo dúvidas sobre sua origem. Avô, pai e filho têm em comum o uso abusivo de álcool, uma droga lícita, mas não menos nociva do que a maconha ou qualquer outra droga ilícita. Mário começa sua trajetória no uso de drogas pela cachaça que o pai deixava em cima da geladeira. Vale ressaltar que a cachaça marcava a presença desse pai na casa e na família, já que concretamente estava sempre fora, envolvido em farras e com mulheres.

Por outro lado, precisa assumir o vazio deixado por seu pai na família. Assim, assume os papéis dele, unindo-se à mãe para ajudá-la a criar os irmãos e protegendo-a de todos, inclusive do pai. Nesse processo, parece buscar parâmetros sobre o que seria ser homem, já que seu pai e seu avô não conseguiram lhe transmitir modelos adequados. Mas, nesse momento, fica preso ao triângulo familiar, assumindo o papel de "filho parental", que o impede de caminhar rumo à construção de uma identidade (Penso e Sudbrack, 2003; Minuchin, 1982).

No entanto, nossa compreensão não pode parar nossa análise nesse ponto, porque consideraríamos que o pai de Mário foi o único responsável pela sua situação. É preciso avançar e buscar compreender também a sua história, pois, como coloca Bowen (1991), em uma família não existem anjos nem demônios. São apenas seres humanos, com fraquezas e pontos fortes, tentando viver da melhor forma possível. Esta é a riqueza da perspectiva da transmissão transgeracional. Ela nos possibilita compreender que todos são vítimas de um processo que perpassa várias gerações, que só poderá ser modificado pelo conhecimento de nossa história.

REFERÊNCIAS BIBLIOGRÁFICAS

Ausloos, G. (1977). "Adolescence, délinquance et famile". *Annales de Vancresson*,14, p. 80-7.

______. "Systémes-homéostase-equilibration". *Thérapie Familiale*, 2(3), 1982a, p. 197-203.

______. "La therapie familiale dans l'alcoolisme et les autres toxicomanies: Breve revue de la litterature americaine". *Thérapie Familiale*, 3(3), 1982b, p. 235-56.

Bowen, M. "Theory in the practice of psychotherapy". In: Guerin, P. J. (org.). *Family therapy: theory and practice*. Nova York: Gardner Press, 1976, p. 42-90.

______. *De la familia al individuo*. Buenos Aires: Paidós, 1991.

Bradt, J. O. (1989). "Tornando-se pais: famílias com filhos pequenos". In: Carter, B.; McGoldrick, M. (orgs.). *As mudanças no ciclo de vida familiar*. 2. ed. Trad. M. A. V. Veronese. Porto Alegre: Artmed, 1995, p. 206-22.

Bulaccio, B. "Família e a clínica da drogadição". *Psicologia: Teoria e Pesquisa*, 8 (suplemento), 1992, p. 459-67.

Carter, B.; McGoldrick, M. (1989). "As mudanças no ciclo de vida familiar: uma estrutura para a terapia familiar". In: Carter, B.; McGoldrick, M. (orgs.). *As mudanças no ciclo de vida familiar*. 2. ed. Trad. M. A. V. Veronese. Porto Alegre: Artmed, 1995, p. 7-29.

Castilho, T. "A droga". In: Castilho, T. (org.). *Temas em terapia familiar*. São Paulo: Plexus, 1994, p. 116-43.

Chirol, C. ; Segond, P. " Délinquance des jeunes, homeostase familiale et sociale ". *Bulletin de Psychologie*, 359(32), 1983, p. 237-47.

Cirillo, S. *et al*. *La famille du toxicomane.* Paris: ESF Éditeur, 1997.

Colle, F. X. *Toxicomanias, sistemas e famílias.* Lisboa: Climepsi, 2001.

Corneau, G. (1989). *Pai ausente – Filho carente*. Trad. L. Jahn. São Paulo: Brasiliense, 1991.

Fishman, H. C. (1988). *Tratando adolescentes com problemas: uma abordagem da terapia familiar.* Trad. M. A. V. Veronese. Porto Alegre: Artmed, 1996.

Goubier-Boula, M. O.; Real, O. "L'incest, la mort et la toxicomanie: approche systémique". *Thérapie Familiale*, 3(3), 1982, p. 271-84.

Jones, R. A.; Wells, M. "An empirical study of parentification and personality". *The American Journal of Family Therapy*, 24(2), 1996, p. 145-52.

Kalina, E. *Adolescencia y drogadicción.* Buenos Aires: Nueva Visión, 1988.

KALINA, E. *et al. Drogadição hoje*. Porto Alegre: Artmed, 1999.

MARCELLI D.; BRACONNIER, A. *Manual de psicopatologia do adolescente*. Trad. A. E. Filman. Porto Alegre: Artmed, 1989.

MARQUES, V. U. *Infâncias (pre)ocupadas: trabalho infantil, família e identidade*. Brasília: Plano, 2001.

MIERMONT, J. *et al.* (1987). *Dicionário de terapias familiares: teoria e prática*. Trad. C. A. Molina-Loza. Porto Alegre: Artmed, 1994.

MINUCHIN, S. (1980). *Famílias: funcionamento e tratamento*. Trad. J. A. Cunha. Porto Alegre: Artmed, 1982.

MINUCHIN, S.; FISHMAN, H. C. (1981). *Técnicas de terapia familiar*. Trad. C. Kinsch e M. E. F. R. Maia. Porto Alegre: Artmed, 1990.

MOWATT, D. T. "Uso del contacto inicial para evaluar el sistema familiar". In: STANTON, M. D.; TODD, T. C. (orgs.). *Terapia familiar del abuso y adicción a las drogas*. Buenos Aires: Gedisa, 1988, p. 25-42.

NICHOLS, M. P.; SCHWARTZ, R. C. (1995). Terapia familiar: conceitos e métodos. Trad. M. F. Lopes. Porto Alegre: Artmed, 1998.

PENSO, M. A. (2003). Dinâmicas familiares e construções identitárias de adolescentes envolvidos em atos infracionais e com drogas. Tese (Doutorado em Psicologia) – Universidade de Brasília, Brasília, 2003.

PENSO, M. A.; RAMOS, M. E. C.; GUSMÃO, M. M. (2003). "Oficina de idéias: uma experiência precursora com adolescentes em conflito com a lei pelo envolvimento com drogas". In: SUDBRACK, M. F. O. *et al.* (orgs.). *Adolescentes e drogas no contexto da Justiça*. Brasília: Plano, 2003, p. 191-200.

______. "O pai de botas – Violência intrafamiliar sofrida por adolescentes envolvidos em atos infracionais e com drogas". In: COSTA, L. F.; ALMEIDA, T. M. C. (orgs.). *Violência no cotidiano: do risco à proteção*. Brasília: Universa/Liber, 2005, p.167-83.

PENSO, M. A.; SUDBRACK, M. F. O. "Envolvimento em atos infracionais e com drogas como possibilidade para lidar com o papel do filho parental". *Psicologia USP*, 15(3), 2004, p. 29-54.

ROSSET, M. S. *Pais & filhos: uma relação delicada*. Curitiba: Sol, 2003.

ROUSSAUX, J. P. "Familles d'heroinomanes en thérapie". *Thérapie Familiale*, 3(3), 1982, p. 257-69.

SAMANIEGO, M.; SCHÜRMANN, A. M. "L' écoute des familles face à la menace de toxicodépendance de l'adolescent". *Thérapie Familiale*, 20(1), 1999, p. 39-49.

SEGOND, P. "Família e transgressão". *Psicologia: Teoria e Pesquisa*, 8 (suplemento), 1992, p. 447-57.

SILVESTRE, M. "Thérapie familiale et toxicomanie". *Thérapie Familiale*, 12(4), 1996, p. 327-35.

SIMON, F. B.; STIERLIN, H.; WYNNE, L. C. *Vocabulário de terapia familiar*. Buenos Aires: Gedisa, 1988.

STANTON, M. D. *et al.* "Um modelo conceitual". In: STANTON, M. D.; TODD, T. C. (orgs.). *Terapia familiar del abuso y adicción a las drogas.* Buenos Aires: Gedisa, 1988, p. 25-42.

STEIN, J. A.; NEWCOMB, M. D.; BENTLER, P. M. "Differential effects of parent and grandparent drug use on behavior problems of male and female children". *Developmental Psychology*, 29(1), 1993, p. 31-43.

SUDBRACK, M. F. O. "La trajectoire de l'enfant margilise vers la délinquance: la socialisation de l'éxclusion". *Actes des Vèmes Journées Internationales, Vaucresson*, maio1985, p. 133-47.

______. *La dimension familiale dans la délinquance des jeunes*. Tese (Doutorado em Psicologia) – Universitè du Paris-Nord, Paris, 1987.

______. "Da falta do pai à busca da lei: o significado da passagem ao ato delinqüente no contexto familiar e institucional". *Psicologia: Teoria e Pesquisa*, 8 (suplemento), 1992a, p. 447-57.

______. "Integrando psicologia social e da personalidade: reflexões a partir do paradigma eco-sistêmico e da epistemologia da complexidade". *PSICO*, 23(1), 1992b, p. 49-67.

______. "A drogadição na perspectiva relacional e sua abordagem no contexto da saúde". In: ALVES, E. D.; ARAÚJO, E. C.; SILVA, S. F. (orgs.). *Capacitação de instrutores para promoção da saúde em ações antidrogas.* Brasília: Senad, 2001, p. 71-86.

______. "Terapia familiar e dependência de drogas: construções teórico-metodológicas no paradigma da complexidade". In: COSTA, I. I. *et al.* (orgs.). "Ética, linguagem e sofrimento". In: *Anais completos da VI Conferência Internacional sobre Filosofia, Psiquiatria e Psicologia*. Brasília: Positiva, 2003, p. 273-93.

9 CONSIDERAÇÕES ACERCA DA ABORDAGEM TRANSGERACIONAL DE FAMÍLIAS ALCOÓLICAS

ELIANA MENDONÇA VILAR TRINDADE
JÚLIA SURSIS NOBRE FERRO BUCHER-MALUSCHKE

O alcoolismo tem sido uma das maiores preocupações da saúde pública no mundo, estando associado a diversos outros problemas, como mortes no trânsito, desentendimentos familiares e afetivos, separação de casais, sendo, também, companheiro inseparável de homicídios, espancamentos de crianças e mulheres, deserção do trabalho, da escola etc. Sem falar que o álcool é a droga cujo uso mais aumenta no país. São numerosas as tentativas para se compreender o alcoolismo. Bertollote (1987) acredita que suas causas estão associadas a um complexo conjunto de fatores biopsicossociais. A compreensão do alcoolismo por meio dos conceitos da teoria sistêmica e do enfoque transgeracional nos abre novas perspectivas. A família passa a ser vista como uma unidade, foco de nossos estudos e intervenções. Nessa perspectiva, foram realizados estudos no Brasil (cf. Bucher, 1988; Costa, 1990).

A triangulação formada pelo indivíduo alcoolista, seu contexto relacional (familiar e/ou social) e o álcool nos mostra a complexidade e a profundidade dos termos inseridos neste estudo. Na leitura desse problema, fundamentar-nos-emos, portanto, em um tripé previsto por Olivenstein (1985) na compreensão da toxicomania: o indivíduo, a droga e o contexto social.

O contexto familiar do alcoólico é atípico e merece estudos especializados e atenção de diferentes campos de pesquisa.

Neste capítulo, baseado fundamentalmente na dissertação de mestrado de Trindade (1994), propomos realizar breve revisão teórica, enfocando, por meio da abordagem transgeracional, os efeitos patogênicos do alcoolismo na família ao longo das gerações. Três grandes marcos teóricos funcionam como eixo de trabalho: a terapia familiar transgeracional ou contextual desenvolvida por Boszormenyi-Nagy, o modelo sistêmico e os estudos de Steinglass com "famílias alcoólicas". O objetivo é elucidar a fecundidade científica da abordagem transgeracional da terapia de família para a compreensão do processo de transmissão do alcoolismo através das gerações.

Vários autores têm apontado uma variedade de disfunções estruturais que caracterizam famílias com membro alcoólico. Alguns dos problemas citados são: rigidez de fronteiras (Anderson e Henderson, 1983; Steinglass, 1975), falta de coesão do casal (Gorad, 1971; Wilson e Oxford, 1978) e presença de alianças transgeracionais (Boszormenyi-Nagy e Spark, 1976).

A PESQUISA ORIGINAL

Na pesquisa original da qual procede este capítulo, abordamos a questão do alcoolismo por meio do referencial sistêmico, considerando, sobretudo, a dimensão transgeracional. A metodologia utilizada foi o estudo de casos múltiplos. Nas cinco famílias estudadas o paciente identificado era alcoolista, sendo que apenas em uma das famílias a mãe era alcoolista, nas demais, o paciente identificado era o pai. Por meio da aplicação do genograma e da entrevista transgeracional estruturada, investigamos a dinâmica transgeracional de cinco famílias, bem como identificamos a disfunção do sistema e a repetição persistente do alcoolismo ao longo das gerações. Assim, encontramos cinco grandes fatores de risco para a transmissão do alcoolismo: a disfunção do sistema, a complexidade da dimensão transgeracional, o padrão de rituais da família, a identificação do sistema filial com o membro alcoolista e a presença de lutos cronificados.

Pela análise do genograma das cinco famílias, identificamos a presença de lutos não resolvidos que acabavam por interferir na dinâmica desses sistemas, já que estavam associados à incapacidade de elaboração e superação de perdas. Esses lutos seriam encobertos e protegidos pelo silêncio e pela falta de diálogo aberto. Nesse sentido, concluímos que o casamento no contexto das famílias estudadas evidenciava uma via de fortalecimento de uma cultura e de uma identidade alcoólica, pois ambas as famílias, tanto a do alcoolista quanto a do cônjuge, possuíam alta prevalência de alcoolismo ao longo das gerações. A própria escolha do cônjuge representava uma forma de cristalização de uma identidade alcoólica.

A identidade alcoólica poderia ser compreendida como uma série de impressões compartilhadas que a família constrói, a respeito de si mesma e do mundo exterior, expressas por meio de condutas e valores herdados das gerações anteriores, e, em parte, por inovações do casal. É essa estrutura de valores, transformada e observada nas famílias estudadas, nas quais o alcoolismo parecia funcionar como um princípio norteador, que é transmitida como uma herança através das gerações.

> O alcoolismo contextualizado dentro desta estrutura axiológica particular da família vai se repetindo, elegendo os membros mais adequados, os protagonistas desta trama, criando mesmo ídolos alcoolistas. Os mitos criados pela família e oriundos das gerações passadas geralmente protegem e mascaram a degradação moral gerada pelo alcoolismo na família. Seria o fenômeno da negação psicológica, defesa característica da psicodinâmica do alcoolista. (Trindade, 1994, p. 63)

Com essa apresentação sintética, passamos a realizar algumas reflexões que permeiam o processo de compreensão do sofrimento existente em sistemas familiares de alcoolistas. Juntamente com essa nova perspectiva relacionada com a família, ocorre uma crescente consciência da natureza multidimensional da relação entre alcoolismo e família. Por exemplo, devem-se levar em conta os fatores culturais (Bennett e Ames, 1985), as variações de conduta do bebedor (Jacob e Seilhammer, 1987) e as características de conduta da família (Ablon, 1976) para entender o que ocorre quando se mesclam o alcoolismo e a vida em família. A mensagem principal parece ser que essas famílias variam muito entre si e não se encaixam em fórmulas simplistas ou em conceitos explicativos uniformes. Por outro lado, a capacidade dessas famílias para manejar e dominar certas tensões e desafios chama a atenção de observadores externos.

O MODELO SISTÊMICO

Grande parte de trabalhos publicados sobre esse tema baseia-se na Teoria dos Sistemas. Segundo essa teoria, todas as pessoas que compõem a unidade familiar têm um papel na maneira como funciona a família, como cada membro se relaciona com os outros, e na forma como, finalmente, o sintoma irrompe (Hech,1973; Bowen, 1974). Visto como um sintoma, o alcoolismo representa uma disfunção no contexto familiar total. Segundo a literatura baseada no referencial sistêmico (Steinglass, 1977; Bowen, 1974), o alcoolismo presente em um dos membros é considerado um sintoma, que denuncia desequilíbrios do sistema familiar e surge quando a família apresenta dificuldades em seu processo de desenvolvimento ao longo de seu ciclo de vida. Knight (1987) enfatiza o papel dos fatores familiares na etiologia do alcoolismo, descrevendo o impacto de um pai passivo e de uma mãe dominadora.

De acordo com Bowen (1974), o sintoma do beber excessivo ocorre quando a ansiedade familiar é alta. O processo de beber para diminuir a ansiedade acaba aumentando a ansiedade familiar em resposta a esse beber e criando uma espiral, podendo gerar um colapso ou um padrão crônico de funcionamento do sistema familiar. O enfoque sistêmico rompe com o pensamento linear simplista de causa e efeito, que, sem dúvida, representa grande obstáculo para a compreensão de disfunções e patologias.

Segundo Steinglass (1977), a intoxicação alcoólica pode facilitar a expressão interacional de certas famílias como pode inibi-la em outras; essas mudanças no relacionamento podem servir como estabilizador do instável sistema familiar. Assim, nessas famílias, a grande ênfase é dada na estabilidade, em curto prazo, da vida familiar, em detrimento de todos os outros temas. De um ponto de vista interacional, considera-se que o alcoolista, paradoxalmente, acaba por proteger sua família de níveis intoleráveis de angústia, ansiedade ou depressão, conforme apontam Miermont *et al.* (1994). Essas observações têm sido reforçadas pelas freqüentes descompensações de um ou vários membros da família quando o alcoolista deixa de beber. Na verdade, o alcoolista pode ser pensado como o indivíduo eleito pela família para expressar os conflitos não resolvidos pelo sistema. Como um bode expiatório, acaba por protagonizar a angústia coletiva.

Vários autores observam a importância do contexto familiar no processo de recuperação do alcoolista, indiretamente confirmando o valor etiológico da dimensão familiar do indivíduo. Bowen (1974) diz que, como disfunção, o alcoolismo implica um determinado contexto familiar. Ele afirma "que quando é possível modificar o sistema de relacionamento familiar, a disfunção alcoólica é aliviada, mesmo que o alcoólico não participe da terapia" (Bowen, 1974, p. 115).

A FUNÇÃO PARADOXAL DO SINTOMA ALCOOLISMO

O modelo proposto por Steinglass (1977) vê a vida da família como um produto dinâmico do jogo recíproco entre dois grupos de processos: um vinculado à regulação da vida familiar e o outro relacionado ao crescimento ou ao desenvolvimento desta. Seus trabalhos acerca do conceito de "família alcoólica" representam importantes subsídios para a análise da questão. Na perspectiva desse autor, assim como uma dinastia de família pode construir-se em torno do poder econômico ou político, ela também pode construir-se em torno do alcoolismo. Dessa forma, as identidades de família alcoólica, que sobrevivem intactas ao longo de múltiplas gerações, podem produzir identidades dinásticas alcoólicas que exigem a lealdade de todos e de cada um dos membros da família, e, de maneira interativa, influem sobre as expectativas de conduta.

Steinglass (1977) descreveu as conseqüências adaptativas do beber, o qual reforça o beber e estabiliza um sistema cíclico estável centrado nas interações diferenciais de família como função da sobriedade e da intoxicação. É dele a expressão "famílias alcoólicas". Ao utilizar esse termo, Steinglass (1989) estava sugerindo que é possível que toda uma família "tenha alcoolismo". Isso não significa que todos os membros da família sejam bebedores, mas existe um ambiente, um contexto identificado como bebedor (pelos outros membros da família e pelo mundo exterior). As condutas relacionadas com o uso do álcool representam um papel importante dentro dos mecanismos morfogenéticos e morfoestáticos do sistema da família. Nesse sentido, essas importantes forças sistêmicas que existem na família têm chegado, em grande medida, a organizar-se em torno da presença do alcoolismo, ou a ser definidas por ele. De forma geral, o desenvolvimento da família – seu ciclo de vida – tem sido deformado pela superposição de uma história de vida alcoólica sobre o ciclo de vida habitual da família. Em outras palavras, essas famílias se convertem em sistemas alcoólicos.

Ainda conforme Steinglass (1989), se nessas famílias todos os desafios a uma estabilidade são interpretados em primeiro lugar como ameaças ao *status quo* vigente, então se desfazem as possibilidades de crescimento inerentes a esse desafio. Como conseqüência, frustra-se o movimento diante dessa transição de desenvolvimento. A impressão clínica é de que a família se encontra congelada no tempo. Isso não significa que nunca se produzam transições nas famílias alcoólicas, mas, quando elas ocorrem, são o resultado de extraordinários desafios do *status quo*, e, portanto, só quando as famílias se vêem obrigadas a fazer frente a essas novas tensões extraordinárias conseguem obter êxito nas transições de uma etapa do desenvolvimento à seguinte.

1 As famílias alcoólicas são sistemas condutores nos quais o alcoolismo e as condutas vinculadas a ele convertem-se em princípios organizadores centrais em torno dos quais se estrutura a vida da família.
2 A introdução do alcoolismo na família possui a capacidade potencial de alterar em profundidade o equilíbrio que existe entre o crescimento e a regulação no seio da família. Em geral, essa alteração impulsiona a família na direção de uma ênfase sobre a estabilidade, em curto prazo (regulação), às expensas de um crescimento em longo prazo.
3 O impacto do alcoolismo e das condutas conexas ao álcool sobre o funcionamento sistêmico é observado com maior clareza nos tipos de mudança que se produzem nas condutas reguladoras, à medida que a família adapta, pouco a pouco, sua vida às exigências coexistentes do alcoolismo.
4 Por sua vez, os tipos de alterações que se produzem nas condutas reguladoras podem ser observados em sua profunda influência sobre a forma geral do crescimento e do desenvolvimento da família. São mudanças do ciclo normativo da vida familiar, que esse autor denomina de "deformações do desenvolvimento".

Para Steinglass (1989), a "identidade familiar" é o sentimento subjetivo de família, de sua continuidade ao longo do tempo, sua situação de momento e seu caráter. A identidade de família representa uma construção explicativa poderosa cada vez que encaramos temas de continuidade/descontinuidade da família alcoólica. Em um plano multigeracional, a capacidade da família para manter sua identidade nuclear determina se ela adquirirá características dinásticas.

SOFRIMENTO PSÍQUICO DE FILHOS DE ALCOOLISTAS

A revisão bibliográfica, realizada para a concretização dos objetivos deste capítulo, evidenciou a presença de inúmeros trabalhos sobre filhos de alcoolistas, enfocando, sobretudo, a psicopatologia e a questão da transmissibilidade familiar de comportamentos aditivos (Chassin, 1997; Johnson, 1997; Sher, 1997; Shuckit, 1997; Steinglass, 1977). A literatura acaba por confirmar o intenso sofrimento psíquico de filhos de alcoolistas. Nos primeiros trabalhos sobre alcoolismo, a preocupação maior era sua continuidade entre as gerações de uma mesma família, e as teorias biogenéticas fundamentavam as investigações. Atualmente, sem dúvida, a ênfase tem recaído sobre os aspectos do ambiente familiar, assim como sobre as conseqüências do abuso do álcool.

É fato que o "ambiente alcoolista" afeta de forma negativa os descendentes de alcoolistas, pois crianças, filhos de alcoolistas, experimentam tensão e competitividade com seus colegas, sendo que, quanto mais velhos, maiores são as dificuldades em construir e manter amizades. Pesquisas realizadas anteriormente comprovaram a hipótese de que toda a família é afetada pelo alcoolismo. Segundo Bowen (1974), a compreensão sistêmica explica como todas as pessoas que compõem a unidade familiar têm um papel na maneira como esta funciona, como seus membros se relacionam, e como, finalmente, o sintoma irrompe.

A compreensão da esfera psicológica do alcoolista é importante para compreendermos o impacto dessa realidade nos próprios filhos. Filhos de alcoolistas têm sido identificados, de acordo com Sher (1997), como um grupo de risco psiquiátrico. Vários estudos desenvolvidos por psiquiatras têm fornecido evidências de um elevado risco para o desenvolvimento de problemas comportamentais e de dificuldades escolares entre filhos de alcoolistas. Furtado, Lauch e Schmidi (2002) admitem que filhos de pais com problemas psiquiátricos são considerados um grupo de alto risco para a ocorrência de problemas no desenvolvimento emocional e de maior risco para diagnósticos psiquiátricos. Em seu estudo prospectivo e longitudinal com 219 crianças acompanhadas desde o nascimento até os 11 anos, esses autores encontraram resultados que indicam um elevado risco de um curso evolutivo desviante dos filhos de alcoolistas, na forma de maior risco para problemas de comportamento, de modo geral, e, mais especificamente, de maior risco para transtornos expansivos (compostos principalmente por transtornos de conduta). Nesse estudo, foram examinadas as variáveis sociodemográficas, os fatores de risco biológico e psicossocial, a freqüência e a gravidade dos sintomas psiquiátricos e a freqüência de transtornos expansivos e introversivos.

Embora possamos visualizar trabalhos que assumem uma lógica sistêmica, a grande maioria assume uma perspectiva disjuntiva, sendo visivelmente contaminados pela força do modelo médico (Edwards, 1987; Ramos, 2001), que enfatiza os diagnósticos e os processos de saúde e doença. Uma literatura mais recente (Merikangas, 2000; Rutter, 1999) traz uma discussão mais intensa sobre o papel dos fatores genéticos na transmissibilidade intrafamiliar.

Filhos de alcoolistas possuem uma probabilidade maior de desenvolver alcoolismo. Problemas mais severos, de caráter anti-social, relacionados com alcoolismo, foram encontrados mais freqüentemente em indivíduos que tinham algum parente alcoólatra do que naqueles que não o tinham (Shuckit, 1997).

Em alusão à relação entre alcoolismo e comunicação, algumas pesquisas que examinaram diferentes dimensões de competência comunicativa em eles, depressivos e bebedores sociais concluíram que eles apresentam déficits em todas as dimensões de competência comunicativa, como clareza comunicativa e auto-referência. Houve também investigação acerca do fenômeno de filhas de pais alcoolistas que se casam com alcoolistas; cujas descobertas foram: as mensagens que as filhas receberam dos pais comprometeram suas vidas e suas percepções dos relacionamentos com eles, assim como as mensagens que essas mulheres receberam de seus maridos; essas mulheres tinham uma predisposição a uma comunicação rígida quando interagiam com seus pais e maridos.

Abordando o aspecto da comunicação, vale a pena citar estudos que indicam como alcoolistas ajustam ou modificam suas identidades com base em metanarrativas. Esse estilo de falar de suas vidas como alcoolistas denominou-se "autogenerativo" ou "auto-reflexivo". A metanarrativa proporciona aos participantes da reunião de Alcoólicos Anônimos rever os roteiros de suas vidas e iniciar o movimento de mudança retornando à sociedade, uma vez que esta funciona como uma mensagem auto-reflexiva (Hill e Gauer, 1998). Esse enfoque é importante, pois afirma a força transformadora da linguagem e do diálogo reflexivo, que podem, inclusive, ocorrer antes da instalação de patologias, daí a importância da terapia familiar para o alcoolista, fato que permite prevenir desde a infância e a adolescência o aparecimento da doença nos filhos.

Um estudo de Elizabeth Hill e Gustavo Gauer publicado em 1998 deve ser citado; nele, é realizada uma análise semiótica de relatos em filhos de alcoolistas, concluindo que as seqüelas decorrentes dessas vivências familiares perduram por longos períodos. De acordo com esse estudo, a baixa auto-estima, a grande dificuldade de alcançar intimidade nas relações e uma visão de mundo marcada pelo medo restringem sobremaneira a vida desses indivíduos. Verificou-se que os filhos adultos de alcoolistas formam conclusões intencionalmente errôneas, como não falar com pessoas de fora da família sobre o pai alcoolista, entender que o problema era deles e que ninguém mais se preocuparia com isso, sentirem-se constantemente constrangidos com a situação e pouco respeitados pelos professores, temendo que sua vida pudesse ser igual à de seus pais e parentes. Constatou-se que a metamensagem é de desconfiança; assim, se os filhos de alcoolistas aprenderam a não confiar na mensagem recebida do progenitor, essa falta de confiança se reflete nos relacionamentos e eles passam a perceber o público como uma ameaça. Se o filho continua a viver e lidar com o alcoolista, ele passa a desconfiar dos seus próprios sentimentos, já que, para a família, tudo que ele ouve, vê e acredita não existe. Percebe-se que a confiança desses indivíduos em si mesmos e em sua família foi danificada ou destruída. Esses resultados são elucidativos da extensão e da durabilidade do sofrimento em filhos de alcoolistas.

Sem dúvida, ser filho de alcoolista é uma condição de grande dor, sofrimento, constrangimento e vergonha social. Miermont *et al.* (1994) apontam uma multiplicidade de papéis que os filhos de alcoolistas são convidados a vivenciar nessas famílias: substituto parental para irmãos e irmãs mais novos; substituto marital coligado em uma cumplicidade edipiana com o genitor não-alcoolista; vítima de violências incestuosas; mediador e conselheiro; terapeuta familiar para o casal sempre em crise.

Toda essa situação nos lembra o conceito de parentalização dentro da família, de Boszormenyi-Nagy e Spark (1976), em que a questão da transgeracionalidade dentro do sistema familiar é abordada. Dessa forma, o filho passa a cuidar dos pais, passa a ser "parentalizado", a fim de responder às necessidades inconscientes dos pais de uma relação simbiótica, fato que impede, dessa maneira, que atinja sua autonomia pós-adolescência.

A literatura mostra por meio de inúmeros trabalhos a influência do alcoolismo paterno na vida relacional e na psicodinâmica de seus filhos e familiares (Barnes, 1977; Steinglass, 1977). Traz dados interessantes referentes à função paterna e à drogadição em famílias disfuncionais. A família alcoólica é marcada por uma série de jogos psicológicos e todos se envolvem na progressão da doença. O lar do alcoólico se movimenta na base de desempenhos neuróticos e excêntricos, em que o pai vive super-reagindo ao agente químico, a mãe super-reagindo ao dependente químico e os filhos apresentarão alguns papéis de ajustamento ou repulsividade ao sistema familiar em crise (Paupits, 1987).

A TRANSMISSÃO DO "LEGADO ALCOÓLICO": CONSIDERAÇÕES SOBRE A TEORIA TRANSGERACIONAL

A reflexão acerca da transmissão do "legado alcoólico" através das gerações nos permite compreender aspectos importantes da teoria contextual criada por Ivan Boszormenyi-Nagy. Esse autor foi o criador da teoria transgeracional, realizando uma integração teórica que contemplava as descobertas da psicanálise, da filosofia existencial, da teoria dos sistemas e da ética. Sua tese central é de que as perturbações dos indivíduos e das famílias são a manifestação e a conseqüência de um desequilíbrio entre tomar e dar, entre os direitos e os logros, em especial na esfera do afeto.

A terminologia da teoria contextual destaca principalmente a questão da ética e da justiça nas relações interpessoais. Assim, cada família é vista como tendo um "grande livro" no qual o "patrimônio familiar", obtido por herança e de essência multigeracional, define o nascimento de uma configuração específica de direitos e obrigações que se impõem ao indivíduo e, quanto aos débitos, deve se conformar para ser leal à família. A lealdade é definida como um determinante motivacional, de origem dialética e multipessoal, representando, segundo Boszormenyi-Nagy (1976), uma verdadeira fábrica invisível de expectativas do grupo, e não uma lei manifesta. "As fibras invisíveis da lealdade consistem, de uma parte, na consangüinidade, a salvaguarda da linhagem familiar e biológica, e, de outro, do mérito adquirido pelos membros" (Boszormenyi-Nagy, 1976, p. 60).

O desequilíbrio de cômputos é então inevitável e existe dentro de toda família funcional, com oscilações em torno de um ponto de equilíbrio. Nas famílias disfuncionais, o equilíbrio de cômputos e méritos pode perder sua flexibilidade e sua mobilidade por contrair uma característica fixa e rígida, facilitando o desenvolvimento de problemas psicopatológicos. Como dissemos, poderíamos pensar que assim como uma dinastia de família pode construir-se em torno do poder econômico ou político, também pode construir-se em torno do alcoolismo. Dessa forma, as identidades de famílias alcoólicas que sobrevivem intactas, ao longo de múltiplas gerações, podem produzir identidades dinásticas alcoólicas que exigem a lealdade de todos, e cada um dos membros da família, e, de maneira interativa, influem sobre as expectativas de conduta segundo Steinglass (1977).

O alcoolismo paterno traz profundas repercussões dentro da família, podendo também ser visto como um sintoma de desequilíbrios transgeracionais. A "contabilidade" transgeracional da família produz dívidas, débitos e alguns créditos. Muitas vezes, a "moeda" que circula dentro da estrutura e da dinâmica familiares é o próprio alcoolismo ou outras patologias crônicas. Alguns indivíduos são sacrificados, outros, eleitos, e o legado familiar pode se tornar pesado. A tristeza se cristaliza e cede lugar à doença.

CONSIDERAÇÕES FINAIS

Revisando esses estudos, fica patente a presença de uma complexidade de processos familiares, no tocante à dimensão transgeracional, presentes em famílias com membros alcoolistas. Apesar dessa complexidade, identifica-se a necessidade de se valorizar o potencial de saúde desses grupos familiares por meio de uma abordagem sistêmica que contemple a resiliência, a criatividade e a possibilidade de renovação nesses sistemas. Aqui, não nos limitamos à tentativa de dar ênfase à gravidade dos sintomas associados ao alcoolismo paterno, mas ao grande desafio clínico de compreensão da psicodinâmica da família e do processo de transmissão da doença.

Em qualquer fase da infância deve-se considerar a possibilidade de um dano físico real. Alcoolismo e espancamento de bebês estão associados, e o risco de agressão física pode continuar durante toda a infância e adolescência, segundo Edwards (1987). Considerando a gravidade do quadro e as contribuições da literatura consultada, enfatizamos a necessidade de maior preparo técnico-emocional e humanístico por parte dos terapeutas na abordagem dessas famílias.

De acordo com alguns estudos, os terapeutas de alcoolistas estão começando relativamente tarde a utilizar abordagens sistêmicas, e terapeutas de família têm-se envolvido com essa questão de forma mais direta nos últimos vinte ou trinta anos, o que indica que o alcoolismo representa doença e temática bastante difícil e pouca atrativa, seja pela baixa adesão dos pacientes, seja pela aparente resistência de alguns terapeutas em lidar com a questão. São sistemas à beira da ruptura, nos quais os problemas são pluridimensionais.

Sudbrack (2004), no prefácio do livro *E quando acaba em malmequer?*, de autoria de Liana Fortunato Costa, descreve sinteticamente a importância e a riqueza de aprendizados oriundos de experiências com famílias de baixa renda e nos alerta para a importância de não reproduzirmos uma ideologia repressora "de polícia" diante desses sistemas familiares. Costa (2004) enfatiza o grande potencial de mudança dessas famílias. Todo enfoque do livro parte do pressuposto de que o próprio cliente é o especialista, e que, por isso, devemos escutá-lo verdadeiramente.

Ao lidar com o tema da violência intrafamiliar, a referida autora (2004) aborda em seu livro relatos e correlações importantes entre violência e alcoolismo paterno. Por meio de grupos multifamiliares, pode-se observar que, na dinâmica de muitas famílias, é patente o grande poder que a mulher tem dentro de casa, centralizando a direção da expressão da violência. Essa autora afirma que os maridos muitas vezes são colocados em espaço periférico de interação e que o relacionamento afetivo mais intenso se passa entre mães e filhos. A mãe muitas vezes "salva" o filho do pai bêbado, ou escolhe estar com um filho em detrimento do abandono de outro filho traficante.

Kaufman e Pattison (1981) notaram que nos últimos vinte anos tem-se despendido pouquíssimo esforço no desenvolvimento de técnicas dirigidas a problemas específicos de famílias com alcoolismo. Da mesma forma, nos estudos sobre essa temática, a terapia familiar é vista como um tratamento genérico na qual existe pouca consciência das variações dos métodos de tratamento. Parece que as pesquisas vêm seguindo um movimento de distanciamento da díade conjugal em direção ao estudo e ao tratamento da família.

Há, na literatura, muito pouco de absolutamente específico à experiência psicológica prejudicial do lar onde há um alcoolista. Os mesmos tipos de perturbação ocorrem freqüentemente em lares nos quais, por exemplo, um dos genitores tem uma doença psiquiátrica crônica ou repetitiva. Segundo Edwards (1987), parte do dano emocional é um risco latente de alcoolismo.

No que tange às contribuições importantes acerca do tratamento familiar de alcoolistas, concluímos que a perspectiva transgeracional mostra-se bastante fecunda e efetiva, já que traz um novo olhar, mais ampliado, que acaba por inserir novas reflexões. A necessidade de incluir três gerações, de repensar a identidade da família, de ressignificar os rituais familiares, de promover a busca de novos padrões de resolução de conflitos são recursos terapêuticos preciosos a serem vivenciados em famílias à beira da ruptura. A teoria de Steinglass (1977) é fundamental nesse processo, já que nos alerta para as grandes dificuldades existentes em decorrência da predominância do modelo médico, cartesiano, focado no indivíduo. O autor denuncia a presença de um modelo biomédico que concebe o tratamento por meio de uma visão causal linear, o que dificulta a apreensão da pluralidade dos níveis do contexto, o risco de abordagens moralistas e a dificuldade de clareamento dos objetivos terapêuticos.

REFERÊNCIAS BIBLIOGRÁFICAS

BARNES, G. "Adolescent alcohol abuse and other problem behaviors: their relationship and comon influences". *Journal of Youth and Adolescent*, 13, 1977, p. 329-48.

BERTOLLOTE, J. M. *Alcoolismo hoje*. 2. ed. Porto Alegre: Artmed, 1987.

BOSZORMENYI-NAGY, I.; SPARK, G. *Invisible loyalties*. Nova York: Harper & Row, 1976.

BOWEN, M. *Therapy in clinical pratice*. Nova York: Jason Aronson, 1974.

CHASSIN, L. J. T. *et al.* "Historical perspectives a critical analisis of COA research". *Alcohol Health and Research World*, 21, 1997, p. 258-64.

DURKHEIM, E. *Suicide*. Nova York: Free Press, 1951.

EDWARDS, G. (1982). *O tratamento do alcoolismo.* Trad. J. M. Bertollote. São Paulo: Martins Fontes, 1987.

FURTADO, F. E.; LAUCH, M.; SCHMIDI, M. "Estudo longitudinal prospectivo sobre o risco de adoecimento psiquiátrico na infância e alcoolismo paterno". *Revista Psiquiatria Clínica*, 29(2), 2002, p. 71-80.

GONZÁLEZ REY, F. "Sujeito e subjetividade: uma aproximação histórico-cultural". Trad. R. S. L. Guzzo. São Paulo: Thompson, 2004.

HILL, E.; GAUER, G. "Uma análise semiótico-fenomenológica das mensagens auto-reflexivas de filhos adultos de alcoolistas". *Psicologia: Reflexão e Crítica*, 11(1), 1998, p. 1-19.

KNIGHT, R. "The dinamics and treatment of chronic alcohol addiction". *Bulletin Menniger Clinica*, 1, 1987, p. 233-35.

MERIKANGAS, K. R. "Implications of genetic epidemiology for the prevention of substance use disorders". *Addictive Behaviour*, 25, 2000, p. 807-20.

MIERMONT, J. *et al. Dicionário de terapias familiares: teorias e práticas*. Trad. C. A. Molina-Loza. Porto Alegre: Artmed, 1994.

PAUPITS, J. *O alcoólico: análise, dependência e recuperação*. Rio de Janeiro: Relisu, 1987.

RAMOS, F. R. *Adolescer: compreender, atuar, acolher – Projeto Acolher*/Associação Brasileira de Enfermagem. Brasília: Aben, 2001.

RUTTER, M. "Genetics and child psichiatry; II Empirical Research Findings". *Journal of Child Psychology Psychiatry*, 40, 1999, p. 19-55.

SHER, K. L. "Psicopatology characteristics of children of alcoholics". *Alcohol Health & Research World*, 21(3), 1997, p. 247-54.

SHUCKIT, M. "Subjetive responses to alcohol in sons of alcoholics and control subjects". *Archives of General Psychiatry*, 41, 1997, p. 879-933.

STEINGLASS, P. "Observations of conjointly hospitalized 'alcoholic couples' during sobriety and intoxication: implications for theory and therapy". *American Journal of Psiquiatry*, 1, 1977, p. 1-16.

______. *La fami lia alcoholica.* Buenos Aires: Gedisa, 1989.

STIERLIN, H. "A family perspective on adolescent runways". *Archives of General Psychiatry*, 29, 1973, p. 56-62.

TRINDADE, E. M. V. *O alcoolismo através das gerações: um estudo teórico-clínico.* Dissertação (Mestrado em Psicologia) – Universidade de Brasília, Brasília, 1994.

TRANSFORMANDO HERANÇAS

SHYRLENE NUNES BRANDÃO
LIANA FORTUNATO COSTA

10

Nosso objetivo neste texto é apresentar a possibilidade de intervir na dimensão transgeracional de conflitos familiares, em situação de visita domiciliar. Tal situação nem sempre ocorre por uma demanda direta da família, pois muitas vezes o pedido parte da instituição à qual algum membro da família esteja vinculado. A proposta de enfoque da dimensão transgeracional com uma família durante uma visita domiciliar apresenta-se em uma perspectiva preventiva e revela uma estratégia de intervenção mais específica com as famílias que necessitam de atenção especial, porque se mostram problemáticas para alguma instituição que as atende, mas não estabelecem nenhum pedido de ajuda. Essa intervenção baseada na visita domiciliar foi detalhada em publicação anterior, apresentada na forma de manual (Brandão e Costa, 2004).

FUNDAMENTOS TEÓRICOS DA VISITA DOMICILIAR

A convivência familiar e comunitária tem sido apontada como prioridade nas Políticas de Assistência Social (PNAS, 2004). Em 2006, como resultado de um processo participativo de elaboração conjunta envolvendo vários setores do governo federal, da sociedade civil organizada e de organismos internacionais, foi lançado o Plano Nacional de Convivência Familiar e Comunitária (Brasil, 2006). Esse documento reflete a decisão do governo federal de dar prioridade à promoção do direito à convivência familiar e comunitária, ao propor políticas públicas que assegurem a garantia desse direito. Constitui um marco nas políticas públicas, ao romper com a cultura de institucionalização e fortalecer o paradigma da proteção integral e da preservação dos vínculos familiares e comunitários defendidos pelo Estatuto da Criança e do Adolescente (Brasil, 1990). No entanto, muito se precisa caminhar para que a intenção presente nessas diretrizes seja implementada nas instituições, governamentais ou não, que atendem famílias em situação de vulnerabilidade social.

A visita domiciliar tem sido amplamente utilizada por diversos profissionais e com diferentes objetivos. É realizada pelo serviço social para avaliação e acompanhamento de famílias que recebem algum benefício institucional; por profissionais da saúde, para acompanhamento de pacientes em tratamento ou processo de reabilitação, e como estratégia de atendimento integral à saúde, como no Programa Saúde da Família (Brasil, 2000). Também no contexto judiciário a visita domiciliar é utilizada no procedimento de estudo de famílias denunciadas por maus-tratos a crianças e adolescentes e como instrumento de avaliação das famílias que estão em processo de adoção, segundo técnicos da Vara da Infância e Juventude do Tribunal de Justiça do Distrito Federal.

O crescente interesse pelo atendimento domiciliar reflete as limitações do atendimento institucional e da atuação individual do profissional. Seelig, Goldman-Hall e Jerrell (1992) analisam que o atendimento institucional pode produzir uma dependência excessiva de intervenções externas, o que levaria a uma desautorização da família e ao conseqüente enfraquecimento de seu potencial natural de ajuda, alimentando, assim, um ciclo de dependência profissional. Esses autores adotam a visita domiciliar como programa de tratamento que busca capacitar as famílias a usarem seus recursos próprios e contextuais para resolver a maioria das crises da adolescência. Porém, Freitas (1997) aponta que a mudança de local de intervenção não significa necessariamente uma forma diferente de abordar uma problemática. É necessária uma transformação na perspectiva, uma compreensão complexa e de valorização do saber do outro, como ressaltam Anderson e Goolishian (1993). É com base no diálogo da psicologia comunitária com a terapia familiar sistêmica que construímos essa proposta de intervenção domiciliar.

Com relação à psicologia comunitária, Freitas (1997) aponta que a importância atribuída pelo psicólogo à mudança do consultório para a comunidade na década de 1980 deve-se à possibilidade de ampliar a concepção da realidade, tornar a psicologia mais disponível às pessoas e adaptá-la a essa realidade. Num contínuo processo de avaliação e reflexão, vários autores apontam questões que devem ser consideradas nas ações comunitárias. Mejias (1995) ressalta as características comuns apresentadas nos trabalhos como uma perspectiva teórica voltada para a prevenção e a competência, uma preferência por intervenções na organização e na comunidade e uma necessidade de fundamentação em pesquisas ecologicamente válidas.

Também na terapia familiar houve muitas mudanças que se expressaram na intervenção com famílias em diferentes contextos que não o tradicional consultório. Pakman (1993; 1998; 1999) corrobora essa idéia ao defender que a terapia pode, e deve, ser uma prática social crítica, na qual a posição reflexiva do terapeuta precisa ser buscada a todo momento. O autor destaca que uma postura profissional pouco ou nada crítica sobre sua prática pode aprisioná-lo em papéis burocráticos, muitas vezes perigosos e ineficazes. Isso pode ser agravado quando há diferença cultural, de nível socioeconômico, de cor, o que o autor denomina de fronteiras culturais, entendidas num sentido mais amplo como raça, costumes ou como "entidades socialmente construídas" (1998, p. 13).

Na atuação com famílias em contexto de risco e vulnerabilidade social, é necessário que o profissional tenha habilidades para estimular uma postura mais ativa da família, paradoxalmente, aprendendo a "trabalhar muito ao assumir um papel menos importante" (Minuchin *et al.*, 1999, p. 46). Essas habilidades devem ser desenvolvidas principalmente em quatro áreas: coleta de informações, redefinição das suposições familiares, exploração dos padrões de interação alternativos e manejo do conflito. A coleta de informações pode ocorrer de forma a criar um vínculo terapêutico, ou seja, ouvindo, observando e demonstrando entender a perspectiva da família, ou de forma mais ativa, mapeando a estrutura familiar e realizando interações típicas. Em virtude do contexto complexo e de risco em que vivem essas famílias, elas aprendem a se tolerar, se enfrentar e se ajudar em momentos de crise. Essas habilidades desenvolvidas devem ser ressaltadas ao redefinir essas famílias, que comumente são rotuladas de problemáticas, desinteressadas e resistentes. No entanto, Minuchin *et al.* (1999) alertam que a redefinição faz parte do processo, mas não deve ser o objetivo da intervenção. Quando o sistema familiar está paralisado, o profissional deve agir com um olhar sistêmico com o objetivo de ajudar a família a desenvolver novos padrões de interação. O profissional deve aprender a lidar com os conflitos familiares, seja ativando-os quando há uma tentativa do sistema de disfarçar as desavenças, seja tolerando e mediando o surgimento de um conflito. O terapeuta deve estar atento para utilizar os recursos disponíveis, não se colocando como única saída (Pakman, 1993; 1999; Minuchin *et al.*, 1999). Não se deve perder a compreensão de que a rede social na qual a família está inserida participa das dificuldades e também possui soluções em si mesma.

Nesse sentido, a visita domiciliar pode ser um instrumento útil de intervenção que possibilita ativar a rede social de apoio, com seu começo na família, e estendendo para as relações comunitárias significativas.

VISITA OU INTERVENÇÃO DOMICILIAR?

Este texto apresenta considerações sobre as possibilidades que a visita domiciliar fornece de adentrarmos a dimensão transgeracional de famílias, com base numa pesquisa realizada numa pequena cidade de periferia de uma grande capital. Originalmente os participantes foram quatro famílias consideradas como possíveis beneficiárias da pesquisa pelas dificuldades que estavam enfrentando no período. Essa escolha foi realizada pela observação que os monitores de uma instituição local (ONG que atua com crianças e adolescentes em situação de risco e vulnerabilidade social) fizeram das crianças pertencentes a essas famílias, durante as atividades esportivas, principal atividade oferecida. No entanto, apresentaremos aqui apenas os dados e reflexões de uma família, por considerarmos que o tema por ela apresentado possibilita-nos discutir os aspectos referentes aos objetivos do trabalho.

Cada visita foi realizada por uma equipe composta por três pessoas, sendo que a primeira autora foi a única presente em todas. Os outros dois componentes foram um monitor da ONG e um aluno do curso de psicologia da universidade, uma vez que esse projeto também se constituiu num projeto de pesquisa–ação. O trabalho em equipe se justifica tanto para ampliar a possibilidade de intervenção em um contexto tão complexo quanto o de uma visita, como para capacitar os monitores da ONG a entrarem em contato com as famílias, possibilitando um olhar que extrapolasse o contato com a criança nas atividades esportivas.

No planejamento, cada família receberia quatro visitas domiciliares com intervalo de três semanas. Esse intervalo justifica-se pela experiência de Pallazoli, Boscolo, Cecchin e Prata (1991), que descrevem que a intervenção exerce maior impacto no sistema familiar se atuar por tempo mais prolongado. Todas as visitas foram realizadas aos sábados pela manhã, para que pudéssemos ter contato com maior número de membros da família, e tiveram a duração média de uma hora e meia a duas horas. Todas as visitas, exceto a primeira, foram gravadas em fita cassete, depois transcritas e analisadas.

A *primeira visita* teve como objetivo apresentar a equipe e o trabalho realizado pela parceria ONG/universidade. Discutiu-se com a família a preocupação dos monitores que sugeriram a visita, e o que seus componentes percebiam como dificuldade central vivenciada por eles. Nesse primeiro encontro, solicitou-se a permissão para a continuidade dos encontros e para que fossem gravados em fita cassete, a fim de evitar a perda de dados. Na *segunda visita* buscou-se aprofundar o tema selecionado no encontro anterior. Isso foi realizado por meio de conversas e da técnica do genograma, já visando a algum tipo de intervenção. A *terceira visita* teve como objetivo aprofundar a intervenção, mas não se deixou de flexibilizar o atendimento quando surgiram novos aspectos do tema selecionado. Para finalizar, a *quarta visita* fez o fechamento das intervenções realizadas, buscando resgatar com a família o que foi construído nesse processo e pontuar aspectos que ficariam como um desafio para a família trabalhar com as competências que possuíam. Essa seqüência foi cumprida em relação à família em questão.

Apresentaremos a seguir uma breve síntese de cada visita, seguida dos eixos de análise.

POSSIBILIDADE DE TRANSFORMAR HERANÇAS

1ª visita

Com exceção de Mário (os nomes aqui descritos são fictícios), que na primeira visita chegou apenas no final, todos os membros da família estavam presentes. Abaixo, o genograma da família nuclear, a fim de facilitar a visualização da organização familiar.

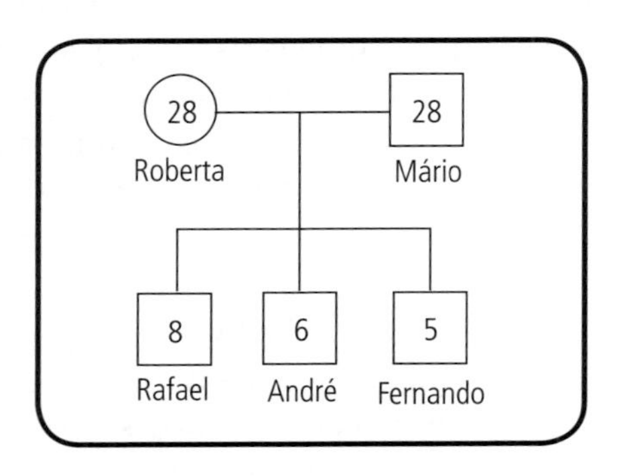

Nesse primeiro momento com a família, Roberta falou sobre as atividades de cada um e a rotina da casa. Disse que tinha dificuldade de sair com o marido, pois eles sempre brigavam. Contou que os filhos eram violentos como a família de Mário e, para exemplificar, relatou um episódio em que um irmão de Mário havia batido na mãe dele. Quando Mário chegou, foi questionado sobre o que considerava um problema para a família naquele momento e ele respondeu que acreditava ser a forma grosseira e impaciente com que eles se comunicavam. Essa primeira visita nos trouxe uma compreensão de haver um conflito conjugal, mas que não seria foco da visita, e uma dimensão de violência intrafamiliar que teria de ser discutida e ampliada nas visitas seguintes.

2ª visita

Mário, ao conversar sobre o tema definido na visita anterior, acrescentou que não tinha paciência para falar mais de duas vezes, passando rapidamente da fala para o "descer o couro". Os pais falaram da dificuldade que tinham principalmente com André, considerado "o terrível". Realizamos o genograma da família, a fim de conhecermos os padrões de comunicação que poderiam estar sendo transmitidos de uma geração à outra. Na confecção do instrumento, Mário falou sobre conflitos que existiam em sua família de origem, que incluíam sua mãe e seu padrasto e, às vezes, alguns de seus irmãos. Falou-se também sobre as características da família de Roberta e de Mário e o que havia sido passado para a família atual, como o gênio ruim e a impaciência. No decorrer dessa visita, foi ficando claro para a equipe que havia uma competição entre todos os membros e que, no caso dos filhos, parecia ser estimulada pelos pais. Ao falar sobre a forma como educavam os filhos, Mário constantemente se referia à sua própria educação, refletindo sobre as diferenças e semelhanças, na tentativa de não reproduzir modelos.

3ª visita

Inicialmente a família falou sobre vários assuntos do cotidiano e das atividades dos filhos. Essa fala trazia muita comparação e competição entre eles, assim como desqualificação de todos os membros da família. Após intervenção da equipe, foi possível explorar outras dimensões da família que, até o momento, não haviam sido focalizadas. As habilidades e qualidades de cada um puderam ser trabalhadas, bem como a forma encontrada pelos pais para se organizar e conseguir com que os filhos fizessem suas atividades diárias. Os pais relataram também a união entre os filhos e a aprendizagem entre ambos. Na supervisão dessa sessão ficou claro que a intervenção na última visita deveria ser no sentido de incluir os pais na contribuição para a competição fraterna. Importante também refletir com a família sobre o objetivo da educação que eles buscavam dar para os filhos: havia respeito às diferenças entre eles ou não?

4ª visita

Conversamos inicialmente sobre o desenvolvimento das crianças, sua alimentação, saúde, seus hábitos desportivos. Havia uma valorização do esporte pelos benefícios trazidos à saúde, mas os pais comentaram sobre a expectativa do esporte, o futebol, no caso, como possibilidade de carreira profissional. Discutiu-se também sobre os valores que os pais buscavam passar aos filhos, como orientação sobre o que é certo e errado, a importância do estudo e do respeito aos mais velhos. Ao final, foi entregue um documento contendo alguns desafios que a equipe acreditava que ainda permaneciam para a família.

ANÁLISE DOS TEMAS

Substituindo a fala pela mão

Ao ser questionado sobre a maior dificuldade da família naquele momento, Mário respondeu que era a falta de paciência e a forma grosseira como eles se relacionavam. A força servia de argumento com os filhos, como disse Mário: "Falo uma vez, na segunda já desço o couro". Há um indicativo de que nessa família os conflitos intrafamiliares são geralmente resolvidos por meio da violência. Corsi (1999) define a violência como uma das formas de resolução de conflitos interpessoais. O comportamento violento é possível em um contexto em que há desequilíbrio de poder, definido pela cultura e/ou pelo contexto. Ravazzola (1997) complementa essa idéia quando descreve que os contextos socioculturais de abuso (que pode ser físico ou não) apresentam uma organização de sistema de gênero e sistema de autoridade. As relações nesses sistemas são mediadas por crenças, que podem permitir a permanência da violência, mascarando-a e/ou justificando-a.

A dificuldade que Mário relata em negociar diferenças de opinião e desejos por meio da fala, que o faz apelar para a força, exemplifica a imposição da autoridade pela violência. Em seu discurso está presente a compreensão hierárquica que coloca o homem em posição superior à da mulher, como deixa claro em sua frase: "Eu falo e ela executa". Essa fala também mostra uma posição de controle, uma das características que Ravazzola (1997) aponta como sendo comum aos abusadores. Não queremos, com nossa leitura, rotular Mário como abusador. Pontuamos, apenas, padrões de interação que possibilitam a violência como forma de resolução de conflito, em detrimento de outras que poderiam ser utilizadas. É importante pontuar que Roberta também expressava a violência como um meio de conseguir o que queria. Ela se referia a ela mesma como uma pessoa de "gênio ruim", alguém que bate o pé até conseguir o que quer, o que pode ser visto como uma característica de centralidade e controle, segundo Ravazzola. Talvez isso justifique a existência de conflito conjugal percebido pela equipe, que não foi trabalhado, uma vez que não era o foco da visita nem foi explicitado pelo casal. A violência, como forma de impor sua vontade ou provar sua razão, foi descrita como algo que estava presente na família de origem de Mário.

Organizando as relações

A família se referiu ao uso da força como algo familiar: "Eu, meu irmão Maurício e o Marcelo, a gente é muito sorridente, mas a gente se irrita com muita facilidade". Mário exemplificou com um episódio ocorrido na casa onde morava sua mãe e alguns irmãos: "[...] nesse dia teve uma briga lá, o Maurício bateu nela (irmã caçula) e ela acabou indo para a casa desse cara (namorado da irmã)". A família contou também, sem maiores explicações, que, em um conflito dentro de casa, Maurício bateu na mãe. A violência era relatada na família sem ser questionada, mas em tom de repreensão à postura rebelde de quem sofreu a violência, como se realmente tivesse merecido. Percebe-se, então, que algumas crenças presentes na família possibilitavam a ocorrência não questionada do fenômeno. Roberta relatou esses episódios como explicação da herança familiar paterna no comportamento de seus filhos. Essa percepção pode ser confirmada por Corsi (1999, p. 39), ao explicar que "a violência é uma conduta aprendida a partir de modelos familiares e sociais, que a define como um recurso válido para resolver conflitos".

Transformando as heranças

A possibilidade de repetir modelos de educação aos quais os pais foram submetidos foi uma percepção apresentada durante as visitas, como nos mostra Mário: "Parei pra pensar assim aí cheguei num denominador comum que eu era do mesmo jeito, agiam comigo do mesmo jeito e eu tava agindo desse jeito também". Mas havia uma preocupação em não permitir a continuidade de formas de relação que eles criticavam em seus pais, ou, nas palavras de Mário, "cortar esse elozinho aí pra não ir pra frente". A visita possibilitou explorarmos com toda a família o que eles faziam que representava uma repetição; Mário demonstrou que já havia uma mudança: "[...] no começo falava, não atendeu, metia o couro, mas agora não. Com a convivência você vai vendo que não é desse jeito"; "Eu acho que bater não resolve muita coisa não, eu também não era flor que se cheirasse"; "A gente se torna um pouco ignorante e incompreensível por perceber que nós éramos assim, e agora eles estão sendo assim, entendeu?". No entanto, havia uma ambigüidade entre o discurso e a dinâmica relacional da família, como demonstra o tópico seguinte.

Estímulo à competição gerando violência

Nos diálogos da família, a presença constante de frases que comparavam, que desqualificavam uns aos outros, foi algo que incomodou a equipe. Para que alguém fosse bom, o outro teria que ser ruim, não valia ser menos bom, como mostram trechos de diferentes diálogos:

> tem uma semana que ele aprendeu fazer o nome. Sabia não, fazia tudo contrário. Esse aqui foi pro colégio já sabia fazer o nome (Roberta); cada um falando mais alto que o outro; se eu tô falando pra fazer de um jeito, eu, modéstia parte, pra errar é difícil (Mário); sou melhor do que você (filho); agora o André é bom, André é mais inteligente que ele, né, Mário? (Roberta).

A relação entre os filhos e entre pais e filhos era mediada pela competição. Muitas vezes os pais faziam comparações que resultavam em um filho agir de forma agressiva ou violenta. No entanto, a reação era compreendida pelos pais como exagerada, como demonstra a fala de Mário após o episódio em que Rafael rasgou o desenho porque não conseguiu escrever uma letra da mesma maneira que André: "Ele é muito neurótico". Compreendemos que o estímulo à competição era uma forma de os pais repetirem o que tentavam melhorar. A comparação produzia um desequilíbrio que, por sua vez, gerava comportamentos agressivos, que era a forma como os filhos aprenderam a mostrar que também tinham poder.

Competição pelo afeto

Outra dimensão da competição surgida nas visitas é pelo afeto dos pais. Roberta falou sobre gostar mais de Fernando do que dos outros filhos, principalmente de André, a quem chamavam de "terrível": "Eu me apeguei mais a ele de que os outros"; "Não gosto... ele é muito danado... Mas eu gosto dele, é porque ele me faz tanta raiva, não obedece. Eu penso que gosto menos dele do que dos outros" (Roberta).

Ao ser questionada se a raiva diminuía o gostar ou se a raiva não era uma forma de demonstrar que gostava, Roberta relatou algumas situações em que os filhos demoraram a chegar em casa, deixando-a preocupada: "Eu fico doidinha, quando procuro um que eu não acho. A gente gosta, fala que não gosta, mas gosta deles sim". Essa fala da mãe sinaliza ambigüidade entre o que sente e o que demonstra por palavras ou atos. É necessário questionar até que ponto não havia também um estímulo à competição dos filhos pelo afeto dos pais, sendo mais uma forma de produzir violência.

O potencial da família para direcionar valores

Ao explorarmos com os pais o que eles achavam importante passar aos filhos na educação, o estudo surgiu como um valor importante para a família, bem como o respeito aos mais velhos, nas palavras de Roberta: "Eu falo pra eles respeitar as pessoas mais velhas, tratar as pessoas bem, saber falar com as pessoas".

A educação foi descrita como base norteadora das decisões e das escolhas dos filhos, como disse Mário: "Tem que começar desde pequeno... isso é errado, isso é certo, meu pai falou que é errado, meu pai falou que é certo". No entanto, o pai reconhece as limitações que a educação possui: "Por mais que você dê uma educação, eles também vão assimilar aquilo que eles quiserem". Apesar de os pais expressarem com clareza os objetivos da educação que buscavam oferecer para os filhos, em alguns aspectos parecia haver uma distância entre o que queriam ensinar e o que ensinavam na prática. Como ensinar o respeito aos mais velhos, se dentro de casa não havia respeito entre os membros? As contradições surgidas em diversos momentos das visitas constituíram um desafio para a equipe. Havia necessidade de questionamentos que ampliassem a compreensão da família sobre as limitações trazidas, mas com o cuidado para não desqualificar o que a família relatava como forma de funcionamento. Por esse aspecto, a visita apresentou para essa família um potencial de redefinição, fazendo que esta, ao expressar um limite, o reformulasse ao tê-lo questionado.

O POTENCIAL DO GENOGRAMA NA RECONSTRUÇÃO DAS RELAÇÕES

Entendemos que a visita domiciliar para essa família trouxe a possibilidade de ampliar compreensões e manejos relativos à educação dos filhos. Ao questionar algumas dificuldades em sua relação e apontar as competências de cada um, a equipe refletiu com a família sobre as transformações necessárias para que um padrão relacional de violência não se perpetuasse nas relações familiares. Essa compreensão parte dos seguintes tópicos observados:

Inclusão dos filhos no processo da visita

Cada família apresenta uma dinâmica própria, que requer da equipe manejos e habilidades que facilitem e promovam diálogos transformadores. Uma grande dificuldade no contexto domiciliar é a manutenção de um diálogo que incomode, que valorize, que pontue vários aspectos em meio aos sintomáticos acontecimentos na casa. Para isso, é necessário não apenas boa integração entre os membros da equipe, como clareza dos objetivos da intervenção. Essa família que possuía filhos pequenos apresentou para a equipe o desafio de incluir as crianças na conversa e em outras atividades, contemplando-as como pessoas que interferem ativamente na dinâmica familiar. A participação delas foi mais intensa durante a confecção do genograma e na discussão sobre competências, quando pediram para nos mostrar como sabiam desenhar. Nas conversas, tentamos trazer a fala de cada filho, circularizando as questões trazidas pelo casal, com perguntas do tipo: "O que vocês acham disso que a mãe de vocês está falando?".

Ampliação do discurso da família

Freqüentemente os membros da família apresentaram opiniões sobre a forma como agiam e pensavam a respeito uns dos outros, de si mesmos e da educação que os pais davam aos filhos, que foi questionada pela equipe, não em busca da verdade, mas de outras compreensões sobre o que estava sendo dito. Quando Mário falou sobre sua dificuldade em educar os filhos, disse, taxativamente, que não conversava com eles. A equipe o fez refletir sobre quais outras formas de conversa ele tinha com os filhos, que não eram necessariamente pela fala. Ou quando Mário disse que achava que estava reproduzindo o modelo de educação que havia recebido, a equipe mostrou ter dúvidas sobre ele estar fazendo igual, pois ele estava parando para pensar, o que já era um começo. Em alguns momentos a ampliação das idéias trazidas pela família foi feita por meio de redefinições (Andolfi, 1996). Um exemplo disso foi quando Roberta disse que era "ruim", definindo o termo como a forma grosseira pela qual uma pessoa age quando quer alguma coisa. A equipe ressignificou "ruim" como persistência, mas apontando que isso poderia ser feito com ou sem grosseria.

Ênfase nas competências

A constante competição na relação entre os membros da família, além de incomodar a equipe, dificultava trazer dimensões de qualidades que cada um possuía. Essa é uma preocupação demonstrada também por Minuchin *et al.* (1999), que defendem a importância de destacar as potencialidades das famílias pobres, em razão da história de crítica social que vivenciam. Com uma proposta de romper aquele discurso (pelo menos temporariamente) e possibilitar o resgate de competências, a equipe propôs um acordo de tentar resgatar as qualidades, as competências do outro, o que Ausloos (1996) chama de "má conotação positiva": "Vocês já são bons em saber em que o outro não é bom, vocês já sabem. Vamos tentar ver em que o outro é bom". Esse acordo possibilitou que cada um falasse sobre o que sabia fazer e o que achava que o outro sabia fazer.

Os filhos falaram que sabiam desenhar e fazer pipa; Roberta disse que Mário era bom em pintar casas, em marcenaria, ajudava a lavar louça, e Mário disse que a maior qualidade da esposa era ser limpa, referindo-se à forma asseada como cuidava da casa e dos filhos. A fala da própria equipe buscou trazer a dimensão positiva do que estava sendo mencionado com menosprezo, como ao valorizar o fato de os filhos saberem desenhar, a diferença entre os desenhos e o fato de os dois filhos mais velhos terem obtido os dois primeiros lugares no campeonato de futebol organizado pela ONG. A intervenção possibilitou a redefinição do discurso que cada um apresentava sobre si e sobre o outro. A dimensão terapêutica dessa proposta não é possível detalhar, contudo, permitiu à família a vivência de uma forma de relação que explorava aspectos diferentes dos que geralmente eram evidenciados na relação diária entre seus membros.

Atuação educativa

A equipe atuou de forma educativa nas conversas com a família sobre a educação de filhos. Essa atuação ocorreu em dois níveis: de reflexão e de prática. Em muitos momentos os pais falavam sobre a educação que davam para os filhos e a equipe trazia um questionamento a fim de que eles pudessem aprofundar e refletir sobre a forma como o faziam ou o motivo pelo qual o faziam. Um exemplo disso foi quando Roberta se referiu à mudança na forma de lidar com os meninos. Questionada sobre qual era a mudança que ela percebia e o que ela achava que estava contribuindo para isso, estendemos também essa questão para os filhos. Mário foi levado a aprofundar sua compreensão sobre o que considerava sucesso ou fracasso nas tentativas dos pais de fazerem os filhos entrarem para tomar banho, uma vez que ele determinou como tarefa fácil e difícil em situações distintas. Essa discussão permitiu explorar as diversas maneiras de negociação com os filhos, pela compreensão mais ampla dos motivos de suas ações.

Algumas ambigüidades também foram pontuadas, como quando a família mencionou sobre a sensibilidade dos filhos sobre o que ouviam na rua, questionou-se se havia um cuidado com o que era dito dentro de casa. Em algumas ocasiões essa reflexão era feita com base em questionamentos de membros da equipe com base em suas experiências pessoais. A auto-referência foi definida por Neubern *et al.* (2000, p. 5) como expressões em primeira pessoa, que explicitam sentimentos, pensamentos e crenças da equipe: "Isso permite freqüentemente um envolvimento emocional, mais forte, uma relação menos hierarquizada e a mensagem para a família de que a equipe não só compreende seus problemas, mas pode passar por situações semelhantes, próprias da condição humana".

O surgimento de um conflito ao final da última visita permitiu à equipe atuar de forma educativa, buscando refletir com a família as diferentes compreensões sobre as atitudes dos filhos e a possibilidade de uma ação diferente por parte dos pais. Quando André se recusou a entrar em casa para a leitura do documento que a equipe havia elaborado, Mário ameaçou: "Ó, rapaz, não é só porque tem gente que eu não te dou uns couro não, viu, moleque!". O episódio acabou com André sendo puxado pela orelha para dentro de casa, com um choro sufocado. No momento a equipe tentou explorar com os dois o motivo da ação de cada um, mas a reflexão sobre o fato foi possível com mais clareza quando começamos a ler o tópico que falava exatamente do fato ocorrido. Um dos tópicos do documento que ficava como desafio para a família era: "De quais outras formas os pais podem se comportar quando percebem que os filhos não fazem algo para atentar, mas por outros motivos, como querer ficar mais tempo brincando?". Isso foi complementado com a explicação: "Usando esse momento hoje, qual compreensão que poderia ter tido do porquê o André estava lá fora, do porquê ele não queria entrar? É porque estava sujo? É porque a gente está aqui? Porque está suado? [...] ou então é porque a gente está aqui, ele quer que você faça comida logo, quer que a gente vá embora, então 'eu não entro pra eles irem embora rápido', né? Que tipo de compreensão vocês poderiam ter sobre o fato de ele estar lá, que poderia mudar a forma de fazer que ele entrasse?".

Essa situação exigiu da equipe um cuidado em não desqualificar a ação da família, mas, ao mesmo tempo, pontuar de forma educativa novas formas de compreensão do conflito e, conseqüentemente, de como manejá-lo. Nesse conflito, Mário repete o padrão como foi educado e a equipe busca avançar em novos padrões redefinidores. A família mostra como ainda repete a violência e, apesar de já conseguir estabelecer uma crítica, ainda não consegue romper de vez com a herança.

REFLEXÕES FINAIS

A intervenção familiar no domicílio se mostra em nossa experiência como um rico instrumento, não apenas de vinculação da família à instituição pela qual a equipe realiza a visita, mas também como forma eficaz de intervenção pontual na dinâmica familiar e na reconstrução de narrativas. As famílias, em contexto de pobreza, aprenderam a internalizar discursos que as desqualificam, sendo necessária a ressignificação desses discursos a fim de que as práticas sejam também modificadas. A perspectiva transgeracional na visita domiciliar, com o recurso do genograma, possibilita que a família se aproprie de sua história, perceba as repetições de padrões e discuta, com a mediação da equipe, formas de convivência que fortaleçam e qualifiquem a família e cada um de seus integrantes para a vida e para relações mais éticas e humanas.

REFERÊNCIAS BIBLIOGRÁFICAS

ANDERSON, H.; GOOLISHIAN, H. "O cliente é o especialista. Uma abordagem para terapia a partir de uma posição de NÃO SABER". *Nova Perspectiva Sistêmica*, ano II (3), 1993, p. 8-23.

ANDOLFI, M. *A terapia familiar. Um enfoque interacional*. Campinas: Workshopsy, 1996.

AUSLOOS, G. *A competência das famílias. Tempo, caos e processo*. Lisboa: Climepsi, 1996.

BRANDÃO, S. N.; COSTA, L. F. "Visita domiciliar como proposta de intervenção comunitária". In: RIBEIRO, M. A.; COSTA, L. F. *Família e problemas na contemporaneidade: reflexões e intervenções do Grupo Socius*. Brasília: Universa, 2004, p. 157-79.

BRASIL (1990). *Estatuto da criança e do adolescente*. Lei n. 8.069, de 13/7/1990.

BRASIL (2000). *Programa saúde da família*. Brasília: Ministério da Saúde

______. (2004). *Plano nacional de assistência social*. Brasília: Ministério de Assistência Social e Combate à Fome.

______. (2006). *Plano nacional de promoção, proteção e defesa do direito de crianças e adolescentes à convivência familiar e comunitária*. Brasília: CNAS/Conanda/MDS/SEDH.

CORSI, J. "Una mirada abarcativa sobre el problema de la violencia familiar". In: CORSI, J. (org.). *Violencia familiar. Una mirada interdisciplinaria sobre un grave problema social*. 3. ed. Buenos Aires: Paidós, 1999, p. 15-63.

FREITAS, M. F. Q. "Psicología social comunitária y otras prácticas psicológicas: diferencias identificadas en la perspectiva de los profesores de psicología, en la región sudeste del Brasil". In: MONTERO, M. (org.). *Psicología e comunidade*. Caracas: Sociedad Interamericana de Psicología/Universidad Central de Venezuela, 1997, p. 25-35.

MEJIAS, N. P. "A atuação do psicólogo: da clínica para a comunidade". *Cadernos de Psicologia*, 1, 1995, p. 32-43.

MINUCHIN, P.; COLAPINTO, J.; MINUCHIN, S. *Trabalhando com famílias pobres*. Porto Alegre: Artmed, 1999.

NEUBERN, M. *et al.* "Devoluções escritas em terapia familiar: um estudo inicial". Texto não publicado, 2000.

PAKMAN, M. "Terapia familiar em contextos de pobreza, violência e dissonância étnica". *Nova Perspectiva Sistêmica*, 4, 1993, p. 8-19.

______. "Educação e terapia em fronteiras culturais: por práticas sociais críticas nos serviços humanos". *Nova Perspectiva Sistêmica*, 11, 1998, p. 6-20.

______. "Desenhando terapias em saúde mental comunitária: poética e micropolítica dentro e além do consultório". *Nova Perspectiva Sistêmica*, 13, 1999, p. 6-25.

PALLAZOLI, M. S. *et al. Paradoja y contraparadoja, un nuevo modelo en la familia de transacción esquisofrênica*. Buenos Aires: Paidós, 1991.

RAVAZZOLA, M. C. *Historias infames: los maltratos en las relaciones*. Buenos Aires: Paidós, 1997.

SEELIG, W. R.; GOLDMAN-HALL, B. J.; JERRELL, J. M. "In-home treatment of families with seriously disturbed adolescents in crisis". *Family Process*, 31, 1992, p. 135-49.

11 O VÍNCULO TRANSGERACIONAL E O TESTE DE RORSCHACH DE UM ABUSADOR SEXUAL INCESTUOSO

HELOISA MARIA DE VIVO MARQUES
DEISE MATOS DO AMPARO
VICENTE DE PAULA FALEIROS

O LUGAR DA FAMÍLIA NA VIDA PSÍQUICA

A família representa um grupo social primário, com características específicas em relação a outros grupos, que influencia e é influenciado por outras pessoas e instituições. É um grupo de pessoas ligadas, que se comporta como um conjunto ou como uma estrutura integrada, onde quaisquer fatos afetam os integrantes ou o sistema como um todo (Zimerman, 2001). É um lugar de afetos e obrigações recíprocos, cultural, social e particularmente construídos em cada família em sua heterogeneidade. As famílias assumem ou renunciam funções de proteção e socialização de seus membros, de acordo com as necessidades culturais, ou mesmo com a capacidade psíquica de seus integrantes (Minuchin e Fishman, 1990). A família pode ser caracterizada como o local onde a aprendizagem do amor, das leis e das normas acontece, ou o principal ponto de apoio para o desenvolvimento do ser humano (Aloísio, 2002).

Dentro do contexto familiar, a tarefa da educação dos filhos talvez seja uma das mais complexas. Nesse âmbito, a função parental seria de construir um processo educativo alicerçado em determinados valores que serão transmitidos, internalizados e assumidos pelos filhos, mesmo que de forma não consciente. Essa transmissão ocorre de geração para geração e é essencial, pois, conforme Rokeach (1973, citado por Bem e Wagner, 2006), os valores orientam, guiam e determinam o comportamento dos indivíduos. Assim, forma-se o modo como as pessoas situam-se perante si mesmas e as demais, determinando as relações interpessoais estabelecidas.

No que se refere às práticas educativas utilizadas pelos pais para guiar o comportamento dos filhos, podemos encontrar diversas maneiras de atuação, tais como os modelos autoritários, democráticos ou permissivos. O modo autoritário disciplinar é característico de pais que possuem altos níveis de controle restritivo e impositivo, fazendo uso de força e de castigos físicos, ameaças e proibições. As exigências são altas e não levam em consideração as necessidades e as opiniões dos filhos, mantendo pouco envolvimento afetivo. Enfatizam a obediência pelo respeito à autoridade e à ordem em detrimento do diálogo e da autonomia.

No modo permissivo de disciplinar, ao contrário do autoritário, há pouco controle parental, utilizam-se poucos castigos, os pais mostram-se tolerantes e tendem a admitir os impulsos da criança, deixando-a regular suas atividades. Comumente são mais afetivos, comunicativos e receptivos. No modo democrático, há um equilíbrio entre afeto e controle, pois os pais reconhecem e respeitam a individualidade dos filhos. Promovem os comportamentos positivos mais do que restringem os não desejados, porém deixam normas e limites claros. Há respeito mútuo e a disciplina é aplicada de maneira indutiva (Bem e Wagner, 2006).

Portanto, no ambiente intrafamiliar encontramos a base e o alicerce primários para a obtenção de valores morais, limites e normas, a fim de conseguirmos conviver numa civilização. A família constitui-se num lócus com normas estabelecidas, consciente ou inconscientemente, por uma série de regras de afiliação e aliança, ao mesmo tempo sociais e únicas, aceitas ou não pelos membros (Minuchin e Fishman, 1990). Existem famílias em que os regulamentos envolvem questões não adequadas para a formação do caráter infantil. Por vezes, a família torna-se um local de violência ou abuso, tornando as relações contraditórias. Há conflitos e brigas, mas há também apoio e cooperação nas relações entre seus membros. O pai pode ser o que traz o sustento e o que abusa sexualmente da filha. Para Faleiros (2005), a família, na realidade, é um palco de dramas. Existem disputas conscientes e inconscientes de preferências e interesses. Portanto, é possível verificar em alguns contextos familiares o domínio, o poder, o machismo, o autoritarismo, ou seja, a assimetria nos relacionamentos, que foi construída histórica e culturalmente, permeando e deteriorando as relações sociais.

A FAMÍLIA COMO LUGAR DA VIOLÊNCIA

> Quando eu estava de frente para meu pai, ele me arrancou a roupa e depois me jogou na cama, pedindo para que minha irmã segurasse minhas pernas. Deu um tapa no meu rosto, segurando logo em seguida minhas mãos para cima, sem que eu tivesse um movimento para me defender. Ele arrancou minha virgindade com muitos tapas e movimentos socados... Quando meu pai acabou de cometer o ato de violência comigo, fiquei estendida na cama, com muito sangue no lençol. (Andrade, 1998, p. 41)

Esse relato trata de um acontecimento real, no qual podemos observar uma situação de abuso sexual intrafamiliar, pela visão da vítima. O incesto pode ser caracterizado como a união sexual entre parentes, ascendentes, descendentes, colaterais, podendo ser consangüíneos ou adotivos (Cohen, 1993). Para Azevedo e Guerra (1989), a violência sexual acontece quando se exerce um ato ou jogo sexual – heterossexual/homossexual – entre um ou mais adultos com grau de parentesco e consangüinidade, responsável legal ou apenas responsável, ou mesmo que tenha uma relação de afinidade, *versus* uma criança ou um adolescente, até 18 anos, para obtenção ou estimulação de prazer. Para Amazarray e Koller (1998), a violência sexual pode ser definida "como o envolvimento de crianças e adolescentes em atividades sexuais que não compreendem em sua totalidade e com as quais não estão aptos a concordar". O consentimento, que pode ser com sentimento mais ou menos ativo, ou a aceitação passiva das pessoas vitimizadas podem ser obtidos tanto por ameaça como por sedução ou pela combinação de ambas.

Em algumas famílias isso acontece; nelas, instala-se um ambiente de violência, em que as relações passam a ser baseadas em sentimentos contraditórios. De acordo com Faleiros (2005), nas famílias incestuosas há uma inversão de papéis afetivos e sociais, além de uma espécie de cumplicidade. Em vez das obrigações de proteção e amparo, o que ocorre é a violação de direitos, normas, tabus e o desrespeito em relação ao outro. Os familiares se tornam cúmplices de um segredo que não pode ser revelado, sob pena de viverem uma estigmatização, uma vergonha ou uma angústia intensa. Existe também uma relação dividida entre eles, pois ao mesmo tempo em que há cumplicidade com a situação, há um sentimento de pavor. Dessa forma, pode-se verificar que a família abusadora vive uma situação conflituosa entre o que se espera dela e o que pratica, tanto para seus membros como para a sociedade.

Apesar de o incesto ser proibido pela lei e pelos costumes e constituir um tema gerador de desconforto, incompreensão – e até, por que não dizer, raiva –, ele existe e é freqüente. Isso pode nos fazer pensar no motivo de esse tipo de violência ocorrer dentro da família e no motivo de essa ser perpetrada pelas pessoas que deveriam cumprir e estabelecer o papel de cuidadoras e educadoras. Como é possível, então, caracterizar essas "numerosas exceções" (Lévi-Strauss, 1976)? A questão do abuso sexual intrafamiliar rompe com a compreensão – ou com o que se espera – de família instituída, com função de educação e proteção, e desfaz as relações de confiança entre seus membros, além de impedir a estruturação das noções de relação e função (Cohen, 1993).

Amazarray e Koller (1998) apontam o incesto como um dos abusos mais freqüentes na cultura brasileira e que apresenta conseqüências mais danosas às vítimas, sendo o mais comum e o mais relatado o tipo de incesto que envolve pai ou padrasto e filha ou enteada. Ainda de acordo com as autoras, a dinâmica das famílias onde há o abuso sexual é bastante disfuncional, pois nelas são observadas características e comportamentos inadequados, devendo-se considerar tanto o direito, a moral e a ética como a personalidade dos autores do abuso. Algumas características ou sinais podem indicar a existência de abuso, entre eles, violência doméstica; pai ou mãe abusado ou negligenciado em suas famílias de origem; pai ou mãe alcoolista; pai autoritário ou moralista; mãe passiva ou ausente; cônjuges com relacionamento sexual inadequado; presença de padrasto ou madrasta; pais que acariciam demais seus filhos ou que exigem determinadas carícias; pais que permanecem por muito tempo sozinhos com os filhos; filhas que desempenham papel de mães; comportamentos promíscuos ou autodestrutivos das filhas; crianças retraídas e isoladas ou que apresentem comportamento sexual inadequado para sua idade.

Crianças e adolescentes sofrem com essa condição de vítimas, vivendo numa armadilha de medo e força que lhes freia a possibilidade de revelar a situação que lhes é imposta. Existe, portanto, a necessidade de compreender a dinâmica do ato incestuoso, a fim de conhecer os fatores ou as condições que culminaram nesse acontecimento.

Na análise de um caso de abuso sexual, é necessário haver uma distinção entre os elementos que podem ter culminado no ato. As causas têm sido amplamente debatidas pela literatura. Fatores como alcoolismo, drogadição, pobreza, desemprego, estresse, entre outros, têm sido coligados às causas de violência sexual intrafamiliar e não podem ser completamente descartados, pois podem agravar uma situação que, sem esses fatores, poderia também ocorrer.

O ABUSO NA PERSPECTIVA TRANSGERACIONAL

Na história de vida de uma pessoa podem acontecer eventos traumáticos, incluindo o abuso físico ou sexual em sua infância, ou mesmo outros acontecimentos graves, que podem culminar numa deterioração estrutural de sua personalidade. Crianças que foram abusadas podem tornar-se futuros abusadores, já que passaram, durante seu processo de formação, por situações de incesto, embora isso não deva ser considerado com um determinismo linear. Pesquisas com sujeitos que passaram por situações de abuso sexual na infância (Gabel, 1997; Rossetto e Schubert, 2000) revelam que alguns deles iniciaram atos perversos muito cedo ou se tornaram pedófilos. Cromberg (2001) comenta sobre o fator traumático nas patologias dizendo que se deve persistir na importância do trauma, principalmente de âmbito sexual, como um fator patogênico.

Trepper *et al.* (1996) realizaram um estudo exploratório examinando características de 48 famílias nas quais foi percebido o incesto e que estavam em tratamento em virtude disso. Em um terço dos casos, os abusadores reconheceram algum tipo de negligência ou abuso no passado, sendo que os abusos físicos e emocionais foram os mais destacados. Nota-se que, por vezes, no contexto intrafamiliar de abusadores sexuais surgem questões, como a violência perpetrada nas relações de pais e filhos, que dificultam a estruturação saudável das noções de relação entre objeto e função associada a seus membros, tendo como conseqüência a organização de modos de funcionamento marcados pela violência que serão levados para outras relações. Assim, a questão geracional pode ser um fator relevante quando pensamos em alguns temas, tais como a violência intrafamiliar e o incesto.

Para alguns autores, o conceito de transgeracional (Kaës, 1994; Eiger, 1998) é essencial para a compreensão de alguns fenômenos. Na transmissão entre gerações, a identificação passa a ser um aspecto basal para o estudo da violência intrafamiliar, haja vista que os conflitos, os comportamentos, as situações, as fantasias associam-se a um processo de construção da identidade e são retransmitidos mesmo que de forma inconsciente. De acordo com Kaës (1994), não é possível fundamentar uma análise sem pensar na intersubjetividade. Ou seja, a estrutura psíquica e o inconsciente apresentam pontos obscuros nas formações e nos processos, que representam não só o individual e o pessoal, mas também o efeito do desejo parental sobre o destino da sexualidade infantil, das identificações precoces etc. Transmitem-se as vivências psíquicas entre gerações, dos que nos antecederam, principalmente pelos pais. O autor ainda cita diferenciações acerca de intergeracional e transgeracional, sendo que o primeiro representa aquilo que foi transmitido e devidamente simbolizado, podendo ser retomado e reelaborado num grupo familiar, ao passo que o segundo refere-se àquilo que foi transmitido sem ser representado, simbolizado, metabolizado psiquicamente, impossibilitando sua reelaboração posterior tanto pela família quanto pelo indivíduo. São transmissões como imagens em "negativo" que influenciam na estruturação da vida psíquica e relacional dos indivíduos.

Corigliano (1999) enfatiza a contribuição de Kaës, distinguindo o transpsíquico do intersubjetivo, pois o que se transmite "entre" os sujeitos não tem a mesma natureza do que se transmite "indiretamente" entre as pessoas. No transpsíquico pressupõe-se uma ausência de espaços intersubjetivos, e no espaço intersubjetivo da família há uma transmissão intergeracional. A autora lembra que há uma multiplicidade de fatores na transmissão geracional, como a organização afetiva da família, a constituição individual, mas existe a confluência de múltiplos atos, o que seria uma trama. Como assinala Faleiros (2005), a trama familiar consiste nessa confluência que faz que o sujeito se sinta incapaz de ter uma saída para o outro, já que o outro está tão intrometido ou implantado que se torna um fantasma que impele a um tipo de comportamento no qual o Eu é o outro que se torna o único referencial para a ação, sem o qual a angústia se tornaria insuportável.

Segundo Ruiz Correia (1994), os objetos transgeracionais podem estar vinculados a segredos e silêncios, a buracos e brancos da história familiar, tornando esses objetos "não transformados", que, assim transmitidos, podem até acarretar psicoses. Há mitos e segredos que se reproduzem nos silêncios, nos não-ditos e nos processos parcialmente referidos. Esses ruídos, defeitos ou falhas na transmissão psíquica são derivados de traumatismos ou mitos na história familiar. Há então uma censura familiar inconsciente. Esse material "não transformado" é transmitido em "telescopagem" por várias gerações, sem ser devidamente metabolizado ou simbolizado. O modo de transmissão é basicamente não-verbal, podendo ser difundido por rituais familiares que se demonstram no ambiente intrafamiliar por meio de comportamentos, palavras, manifestações corporais ou algo que represente uma montagem de uma cena da vida familiar, nas quais cada membro desempenha um papel para que o grupo mantenha-se como está – sem questionamentos – e o vínculo permaneça "protegido". Compreende-se, assim, que essa complexa dinâmica familiar e o reconhecimento do importante papel do inconsciente paterno/materno são essenciais na estruturação do psiquismo dos filhos e na organização da própria dinâmica específica do grupo familiar. Segundo Ruiz Correia (1994), o psiquismo individual e a continuidade geracional podem estar apoiados no defeituoso ou no deficiente da transmissão.

Ao se pensar em alguns eventos intrafamiliares, por exemplo, o incesto, nota-se que o sofrimento psíquico que o caracteriza pode estar vinculado às diversas patologias da transmissão psíquica geracional (Ruiz Correia, 1998). A autora reúne esses sintomas em três grupos. O primeiro refere-se aos defeitos ou falhas na estruturação das sustentações ou apoios da vida pulsional, nos quais o indivíduo desenvolve formações psíquicas clivadas pouco favoráveis aos processos de constituição dos objetos internos. O segundo apresenta-se vinculado à formação das identificações intersubjetivas, fazendo que o indivíduo solicite o inconsciente, como necessário à formação do vínculo intersubjetivo no contexto do recalque ou da denegação. O terceiro caracteriza-se pela problemática que envolve os processos de representações, ou seja, a construção de sentido.

Ao observarmos a patologia da transmissão e os mecanismos de denegação e forclusão – que permanecem ocultos e não transformados –, há aspectos que estão presentes nos estados *borderline*, nas patologias narcísicas e nas perversões. Portanto, é possível considerar diversas disfunções ligadas a essa problemática, que tem como aspecto basal estados de luto não elaborados ou mesmo situações de violência – em diversos graus – ou traumatismos inter ou transubjetivos. Observa-se, dessa forma, que há uma interferência na capacidade de organização de representações e simbolizações do psiquismo individual e familiar (Ruiz Correia, 1998). Assim, se no ambiente intrafamiliar há violência em grau extremo como forma de manifestação, a função de contenção e elaboração do grupo familiar fica comprometida, podendo causar a eclosão dos vínculos e uma série de traumatismos acumulativos e detonar variadas patologias na questão da transmissão geracional. Segundo Ruiz Correia (1998), a violência e as rupturas causadas nos diversos vínculos geracionais acarretam a falta de inscrição do sujeito na sucessão de gerações e nos diversos grupos sociais, limitando o acesso aos processos organizadores da simbolização.

Ainda de acordo com Ruiz Correia (1998), a questão do traumatismo acumulativo surge como pano de fundo da patologia transgeracional, vinculada à eclosão dos vínculos inter e transubjetivos originários nas situações de violência. O trauma, na psicanálise, representa um choque violento ou um acontecimento arrebatador na vida de um indivíduo que o torna incapaz de reagir de maneira adequada, provocando efeitos funestos em sua organização psíquica. Esse traumatismo acumulativo, não metabolizado, gera mecanismos defensivos que envolvem certa transgressão às regras sociais, sendo possível citar as violências sexuais, tal como o incesto. A angústia derivada pelo acontecimento traumático e pela incapacidade de simbolizá-lo é capaz de provocar um ataque ao narcisismo e desorganizações psíquicas secundárias, gerando um aumento da violência nos diversos espaços psíquicos. Para a autora, o ponto central não é somente o trauma, mas sua impossibilidade ou limitação de elaboração, que depende da capacidade de superar a compulsão da repetição, vinculada às relações nas quais o sujeito pode se inscrever que venham a valorizar uma dinâmica de superação e também o trabalho terapêutico.

Segundo Telles (2000), a situação familiar é extremamente complexa, visto que pais e filhos estão envolvidos na grande rede do inconsciente familiar, nas sucessivas reedições do complexo de Édipo, que a cada geração é "contado" de forma única e singular em cada família. Portanto, o reducionismo – a rotulação de vítimas e culpados – não cabe no ambiente intrafamiliar.

A fim de articular as referidas considerações teóricas, apresentaremos um estudo de caso, tomando como referência um sujeito do sexo masculino, detido no Complexo Penitenciário da Papuda por haver abusado sexualmente de sua enteada. Foram realizadas entrevistas com ele e foi aplicado o método de Rorschach, para avaliação psicológica.

UM CASO DE ABUSO SEXUAL INCESTUOSO

Este estudo faz parte de uma pesquisa mais ampla (Marques, 2005), com entrevistas e o Teste de Rorschach de abusadores sexuais. A coleta dos dados foi realizada no contexto da prisão, após as devidas autorizações e o livre consentimento do entrevistado. O nome do sujeito aqui indicado é de fantasia. Ao assinalar um só caso, nosso objetivo é aprofundá-lo e torná-lo emblemático, visto que se aproxima do perfil de outros sujeitos da pesquisa.

Pedro, 45 anos, casado há catorze, dois filhos, está preso, trabalha na prisão como faxineiro e está terminando o Ensino Fundamental. As informações do prontuário sobre os motivos de sua reclusão revelam que ele submeteu a enteada, Maria, então com 12 anos, a praticar atividades sexuais sob violência e grave ameaça. Vale ressaltar que ele criava sua enteada desde os 3 anos. Ameaçando-a com uma faca peixeira, segurou-a pelo braço, conduzindo-a ao quarto do proprietário da chácara, na qual trabalhava como caseiro. Mandou que a menina se despisse e deitasse na cama. Posteriormente despiu-se também, passando a acariciá-la, beijá-la na boca e nos seios e determinando que fizesse sexo oral. Tentou a relação sexual com penetração, mas não conseguiu, pois ejaculou rapidamente. Em seguida, disse à adolescente que faria isso todas as tardes. Anteriormente, já havia feito tentativas de molestá-la sexualmente, despindo-se e determinando que o acariciasse e ainda oferecendo dinheiro em troca. Pedro confessou o fato.

A violência paterna e a desvitalização materna

A única representação associada à figura paterna que apareceu nas falas de Pedro foi a da violência. Ao pai coube a função de agressor, pois era dessa forma que ele fazia imperar suas vontades. Ser filho era ser objeto de ações violentas, não lhe restando uma infância adequada. As proibições sem fundamento também caracterizavam uma violência que, além de física, era também emocional: " [...] meu pai batia, porque gostava de bater mesmo. Tinha uma maneira de carrasco. Se ele visse eu brincando com alguém, ele me batia, entendeu? Tinha que brincar sozinho. Teve caso em que meu pai descobriu que eu brincava com alguém e me bateu. E a surra não era pequena. Apanhei um bocado".

Aqui, a violência física traduz um modo autoritário e possessivo de educar, com negação da criança e de suas relações. Foi ressaltada em seu discurso a crueldade das atitudes paternas e a idéia de ser prejudicado e depreciado. A tentativa de mostrar-se um bom filho não era suficiente para encontrar o acolhimento do pai: "[...] eu trabalhava, o dinheiro ficava pra ele. Eu só trabalhava. E mesmo assim me batia".

Pedro não percebia sentimentos afetivos, positivos e adequados vindos de seu pai, o que resultou em uma ausência de afetividade e apego na relação filho–pai. Esse desapego era justificado pelo autoritarismo: "Se gostava não demonstrava, só ficava pra ele. Meu pai sempre foi uma pessoa muito ignorante, sabe? Ele demonstrava autoridade".

A relação paterna para Pedro, desde a infância, estava deteriorada, levando a um percurso de fugas e conflitos que proporcionaram desajustamento social e instabilidade: "Eu tinha 9 anos de idade... Eu não agüentava mais aquilo e eu fugia para a minha mãe. Meu pai me buscou de volta. Deu uma confusão, aí eu fugia pra casa da minha mãe, meu pai me buscava. Minha mãe vinha me buscar, ele me buscava. Era assim. Eu vivia uma vida... até que um dia eu fui parar numa delegacia".

Pode-se pensar que a fantasia de um pai terrível tornou-se realidade, isto é, tornou-se trauma. A ameaça se concretizou; e o horror ante a possibilidade da castração foi vivenciado. A figura paterna era concretamente algoz e agressiva. Diante da falta de atribuições positivas, cresceram em Pedro sentimentos hostis, permanecendo a lembrança da perda da perfeição: "Por que eu sinto ódio e nunca me esqueço é desse dedo aqui, tá vendo? (falta uma parte do dedo) Eu tava com dor de dente e ele chegou pra mim 'mas não fez nada ainda'. Eu falei 'não tô agüentando trabalhar'. E ele 'corta logo isso aí!'. Eu fui cortar com raiva e acertei o dedo. Quando eu olho pra mão, lembro dele e nunca esqueço".

Pedro, por outro lado, por uma defesa psíquica, tentava substituir o ódio por sentimentos opostos. Tentava construir barreiras mentais contrárias ao sentimento hostil e interpretar a agressão paterna como algo positivo. O impulso, sendo negado, tornou-se cada vez mais ocultado, vindo a refletir posteriormente em seu modo de funcionamento: "Eu nunca senti raiva dele. Eu passo até a agradecer hoje, por esse homem que eu sou hoje, trabalhador, né?, honesto. Eu aprendi e foram as surras que eu levava que me ensinou".

Dessa forma, pode-se dizer que a identificação com o genitor pode ter se dado pela via da agressividade. Todo poder advindo da figura paterna foi percebido como despótico e avassalador, gerando sentimentos hostis, mas que, concomitantemente, faziam Pedro temer e perceber sua inferioridade. Esse pai portava uma lei perversa, demonstrando-a com autoritarismo e violência, fazendo que, para Pedro, sua representação fosse de crueldade e ameaça: "Não sei se ele está vivo ou morto" [...]; não sei se foi a surra, ou o medo dele que eu tinha".

Quando questionado sobre o relacionamento com a mãe, Pedro lembrou primeiramente de seu falecimento, mas não demonstrou atitudes melancólicas diante do fato. Referiu-se simplesmente às suas lembranças do alcoolismo materno: "Ela bebia, aí teve o derrame. Aí chegou no hospital, morreu. Eu não tenho mãe".

Pedro também tinha um histórico de alcoolismo e nas entrevistas refere-se a esse fato como algo aprendido com a mãe e relacionado a ela: "O vício que eu tive e que, por enquanto, eu não tô tendo mais é o da bebedeira. Eu aprendi de beber cachaça, cerveja, essas coisas e a única coisa que fez foi estragar minha vida. O mesmo mal que atingiu a minha mãe, a bebida, me atingiu também".

O alcoolismo da mãe foi traduzido na fala de Pedro como uma transmissão com valor de repetição traumática: "Fez estragar minha vida". A vida teria sido estragada tanto pelo pai como pela mãe, dificultando a valorização positiva do eu. Pedro permaneceu, então, no desamparo e no abandono maternos aliados ao autoritarismo paterno.

Em seu discurso, foi possível notar a descontinuidade do cuidado físico e mental propiciado pelo relacionamento inadequado com a mãe, que era tida como incapaz de realizar o cuidado afetivo. A fragilidade da mãe estava presente e o desamparo aparecia tanto em termos físicos quanto emocionais. Pedro revelou a dificuldade da mãe em "dar vida aos filhos", o que levava a um vínculo mãe–criança fragilizado. Pedro "vingou", sobreviveu em meio a muitos abortos da mãe, com uma vida frágil e desvitalizada em afetividade, sentindo o desamparo: "Minha mãe teve dezessete filhos. Dos dezessete só escapou eu e minha irmã. Não sei se ela tinha problema na gravidez. Ela tinha muito aborto, morria mesmo. Eu cheguei a nascer, parece, de sete meses. É meio complicado".

A significação do incesto e o lugar da filha (enteada)

Quando Pedro falou sobre o motivo da prisão, referiu-se ao namoro com uma menina de 12 anos, sem explicar tratar-se de sua enteada. Em seu discurso, houve um relacionamento concreto, talvez, uma tentativa de satisfazer suas necessidades emocionais, além de sexuais; dizia-se "enrolado" em "um namoro mesmo", que, ao mesmo tempo, era definido como uma "sem-vergonhice": "Eu me enrolei com uma mocinha lá e era de menor. Tinha 12 anos de idade. E eu fui condenado por causa disso, pelo meu erro. Foi só um namoro mesmo. Um reboliço. De minha parte, uma sem-vergonhice, né? Mas não tive relação sexual, só pega-pega".

Posteriormente, explicou que se tratava de sua enteada e relatou os fatos incestuosos, mas não havia em Pedro a consciência de ter feito algo censurável, alegando ainda a não consumação da relação sexual e desculpando-se dizendo não ter tido relação sexual, como se a penetração fosse o único ato censurável, proibido. Com essa postura, procurou amenizar sua responsabilidade pelo ato, alegando inocência em virtude de sua ingenuidade. O abuso sexual em sua fala deu-se como um fato comum, um raciocínio do tipo "se tenho a mulher, posso ter a filha":

> Era praticamente da família minha, porque era filha dessa mulher minha. Tava como padrasto dentro de casa [...] Aí eu ali, dormindo, comecei a passar a mão nela, pensando que tava com a minha esposa. Ela apaixonou e foi aí que aconteceu, né? Era só pega, pega-pega. Eu cometi, mas não cheguei nem a estuprar a garota, não tive nem relações nem nada. Pessoas que estupram uma aqui outra ali, pegam a mesma cadeia que eu peguei. Eu não sei como ele [o juiz] teve essa intenção de judiar tanto de mim.

Negou a coerção violenta para a prática das atividades incestuosas. Ele tentava fazer compreender que o desejo pelas atividades sexuais também se confirmava no comportamento da enteada. É comum, em situações de abuso sexual, que o abusador atribua a "queda" a uma sedução proveniente da pessoa vitimizada, o que reflete o machismo, presente, por exemplo, no mito bíblico de Eva que seduziu Adão: "Não houve essas coisas de violência, porque ela consentiu, ela queria. Até que numa dessa, eu tinha acabado de matar um bode. Então no meu processo incluiu arma e tudo".

Pedro, em seu discurso, atribuiu o papel de sedutora à enteada, também desejosa das atividades sexuais. Embora seu desejo por uma menina de 12 anos fosse real e incontrolável, este, para passar ao ato sexual, necessitava do argumento de uma intervenção externa, no caso, o alcoolismo. O alcoolismo e o envolvimento com a enteada, a ponto de "ficar cego" pelo desejo, não lhe deixavam reconhecer os limites: "A primeira vez eu cheguei em casa, bêbado, deitei e fui dormir. Ela veio e deitou perto de mim pra dormir. Aí, ela passou a procurar, aí eu fui ficando mais cego ainda. Para mim foi até bom ter logo descoberto, porque acabou com o problema [...] Se eu tivesse ido e ela tivesse rejeitado, não teria acontecido nada".

De sua fala emergiram idéias ambivalentes em relação à culpa das práticas incestuosas. Ora admitia ser sua a responsabilidade pelo ato incestuoso, ora da enteada. Quando atribuía a si a responsabilidade pelos atos cometidos, colocava-se como portador de uma função paterna, percebendo uma falha nessa atitude. O desejo sexual existia, a despeito de sua função de pai. Mesmo sabendo seu papel, não sublimou as fantasias incestuosas. O abuso sexual de padrastos configura essa clivagem entre o papel de pai e o desejo de amante. Pedro diz: "Olha, é aí que eu falo pra senhora onde está o meu erro. Ela não me tinha, ela não me chamava de pai. Eu sempre a tratei como filha. Então, é aí que eu digo que foi meu erro [...]. Eu sinto o mesmo antes de acontecer isso, como pai. Tenho ela como se fosse minha filha, que eu amo ela como minha filha, eu que criei ela".

Alternava sua responsabilidade pelo incesto com a da enteada, num modo de explanação e compreensão que revelava uma intrusão autoritária do papel de pai e a pouca capacidade reflexiva: "Ela também botou a cabeça no lugar, viu que tinha errado também, né? Se eu chego a dizer que só eu tô errado, aí eu digo 'não'... ela também teve coisa. O erro é meu que, no caso, ela tá como uma criança e eu tô como adulto. Então, o erro é meu".

A admissão da culpa apareceu em suas falas, mas essa consciência parece ter vindo da punição recebida, da sanção social ao abuso, sentida como um castigo. A sanção o fez "refletir", pois foi diferente da sanção paterna "injusta". Agora era uma "dívida com a Justiça". Seus limites internos não o faziam ter a convicção de que tinha realizado atos sexuais ilícitos, pelos quais sujeitou o outro a realizar tudo quanto almejava. Ao mesmo tempo, condenava as próprias atitudes, fazendo notar a fragilidade e a inconstância da lei paterna, demonstrando certa confusão mental:

> Eu tenho na minha consciência que eu errei e tenho que pagar. Isso eu carrego comigo pra onde eu for. Nesse período de doze anos, enquanto eu tiver devendo isso. Eu sei que tenho essa dívida com a Justiça. No mais é ficar preso, pagar e pronto [...] eu vim pra cá por causa disso, o que eu vim chegar a praticar. Então, é uma coisa que é terrível. Eu achava terrível, não concordo até hoje também.

Análise do método de Rorschach

Nesse tópico, serão utilizadas somente as informações do psicodiagnóstico de Rorschach relevantes para o desenvolvimento do trabalho. Para uma análise mais completa desse caso, no que se refere à avaliação psicológica, ver Marques e Amparo (2006).

CONDIÇÕES INTELECTUAIS

Trata-se de um indivíduo capaz de ser produtivo, realizar tarefas e adaptar-se a elas (R= 21). Porém, apresentou alterações da inteligência e baixo nível mental (F+%= 55%), refletidas na capacidade de síntese e na visão de conjunto da realidade, que se encontravam prejudicadas (G%= 4,7%). A objetividade apresentou-se deficitária, bem como a adaptação à realidade e a capacidade de diferenciação do óbvio, quer por motivos de ordem mental ou por perturbações de ordem emocional (D%= 33,33%). Apresentava dificuldade em utilizar o potencial (G:K= 1:0), em virtude da intranqüilidade interna. Detinha-se em minúcias, com pouca capacidade para tolerar ansiedade (Dd%= 38,09%). Mostrou alterações no pensamento lógico (F+%= 55%), provavelmente decorrentes de interferências afetivo-emocionais que repercutiam nos aspectos da personalidade.

CAPACIDADE DE ADAPTAÇÃO E DE RELACIONAMENTO HUMANO

Pedro mostrou dificuldade de adaptação ao pensamento grupal (Ban= 2), com certo afastamento da realidade (Tipo Hipoplástico). Era capaz de integrar-se e identificar-se com o outro (H%=19,04%), embora o relacionamento interpessoal fosse marcado pela inibição e pelo receio (K= 0), predominando um relacionamento com aspectos parciais do outro (Hd= 3). Apresentou ansiedade de contato (FE= 3 + 1 FEt). Fazia tentativas de estabelecer relações afetivas positivas e maduras (FC: CF+C= 2:1), mas em razão da presença de certo infantilismo e do uso inadequado das energias do ego na tentativa de equilibrar funções (K:Kan= 0:3), o relacionamento tornava-se difícil [(H) + (Hd)= 1].

CONTROLES E REAÇÕES IMPULSIVAS E EMOCIONAIS

Considerando os índices de F% = 47,61%, encontramos um controle geral sobre os dinamismos psíquicos e os impulsos pela via da racionalização. Portanto, é possível pensar que há uma tentativa de equilibrar as pulsões instintivas, nem sempre sendo possível a realização desse intento. Os índices do teste mostraram certa ambigüidade com relação ao domínio interno, pois ao mesmo tempo em que o entrevistado apresentou controle geral dos dinamismos psíquicos e dos impulsos (FC: CF+C= 2:1), possuía facilidade para perder o controle emocional diante do estímulo externo (K:ΣC= 0:2), em virtude da precária tolerância a frustrações, do infantilismo (Kan= 3) e do rebaixamento de controle interno (F+= 55%, K= 0, F%= 47,61). Sua história mostra que se trata de um indivíduo sentenciado pela prática de atividades incestuosas, fazendo compreender, conseqüentemente, que não fora capaz de controlar seus impulsos sexuais. Os índices de Dbl (Dbl= 4) mostram o oposicionismo com tendência a dirigir a agressividade ao outro. Quando diante da ansiedade, era capaz de atuar de acordo com seus impulsos pela busca de contato (K:ΣC= 0:2, FEt=1), reagindo de forma a projetar suas frustrações e defender-se de situações ansiogênicas (Extroversivo, Dbl).

CAPACIDADE DE DEPRIMIR-SE E PODER DE REPARAÇÃO

A presença de respostas de sombreado (FE= 3 e adicional FEt= 1) e de cor acromática (FC´=1) mostrou uma sensibilidade ansiosa e depressiva acompanhada de um empobrecimento da autocrítica e da capacidade de concretizar processos reparatórios pela via da intelectualização (K= 0, F+%= 55%). Considerando as informações da entrevista, Pedro se mostrou entre o processo de reparar ou de culpar o outro, fazendo um ensaio para o equilíbrio dessas funções.

ANÁLISE DINÂMICA

Considerando-se alguns dados do psicodiagnóstico de Rorschach de Pedro, foi possível ter mais elementos para compreender o seu relacionamento com as figuras parentais. Nas pranchas I, II, IV, VII, IX e X, notam-se fortes conotações persecutórias, vinculadas ao receio pelo convívio social, pois temia o que poderia vir do meio. Por exemplo, nas pranchas I, IV, VII, X, oferece respostas similares, como "dois rostos se olhando". O aspecto persecutório da resposta demonstra que se colocava sempre atento, a fim de vigiar as incursões do meio externo. Na prancha VIII, fala: "Se tivesse certeza que existe, eu teria medo", indicando que o sentimento persecutório pode ter suas raízes no relacionamento com as figuras parentais, principalmente com a figura paterna, que sempre se mostrou agressiva e violenta. Na prancha paterna, a IV, demonstra estupor e angústia, percebendo o negro da prancha como inquietante e negativo: "Este aqui que tá escuro mesmo". Apresenta temor da autoridade paterna, vinculando-a a algo ameaçador. Para evitar o temor, não vê o pai, não vê a autoridade e tenta se camuflar para se defender.

O relacionamento materno era vivenciado com sentimentos de insegurança, despertando a perda e o abandono. Sua mãe era alcoolista, não sendo possível a ela suprir as necessidades primárias e básicas de Pedro. Na prancha VII, a prancha materna por excelência, suas associações mostravam ansiedade de contato e evasão, por exemplo: "Dois rostos se olhando. Ilusão de nuvem", o esfumaçado indica que havia uma adaptabilidade ansiosa e cautelosa, para evitar a depressão. Em decorrência desses aspectos, a afetividade e as emoções são afetadas, bem como os relacionamentos interpessoais.

Pedro demonstrou certo infantilismo e uma avidez oral que chegava ao sadismo, talvez como um processo de busca intensa e patológica do afeto que não fora suprido em suas necessidades primárias. As respostas de caráter oral, comum em casos de alcoolismo, mostram uma avidez com componente sádico na relação com o objeto, por exemplo, na prancha VI, diz: "Uma coruja... ela pega um rato e leva pra comer depois, ela é carnívora". Pode-se também comprovar essa interpretação na prancha VII, uma cena infantilizada, cômica e jocosa, metaforizando demandas de dependência: "Duas caras de porco... com a boca aberta querendo comer, não pode ver ninguém que começa a gritar: qui, qui, qui!".

Em síntese, Pedro apresentou um funcionamento de personalidade com alguns traços indicadores de rebaixamento do controle interno, empobrecimento nos relacionamentos interpessoais, baixo nível mental, avidez oral de caráter sádico e dificuldade de adaptação com certo afastamento da realidade. Mostrou ser um indivíduo com agressividade interna, embora camuflada e protegida pela ideação persecutória e por mecanismos de defesa. Os relacionamentos interpessoais eram ameaçadores, pois não conseguia envolver-se efetivamente por medo do abandono. Como a sexualidade estava vinculada a aspectos da dependência passiva, com conotações pueris, podia ser violento. Era capaz de cometer um ato incestuoso, pois evitava entrar em contato com a lei e a autoridade, ainda mais quando movido por algo que despertava suas pulsões agressivas, como a bebida alcoólica.

A força da violência transgeracional e a fragilização das funções materna, paterna e filial

Ao longo do trabalho observa-se que o autoritarismo e a opressão se articulam com a fragilidade, a submissão, a cumplicidade e formas de escape, como o alcoolismo e as doenças, podendo se transformar em traumas, pela impossibilidade de reação e reelaboração por outras vias que não a repetição. Em alguns contextos familiares, verifica-se a assimetria nos relacionamentos, permeados pelo autoritarismo, pelo abuso de poder e pelo domínio

(Garcia, 2001). As expressões dessa assimetria podem vir na forma de violência física, sexual, psicológica, negligência etc. No contexto intrafamiliar, esses relacionamentos podem gerar conseqüências deletérias para o desenvolvimento físico, neurológico, intelectual e emocional dos indivíduos que na família vivem (Azevedo e Guerra, 1989).

Ao se considerar as informações do caso Pedro na entrevista, percebe-se que seu relacionamento com o pai, na infância e na adolescência, fundamentou-se no autoritarismo e na possessividade por parte do pai, permeado por maus-tratos físicos e psicológicos, podendo ter acarretado efeitos de ordem psicológica – pois sente raiva e medo – e moral, pois o pai é quem carrega e representa a lei. Nesse caso, a lei foi representada de forma imperativa, violenta e autoritária, fazendo que Pedro vinculasse a autoridade paterna a algo ameaçador. No Rorschach, foi possível perceber que Pedro tenta se camuflar e se defender, percebendo a lei como algo intimidante e assustador.

De certa forma, com base em seu discurso, contendo ódio, encontram-se representantes violentos da castração, o corte físico no dedo sendo traduzido assim: "Porque eu sinto ódio e nunca me esqueço é desse dedo aqui, tá vendo?... Eu fui cortar com raiva e acertei o dedo. Quando eu olho pra mão, lembro dele e nunca esqueço". A perda de uma parte do corpo permite que Pedro experimente os sentimentos de ódio em relação ao pai que, de alguma forma, introduz a imperfeição narcísica marcada no corpo.

O relacionamento materno foi vivenciado por Pedro de forma desvitalizada e fragilizada, com uma mãe alcoolista. A figura materna aparece como incapaz de realizar o cuidado afetivo, sendo seu alcoolismo algo que concebe e ressalta o desamparo e o abandono. No Rorschach percebe-se que seu relacionamento com a figura materna era vivido com ansiedade, fazendo-o experimentar insegurança e sentimentos de perda e abandono. Em suma, a dinâmica da relação de Pedro com as figuras parentais ressalta o aspecto da violência e do abandono, sendo que ambos os elementos podem ter repercussões traumáticas estruturais.

Forward e Buck (1989) comentam que muitas vezes os indivíduos incestuosos sofreram maus-tratos físicos ou emocionais na infância, e recordam-se das surras violentas do pai e ainda da distância e da inatingibilidade da mãe. Os indivíduos incestuosos raramente tiveram oportunidade de conhecer uma vida familiar saudável. Notam-se em Pedro modos de funcionamento infantilizados, ambivalentes, entre o desejo e o limite, entre ser pai ou amante, entre obedecer ou mandar na mãe, entre reagir ou fugir do pai. Deseja uma menina – sua enteada – de 12 anos imaginando-se em situação de um namoro proibido, ou seja, vê a possibilidade de um relacionamento real, mesmo com a diferença de idade. A escolha inadequada do objeto remete para uma sexualidade infantil e traumatizada. No entanto, ao se observar o Rorschach de Pedro, esse infantilismo parece estar ligado também a uma voracidade oral sádica. A cena sexual é cômica e jocosa, demonstrando o desejo infantil.

É possível pensar na questão da transgeracionalidade. Houve uma relação traumática com comunicação defeituosa ou deficiente no relacionamento paterno/materno–filial, gerando uma patologia na transmissão psíquica geracional, conforme cita Ruiz Correia (1998). O que foi transmitido, em forma de violência e abandono, não foi representado, metabolizado ou simbolizado por ele. A violência não pode ser elaborada e somente atualizada na forma do abuso sexual à enteada. Por três gerações, a dinâmica desse grupo familiar e a estruturação psíquica permanecem contínuas, formando indivíduos com falhas estruturais e psíquicas. De acordo com Ruiz Correia (1998), quando a rede de contenção psíquica familiar encontra-se perturbada pelo desfio do tecido da transmissão psíquica geracional, observamos um alto grau de violência intrafamiliar e outros distúrbios.

Segundo o referido autor (1998), percebe-se, nos estados *borderline*, nas perversões ou nas patologias narcísicas, uma transmissão geracional patológica, baseada na violência e em traumatismos, em que a capacidade de organização das representações e simbolizações torna-se prejudicada. Percebe-se que em Pedro o trauma existe, é concreto, angustiante e não simbolizado. A transgressão, a passagem ao ato incestuoso e perverso, foi possível a ele talvez por não haver escolha. Aqui cabe a tese colocada por Telles (2000) sobre a rotulação dos indivíduos. Não há culpados ou vítimas. Talvez todos sejamos vítimas, uma vez que agimos de acordo com os modelos aprendidos e identificados durante a infância e a adolescência, pois estamos inseridos numa rede familiar, inconsciente e muitas vezes invariável. Pedro viveu na violência, na negligência e na instabilidade, refletindo esses aspectos na formação e no desenvolvimento de sua personalidade, nas relações afetivo-emocionais e na sexualidade, pois os afetos, as emoções e os conteúdos internos tornaram-se conflituosos.

A herança deixada pela família de Pedro – os legados de valor moral, de padrões de comportamento – se estendeu sobre várias gerações, não havendo possibilidade de escolha para os descendentes. Nesse caso, é possível falar em herança maldita, uma vez que a violência física e sexual cometida contra os filhos deixa marcas profundas e não foi elaborada na vida atual e na constituição da família nuclear, sendo apenas repetida. A vingança não existe. Falamos de um ambiente intrafamiliar fragilizado em representações e simbolizações, valores e leis, em que não coube a capacidade de elaboração ou a escolha. A passagem ao ato incestuoso acontece pela impossibilidade de controlar os impulsos incestuosos, sendo Pedro incapaz de resistir aos encantos infantis (Gilgun, 1995).

CONSIDERAÇÕES FINAIS

O incesto é uma realidade, apesar de ser proibido, legal e moralmente, e causa incompreensão tanto pela sua realização como pela escolha do objeto sexual. É um tema que envolve muitos saberes, pois sua ocorrência decorre de inúmeros fatores nos quais estão envolvidas pessoas de diferentes idades, posições e condições sociopsicoculturais. A confluência desses vários fatores ou condições que envolvem a concretização de um ato incestuoso – tanto a individualidade dos protagonistas de incesto, bem como as relações sociais e familiares que os levaram a essa prática – deve ser considerada. No entanto, foi possível verificar, com esse estudo, que um fator se torna importante para a compreensão da violência sexual doméstica: a questão da transgeracionalidade. São perpetuados, por meio da identificação, modos comportamentais que influenciam a estruturação da vida psíquica, do desenvolvimento do ego e da identidade, dos padrões de relação de objeto, da capacidade de pensar acerca das emoções e da aquisição de capacidades cognitivas e afetivas.

De acordo com Polity (2005), a transmissão psíquica entre gerações conduz a modelos de organização de relações de parentesco, que estabelecem os lugares dos membros na família, determinam atrações e rejeições, originando mitos e ideais, intervindo, ainda, na organização do superego individual. Para Eiger (1998), essas questões podem explicar o porquê das falhas na transmissão ligadas à violência da transmissão psíquica entre gerações. Elas interferem no aspecto organizador da personalidade, no aparecimento da culpa e nos modelos de afetividade negativa, que não são necessariamente conscientes.

Pedro experimenta uma ambivalência entre a culpabilização e a desculpabilização, atribuindo a seu alcoolismo e ao desejo da enteada justificativas para a ocorrência do incesto. O abuso do álcool é colocado na literatura (Renshaw, 1984; Forward e Buck, 1989) como um indicador importante para ser avaliado em situações de violência e abuso sexual intrafamiliar, pois incentiva e altera comportamentos impulsivos, violentos e sexuais, permitindo a diminuição das inibições e até mesmo a proibição do incesto. No entanto, no caso estudado, a questão que se faz mais relevante é a violência, o empobrecimento e a instabilidade presentes no ambiente intrafamiliar, que instauraram uma inabilidade/impossibilidade traumática de transpor os acontecimentos negativos, em virtude da falta de elaboração e metabolização, impossibilitando Pedro de se tornar um indivíduo com capacidades morais e psicológicas adequadas. Ele não se tornou, em sua trajetória, incapaz de ser violento e de resistir ao desejo incestuoso, questão que, talvez, a sanção "que fez Justiça" possa contribuir para reverter. Nota-se, no entanto, a importância de, nesse caso, contar com um suporte terapêutico adequado e profundo.

REFERÊNCIAS BIBLIOGRÁFICAS

Aloísio, T. M. F. *Violência intrafamiliar: estudo dos padrões intergeracionais de relacionamento – Estudo de caso*. Dissertação (Mestrado em Psicologia) – Universidade Católica de Brasília, Brasília, 2002.

Amazarray, M. R.; Koller, S. H. "Alguns aspectos observados no desenvolvimento de crianças vítimas de abuso sexual". *Psicologia: Reflexão e Crítica*, 11(3), 1998, p. 559-78.

Andrade, F. P. *Labirintos do incesto: o relato de uma sobrevivente*. São Paulo: Escrituras/Lacri, 1998.

Azevedo, M. A.; Guerra, V. N. A. (orgs.). *Crianças vitimizadas: a síndrome do pequeno poder*. São Paulo: Iglu, 1989.

Bem, L. A.; Wagner, A. "Reflexões sobre a construção da parentalidade e o uso de estratégias educativas em famílias de baixo nível socioeconômico". *Psicologia em Estudo*, 11(1), 2006, p. 63-71.

Cohen, C. *O incesto, um desejo*. São Paulo: Casa do Psicólogo, 1993.

Corigliano, A. M. N. "A dimensão transgeracional entre o mito e o segredo". In: Prieur, B. (org.). *As heranças familiares*. Lisboa: Climepsi, 1999.

Cromberg, R. U. *Cena incestuosa: abuso e violência sexual*. São Paulo: Casa do Psicólogo, 2001.

Eiger, A. *A transmissão do psiquismo entre as gerações*. São Paulo: Unimarco, 1998.

Faleiros, V. "Abuso sexual de crianças e adolescentes: trama, drama e trauma". In: Costa, L. F.; Almeida, T. M. C. de (orgs.). *Violência no cotidiano*. Brasília: Líber/Universa, 2005, p. 107-24.

Forward, S.; Buck, C. (1978). *A traição da inocência, o incesto e sua devastação*. Trad. S. Flaksman. Rio de Janeiro: Rocco, 1989.

Gabel, M. (org.) (1992). *Crianças vítimas de abuso sexual*. Trad. S. Goldfeder. São Paulo: Summus, 1997.

Garcia, C. F. "'Vamos brincar de legal?'. O jogo incestuoso entre pai e filha". *Pulsional Revista de Psicanálise*, XIV(147), 2001, p. 27-41.

Gilgun, J. F. "We shared something special: the moral discourse of incest perpetrators". *Journal of Marriage & the Family,* 57(2), 1995, p. 265-82.

Kaës, R. "Complexo fraterno: aspectos de sua especificidade". In: Ramos, M. (org.). *Casal e família como paciente*. São Paulo: Escuta, 1994, p. 179-248.

Lévi-Strauss, C. (1949). *As estruturas elementares do parentesco*. Trad. de M. Ferreira. Petrópolis: Vozes, 1976.

Marques, H. M. V. *A voz do abusador: aspectos psicológicos dos protagonistas de incesto.* Dissertação (Mestrado em Psicolgia) – Universidade Católica de Brasília, Brasília, 2005.

Marques, H. M. V.; Amparo, D. M. "O Rorschach de abusadores sexuais incestuosos". In: Silva Neto, N. A.; Amparo, D. M. (orgs.). *Métodos projetivos: instrumentos atuais para a investigação psicológica e da cultura.* Brasília: Vetor/Asbro, 2006, p. 699-711.

Minuchin, S.; Fishman, H. (1981). *Técnicas de terapia familiar*. Trad. C. Kinsch. Porto Alegre: Artmed, 1990.

Polity, E. *A violência como herança*. Porto Alegre: Abratef, 2005. Disponível em <http://www.abratef.org.br/novo/textos_detalhe.asp?txt_ID=1&txi_ID=126>. Acesso em 18 fev. 2007.

Prieur, B. (org.). *As heranças familiares*. Lisboa: Climepsi, 1999.

Renshaw, D. C. *Incesto, compreensão e tratamento.* Trad. A. A. de Toledo Serra. São Paulo: Roca, 1984.

Rossetto, M. A. C.; Schubert, R. "Pedofilia – Estudo de caso". *Psikhê: Revista do Curso de Psicologia do Centro Universitário FMU*, 5(1), 2000, p. 60-9.

Ruiz Correia, O. "Segredos de família". In: Ramos, M. (org.). *Casal e família como paciente*. São Paulo: Escuta, 1994, p. 51-68.

______. "Eclosão dos vínculos genealógicos e transmissão psíquica". *Pulsional Revista de Psicanálise*, 114. São Paulo: Escuta, 1998. Disponível em <http://www.geocities.com/HotSprings/Villa/3170/OlgaRuizCorrea.htm>. Acesso em 6 nov. 2006.

Telles, J. S. S. "Terapia psicanalítica de família: um importante campo a ser estudado". *Psychiatry On-line Brazil* 5(1), 2000. Disponível em <http://www.polbr.med.br/arquivo/psi0100.htm>. Acesso em 7 nov. 2006.

Trepper, T. S. *et al.* "Family characteristics of intact sexually abusing families: an exploratory study". *Journal of Child Sexual Abuse*, 5(4), 1996, p. 1-18.

Zimerman, D. E. *Vocabulário contemporâneo de psicanálise*. Porto Alegre: Artmed, 2001.

12

SEPARAÇÃO E RECASAMENTO: ASPECTOS TRANSGERACIONAIS DOS NOVOS ARRANJOS FAMILIARES

MARIA ALEXINA RIBEIRO
MARLI DA SILVA ALBUQUERQUE

Foi convivendo ou trabalhando com diferentes estruturas familiares, em diferentes contextos, que surgiu nosso interesse em estudar a dinâmica de famílias com casais separados e recasados, com o objetivo de conhecer a relação que se estabelece entre os ex-cônjuges após o rompimento da união conjugal e como esta influencia o relacionamento entre pais e filhos. Este trabalho apresenta dados de uma pesquisa realizada com duas famílias que viveram o processo de separação conjugal e possuem filhos dessa relação.

A família tem, historicamente, como função, possibilitar o desenvolvimento físico e mental do ser humano, garantindo os cuidados necessários para a sobrevivência da espécie e para a socialização de seus membros, transmitindo os valores culturais da sociedade à qual pertence. No cumprimento de suas funções, a família vem se adaptando às grandes mudanças sociais dos últimos cinqüenta anos, que provocaram uma revolução em seu interior, modificando as relações entre seus membros.

Uma das mudanças mais importantes foi a separação conjugal, que modificou a configuração familiar, dando lugar a várias possibilidades de estruturas e "arranjos", como as famílias reconstituídas. Ao lado do modelo de família nuclear, composta por pai, mãe e filhos, outras configurações familiares vêm se tornando cada vez mais comuns. Pesquisas mostram que em torno de 80% das pessoas que se separam se casarão novamente, e o índice de separação dos segundos casamentos é maior comparado aos primeiros. Isso leva ao que alguns autores chamam de "monogamia em série".

Apesar de essas estruturas terem se tornado cada vez mais comuns, as dificuldades inerentes à maior complexidade que essas situações impõem aos membros da família são diversas. Observa-se que grande parte dos divórcios é vivenciada de forma conflituosa. Associadas aos sentimentos de raiva, ressentimento e tristeza, comuns durante esse processo, quando há envolvimento de filhos, outras questões podem agravar o conflito entre os ex-cônjuges, como a guarda dos pequenos, o pagamento de pensão alimentícia, a definição da freqüência e da duração das visitas, dentre outras, todas permeadas pelo conflito conjugal, que, muitas vezes, pode persistir mesmo após a separação. O divórcio é considerado o maior rompimento no desenvolvimento do ciclo de vida familiar.

Em casos de recasamento, há a inclusão de novos membros na família, e uma das dificuldades é a indefinição dos papéis familiares. Por ser uma estrutura relativamente recente, ainda não existem termos adequados para se referir, por exemplo, ao novo companheiro da mãe ou à nova companheira do pai, e as funções desses novos parentes também não estão definidas. O termo "meu ex", muitas vezes, é o único encontrado para se referir a uma relação que durou anos e envolveu vários filhos.

Elaborar o genograma de famílias reconstituídas não é tarefa fácil para o pesquisador; por envolver muitas pessoas e complexas relações, ele mais se parece com o organograma de uma empresa multinacional. Essa complexidade de relações, em muitos casos, gera um estresse tão grande nessas famílias que pode levar a uma nova separação, como mostram as estatísticas: cerca de 60% das pessoas que se casam novamente após a primeira separação voltam a se divorciar nos cinco anos seguintes ao segundo casamento (Bernstein, 2002). Contudo, os pesquisadores desse tema estão longe de apresentar um consenso sobre as conseqüências, para os filhos, da separação e do recasamento dos pais.

MÉTODO

Participaram da pesquisa duas famílias, assim constituídas: estudo 1 – família de Joana, 41 anos, manicure, separada, e seus filhos, Juliana, 18 anos, e Artur, 16; estudo 2 – casal recasado composto por Carlos, 44 anos, e Sheila, 40, ambos servidores públicos. Os genogramas familiares estão apresentados nas figuras 1 e 2 (todos os nomes citados são fictícios). Para o levantamento de dados foram utilizados um roteiro de entrevista semi-estruturada, o genograma familiar e o termo de livre consentimento. As famílias foram identificadas por meio de pessoas conhecidas das pesquisadoras. As entrevistas, realizadas na residência das famílias, com duração de uma hora e meia, foram gravadas. Os dados foram submetidos a uma análise de conteúdo e interpretados de acordo com a abordagem sistêmica da família.

RESULTADOS

Família de Joana

Joana nasceu no estado do Maranhão, em 1962, é filha de Margarida e Raul, já falecido. Criada pela mãe e pelo padrasto, estudou até a 7ª série. É manicure, sua renda é de um salário mínimo, tem quatro irmãos por parte de mãe, e dois filhos do segundo casamento.

OS CASAMENTOS DA GENITORA DE JOANA

A genitora de Joana, Margarida, casou-se pela primeira vez aos 18 anos, contra a vontade dos pais, depois de dois anos de namoro com Renato. O casamento foi marcado por brigas, separaramse três anos depois e tiveram um filho, Mário, que foi criado pela avó paterna. Após a separação, Margarida voltou para a casa dos pais e um ano depois começou a namorar Raul, sem que seus pais soubessem, e então decidiram morar juntos. Ele havia sido casado e tinha duas filhas. Separaram-se cinco anos depois; apesar de ser "muito bem tratada por ele", não suportou a perseguição da ex-mulher. Tiveram uma filha, Joana. Margarida retornou para a casa dos pais com a filha.

ESTUDO 1

Figura 1 - Genograma da família de Joana

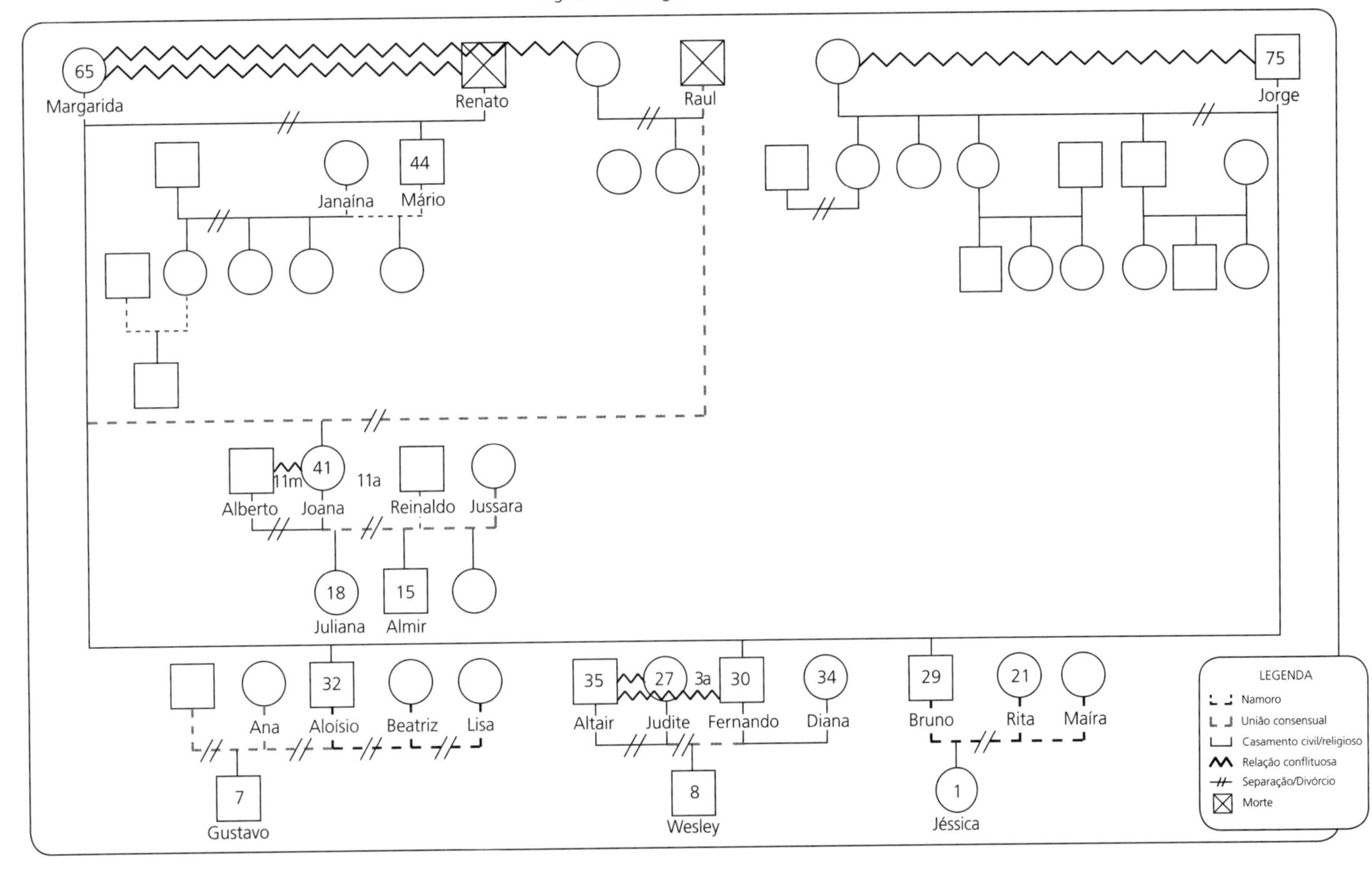

Mais tarde, aos 27 anos, Margarida conheceu Jorge, 37 anos, casado, quatro filhos, mas "infeliz". Depois de quatro anos de namoro escondido, decidiram fugir para morar juntos. O casal vive junto até o momento, com os três filhos: Aloísio, 35 anos, Fernando, 30, e Bruno, 29.

OS CASAMENTOS DE JOANA

Joana casou-se pela primeira vez contra a vontade da mãe e do padrasto, aos 19 anos, com Alberto. A união durou dez meses e foi marcada por muitas brigas e agressividade por parte do marido. Não tiveram filhos e, após a separação, ela voltou a morar com a mãe. Aos 23 anos, Joana se envolveu com Reinaldo, 16 anos, também contra a vontade da família. Foram morar juntos depois que ela engravidou, no mesmo ano. Ele começou a trabalhar e ela parou de estudar. Tiveram dois filhos, Juliana e Almir. O casal vivia feliz até que Reinaldo, após onze anos de convivência, começou a manter uma relação extraconjugal com Jussara, 19 anos. Parou de sustentar a família, não dava mais atenção aos filhos e à esposa e deixava os filhos trancados em casa para sair. Comunicou à Joana que se separaria dela, levou a família para a casa da sogra e foi morar com Jussara.

Almir, com 7 anos na época, sofreu bastante, passou a desrespeitar a mãe e a avó, pensou que nunca mais veria o pai. Juliana, ao contrário, ficou aliviada com o fim do sofrimento da mãe. Joana viveu momentos difíceis por perder seu lar e se tornar financeiramente dependente da mãe. Manteve a esperança de uma reconciliação durante algum tempo, porém superou essa fase com o apoio da família e dos amigos. Começou a trabalhar, alugou uma casa de fundos, próxima à casa de sua mãe. Reinaldo raramente contribuía com alguma ajuda financeira "irrisória".

SITUAÇÃO ATUAL

Joana continua trabalhando para sustentar os filhos e morando próximo de sua mãe, em uma casa de fundos alugada. Mora com os dois filhos, Juliana, 18, e Almir, 16. Recebe pequena ajuda financeira do ex-marido e auxílio da mãe. Sente-se feliz por estar cumprindo com sua responsabilidade de mãe, por ter uma conduta de respeito em seu lar e para com seus filhos. Almir entende o que se passou, acha a situação dos pais normal e não fala mais no assunto, por compreender que o casamento deles não estava dando certo. Juliana se acostumou com a separação e acha que não se acostumaria com um novo casamento de sua mãe. Entende que se a relação é conflituosa, separar é a melhor solução. Considera seu tio Fernando, irmão de Joana, "como se fosse seu pai", um amigo que conversa com ela e que tenta resolver os problemas que surgem. Acha que tem um "trauma" em relação a casamento, depois da separação dos pais, e não pretende se casar por ter ficado com uma imagem muito negativa desse tipo de relacionamento. Admite que, apesar de tudo, sempre há a possibilidade de encontrar um "príncipe encantado". Já Almir pretende casar e constituir uma família.

RELAÇÃO COM O EX-CÔNJUGE

Depois de passar por um período difícil com a atual esposa, Reinaldo quis voltar a viver com Joana, mas ela não o aceitou, pois havia "deixado de amá-lo devido ao sofrimento", além de ter a própria liberdade e viver muito bem com os dois filhos. Hoje Joana mantém uma relação de amizade com Reinaldo e com sua atual esposa, convivendo, até mesmo, com a filha deles. Afirma que o relacionamento deles não deu certo, mas "a vida continua".

RELAÇÃO COM OS FILHOS

Juliana diz que seu relacionamento com o pai ficou muito distante. Supõe que o pai tenha se acomodado pelo fato de a mãe nunca ter reivindicado pensão para eles na Justiça. Aponta o fato de o pai não ajudar a mãe financeiramente como um fator que dificulta muito seu relacionamento com ele. Sente-se obrigada a aceitar os conselhos de Reinaldo porque ele é seu pai e afirma que a palavra da avó, Margarida, tem maior peso que a da mãe. Almir não menciona nenhum fator que dificulte seu relacionamento com o pai. Quando há discordância de opinião entre seu pai, sua mãe e sua avó, sempre que são consultados, a palavra definitiva é a da avó.

Juliana e Almir admitem que a avó, Margarida, tem uma autoridade superior a de seus pais. Atribuem essa questão ao fato de terem sido criados e amparados por ela nos momentos de sofrimento. Ambos freqüentam a casa do pai, convivendo com a madrasta, Jussara, e com a meia-irmã. A madrasta os trata bem, como se fosse uma segunda mãe. Para eles, ela tem de aceitá-los assim como eles aceitam a irmãzinha. Reinaldo tem total liberdade para visitar os filhos, mas não os visita com regularidade. Juliana sempre afirma que o pai deles fez a melhor coisa saindo de casa. Tanto ela quanto Almir afirmam que não aceitariam a volta do pai para casa, pois perderiam a privacidade e a liberdade que têm hoje.

PAPÉIS FAMILIARES

Quando falam sobre papéis familiares, todos remetem às suas experiências pessoais. Juliana diz que o papel de mãe é ter confiança nos filhos, amizade e respeito por eles. Almir fala que é respeitar e tentar agradá-la. Para Joana, é ter diálogo com os filhos, conversando sobre drogas, sexo, tudo. Lembra da importância de sua mãe em sua vida.

Em relação ao papel de pai, Juliana teve dificuldade em se manifestar e pediu ajuda à mãe para falar sobre o assunto. Citou a proteção aos filhos, carinho, saber conversar e o fato de que deveria ajudar a mãe deles. Joana afirmou que um pai deve conviver com os filhos, ter responsabilidade, cumprir com seus deveres paternos. Mas não soube descrever quais seriam esses deveres. Almir não soube definir as responsabilidades que caberiam ao pai.

Juliana também teve dificuldade de apontar o papel do padrasto na família, por não conseguir imaginar sua mãe casada novamente, pois perderia a privacidade em casa. Ela aceita que a mãe namore, assim como aceitou a atual esposa do pai, mas morar com eles é diferente. Se ela se casar, um dia, então a mãe teria todo o direito de casar de novo e refazer a vida. Afirmou que um padrasto deve respeitar os filhos e as decisões da mãe em relação a eles, não interferindo nessas questões. Almir concorda com a irmã e acrescenta que é muito difícil descrever essa função. Joana concorda com os filhos, dizendo que eles já estão grandes, ao contrário do que aconteceu com ela, que tinha apenas 8 anos quando sua mãe fugiu com seu padrasto. Conta que, inicialmente, não gostava dele, entretanto, com o tempo, ele a cativou e hoje ela gosta muito dele. Joana afirma nunca ter sentido falta do pai biológico, tendo em vista que seu padrasto sempre a tratou como filha. Já em relação à madrasta, Juliana afirma ser complicado falar, mas aponta para o fato de que ela deveria aceitar os filhos do marido e, acima de tudo, respeitá-los.

FAMÍLIA DE CARLOS

Carlos é mineiro, veio para Brasília aos 3 meses, com os pais e seis irmãos, em 1959. O pai faleceu quando tinha 8 anos, e a mãe assumiu o sustento dos filhos. Esta decidiu não se casar novamente, pois correria o risco de os filhos serem maltratados pelo padrasto.

RELACIONAMENTOS DE CARLOS

a - Carlos e Mônica

Carlos conheceu Mônica quando tinha 16 anos e então começaram a namorar. Afirma que quando qualquer namorada falava em casamento, ele se irritava e terminava a relação. Mônica engravidou logo após o nascimento do primeiro filho de Carlos, fruto de uma relação paralela com Adriana. Ele tinha 20 anos e Mônica, 19. Mônica perdeu o emprego, a família não deu apoio, era pobre, trabalhava para ajudar a família. Os pais se separaram quando ela tinha 5 anos e a mãe trouxe os filhos para Brasília, onde viveram muitas dificuldades, pois Mônica não podia trabalhar.

ESTUDO 2

Figura 2 - Genograma da família de Carlos

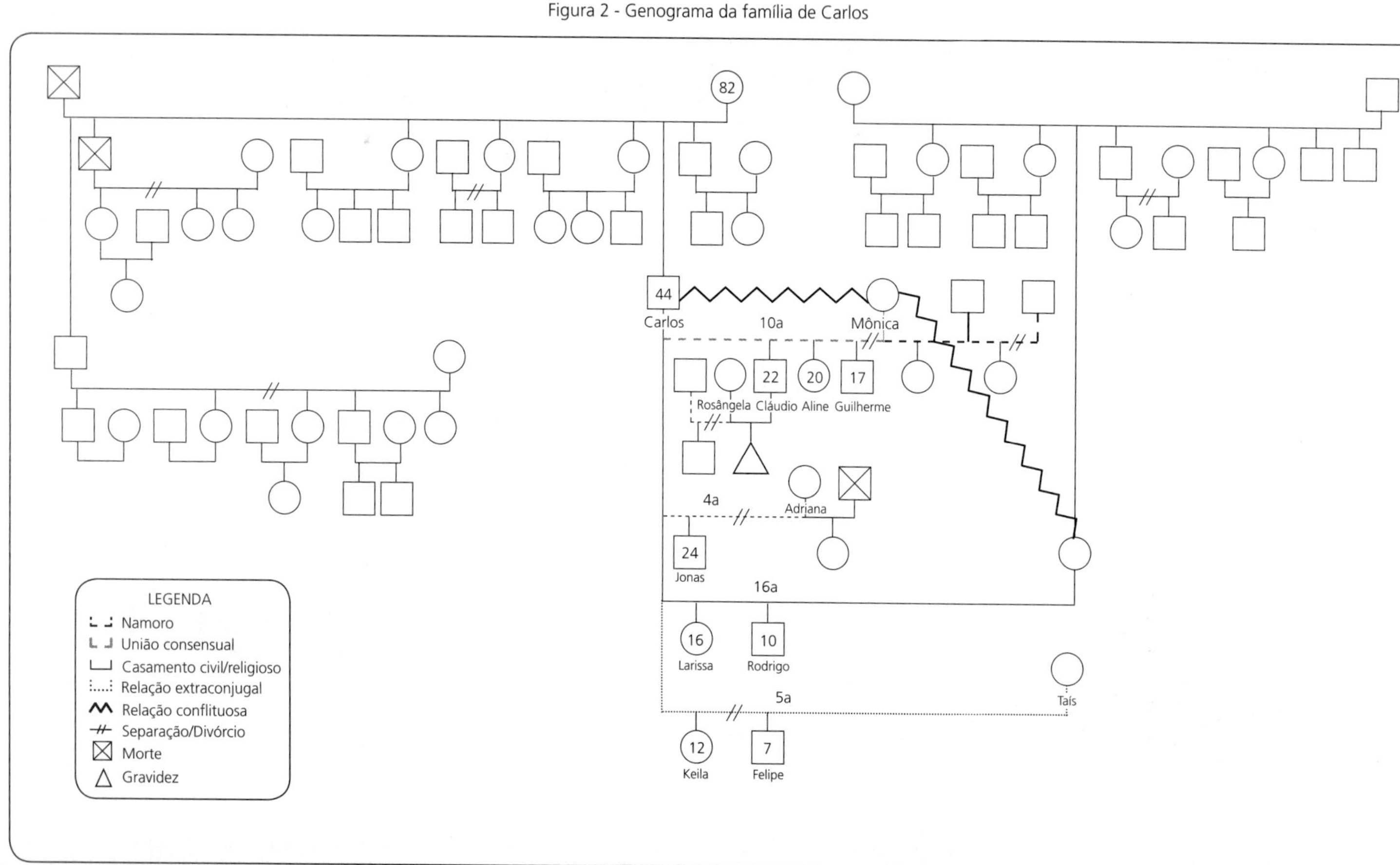

Carlos não queria ser "mais um" a abandoná-la e pretendia assumir sua responsabilidade pela criança. Como gostava muito de Adriana, tentou uma relação mais duradoura e foram morar juntos. Mas Adriana era muito ciumenta, havia muita briga e discussão. Tentou conviver com essa situação até passar o resguardo do primeiro filho, Cláudio. Quando decidiu se separar, Mônica engravidou novamente. Então, Carlos adiou o rompimento. Aline nasceu e "as crianças foram segurando a relação" até que, depois de seis anos de relacionamento com Mônica, ele não suportou a situação e se separou. Foi nessa época que conheceu Sheila, com quem viria a se casar.

O processo de separação foi traumático para Carlos. Mônica "usava os filhos para atingi-lo", dificultava as visitas, às vezes, quando ia deixar os filhos, trancava a porta e ficava "agarrando-o", e, em uma dessas situações, ela engravidou e nasceu Guilherme. Mônica deixava os filhos pequenos trancados em casa para sair; o filho Cláudio, de 8 anos, cuidava de seus irmãos Aline, de 6 anos, e Guilherme, de 3. Ela foi para o Paraguai duas vezes deixando os filhos uma vez com Carlos e depois com a sogra. Quando voltou, quis tê-los de volta e reivindicar a pensão novamente, porém os três filhos decidiram continuar morando com a avó e disseram à mãe que "a amavam, mas não esqueceram que ela os havia abandonado". O relacionamento de Carlos e Mônica durou dez anos.

b - Carlos e Adriana

Em uma das brigas com Mônica, Carlos começou um namoro paralelo com Adriana, sua colega de trabalho. Após quatro anos de relacionamento, rompeu a relação, mas Adriana estava grávida. Ele afirma que "tinha medo dela", por achá-la mais experiente, e acreditava que a gravidez era para tentar prendê-lo. Decidiu não reatar a relação apenas em razão da gravidez. Adriana teve todo o apoio da família e de Carlos durante a gravidez. Conversaram e concluíram que não tinham condições psicológicas ou financeiras para se casarem.

Adriana se casou com outra pessoa e teve uma filha. O marido, que era alcoólatra, tinha muito ciúme de Carlos. O fato de eles trabalharem juntos agravava a situação. Por isso, Carlos decidiu se afastar dela e do filho, Bruno, "para não piorar a situação". Carlos admite que nunca participou como deveria da educação de Bruno. Preocupava-se com o que ele sentia, por isso, como não podia estar sempre com o filho, em virtude do ciúme do padrasto, pensava que talvez fosse melhor manter certa distância para que ele não se apegasse ao pai e não sentisse tanta falta dele. Somente depois que Carlos se casou com Sheila é que decidiu participar mais ativamente da vida do filho, pois já tinha uma estrutura, um lugar para levá-lo. O marido de Adriana morreu e ela não se casou novamente.

c - Carlos e Sheila

Carlos começou a namorar Sheila quando ainda estava terminando seu relacionamento com Mônica. Após três anos de namoro, casaram-se. Ele tinha 27 anos e ela, 23. Têm dois filhos, Larissa, 16 anos, e Rodrigo, 10. Ele afirma que seu relacionamento com Sheila foi totalmente diferente do anterior, pois "ela é compreensiva e ele já estava mais maduro, mais responsável". Carlos teve uma relação extraconjugal com Taís e contou para Sheila, deixando claro que a opção de manter o casamento ou não era dela, pois seria um problema para o resto da vida, já que ele havia tido dois filhos desse relacionamento. Ela aceitou e eles estão juntos há 16 anos.

d - Carlos e Taís

Carlos já conhecia Taís antes de seu casamento com Sheila e acabaram tendo um "caso" durante cinco anos. Ele tinha 30 anos, ela, 23, e "foram muitas idas e vindas". Tiveram dois filhos, Keila e Felipe. Carlos supõe que foi envolvido "em armadilhas de mulher". Nunca teve intenção de abandonar a esposa, mas Taís tentou fazer que ele se separasse de Sheila e não se conformava com a separação deles, "não achava justo".

SITUAÇÃO ATUAL

Carlos é servidor público e está fazendo faculdade de direito. Mora em casa própria com Sheila e com os dois filhos do casal.

Continua tendo uma grande preocupação com os outros filhos. Mônica, Adriana e Taís não se casaram e moram com os filhos.

RELAÇÃO COM AS EX-COMPANHEIRAS

A relação de Carlos com Adriana é, aparentemente, excelente. Conversam sobre os filhos e, quando há problemas, tentam resolver em conjunto. Já com Mônica, não há muito diálogo, pois "ela usa as crianças para conseguir vantagens junto a ele". Taís tem ciúmes da vida que Carlos leva com a esposa e também "usa" as crianças para atingi-lo e à esposa, fazendo chantagem para conseguir benefícios, desde que não prejudique os filhos. Nunca o impediu de visitar as crianças. Ela os trata bem, apesar de tudo. Sheila mantém uma posição mais reservada com Mônica e Taís, para evitar desentendimentos, principalmente no que diz respeito aos filhos delas. Não participa diretamente da educação e de questões relacionadas à vida deles, pois tanto ela quanto Carlos preferem assim.

RELAÇÃO COM OS FILHOS

Carlos afirma que seu relacionamento com os filhos é de amizade, não de pai e filhos, pois ele não se coloca acima deles, tenta participar ao máximo. Eles sabem que podem contar com o pai em qualquer momento. É difícil pelo fato de estarem separados, porém ele tenta superar isso reunindo todos em sua casa, buscando-os, fazendo-os conviver uns com os outros. Então, eles se conhecem e conversam sempre. A relação entre todos os irmãos é muito boa e Carlos acha que se vivessem todos juntos não se dariam tão bem. Afirma que há momentos em que ele "não pensa nele mesmo e tudo o que faz é pensando nos filhos". Queria assumir a responsabilidade pelas crianças e acabava "não se importando com as mulheres com as quais estava envolvido".

Sheila tem um bom relacionamento com todos os filhos de Carlos, contudo, teve dificuldades com Cláudio quando este foi morar com eles. Quando Mônica, a mãe dele, foi embora, a relação era boa. Entretanto, depois que ela retornou, a convivência entre os dois ficou muito difícil. Ela supõe que a mãe influenciou o comportamento do filho de alguma forma, pois ele mudou totalmente a forma de tratá-la. A situação melhorou depois que Cláudio se casou com Rosângela. Para Carlos, o problema foi disputa por espaço em casa, principalmente porque ele não era filho dela. Às vezes ele falava: "Você faz isso porque eu não sou seu filho!".

Quando Cláudio, aos 18 anos, decidiu morar com Rosângela, ela estava grávida de outra pessoa. Carlos chamou o filho para conversar, alertando-o que "seria um problema para o resto da vida que poderia ser evitado". O pai da criança morava em Minas Gerais, mas quando ficou sabendo que ela estava morando com Cláudio, voltou para Brasília "só para perturbar a vida dos dois". Por diversas vezes, quase se separou de Rosângela porque ela permitia que o pai da criança a visitasse. Para Carlos, o filho está "repetindo os mesmos erros que ele cometeu, seguindo o mesmo caminho".

PAPÉIS FAMILIARES

Carlos considera que o papel da mãe na família é completamente diferente daquele existente hoje. A mãe ideal seria a dele. Afirma que uma mãe deveria ficar mais em casa, cuidar do trivial, podendo até ter oportunidade intelectual, mas em casa, perto dos filhos, conversando com eles. Não é o que acontece hoje. Os filhos têm mais contato com o mundo exterior, pois às vezes os pais não ficam em casa. Sheila trabalha fora e diz estar sempre em contato com os filhos por telefone.

Em relação ao papel de pai, Carlos afirma que a responsabilidade do pai é maior do que a da mãe, pois "na hora que o pepino chega é sempre o pai que é chamado". Entre esses papéis, estariam aqueles de dar proteção, presença, segurança e carinho. Sheila concordou com Carlos. Ela acredita que o papel de madrasta inclui muita paciência, "um tratamento não muito diferente dos seus filhos", tem que ser uma "mãedrasta". Já Carlos afirma que teria que começar mudando o nome "má-drasta" para "boadrasta". A madrasta deveria tentar conquistar os filhos do marido e que o grande problema da madrasta é querer competir com eles, o que dificulta tudo. Ela precisa se unir aos filhos do marido, ter cumplicidade, ser amiga, tentar compartilhar espaço.

Sobre o papel de padrasto, Carlos diz que é muito complicado, pois, "por mais que você queira, você nunca vai amar o filho de outra pessoa como você ama um filho seu". Então, o padrasto tem que "saber separar as coisas", não ser falso, deixar-se conquistar, ser cúmplice, aliado, ser amigo, pois a amizade é a base de tudo, não descontar no filho o que o pai dele fez, ter cuidado para não competir. Sheila afirma que o papel de padrasto é o mesmo papel de madrasta: "ser muito paciente".

DISCUSSÃO

As famílias que participaram de nosso estudo são exemplos da complexidade das relações entre pessoas que vivem a separação e o recasamento, apresentando uma estrutura particular, muitas vezes de difícil compreensão. É o que observamos principalmente na família de Carlos, com quatro casamentos e oito filhos. A construção do genograma mostrou que até mesmo para ele era necessária uma concentração para conectar os fatos de forma coerente, identificando o momento em que aconteceram e as pessoas que deles participaram.

Divórcio e recasamento não envolvem apenas a separação dos cônjuges e a reestruturação da relação conjugal, mas também um distanciamento entre pais e filhos que passam a não mais conviver diariamente com um dos genitores, provocando mudanças em todo o funcionamento familiar. Assim, a máxima "a separação é do casal" nem sempre se cumpre.

Em relação ao modelo do ciclo de vida familiar apresentado por Carter e McGoldrick (2001), observamos que a família de Joana (estudo 1) está vivendo as fases dos filhos adolescentes e no estágio tardio da vida. A família de Carlos (estudo 2), com filhos com idades que variam de 7 a 24 anos e um neto a caminho, vive quatro fases ao mesmo tempo, com todas as particularidades e questões desenvolvimentais inerentes a cada uma delas: filhos pequenos, filhos adolescentes, lançando os filhos e seguindo em frente, e estágio tardio da vida.

O divórcio é apontado como o maior rompimento do ciclo de vida familiar, representando o segundo maior evento mais estressor na escala de Holmes e Rahe (1967, citado por Peck e Manocherian, 2001), ficando atrás apenas da morte de um cônjuge. Joana relatou que sua separação foi muito difícil, achou que "o mundo havia acabado", "pensou que iria morrer". Carlos não se refere a seus sentimentos no momento das separações, mas cita problemas que teve com as ex-companheiras que não aceitavam a separação. Assim, o rompimento com Adriana foi harmonioso, a separação de Mônica foi traumática e, com Taís, foi conflituosa. É interessante observar que Carlos sempre mantinha duas relações paralelas e que, quando decidia se separar de uma mulher, permanecia se relacionando com outra, não vivenciando, portanto, a experiência de ficar só, o que nos leva a crer que uma nova relação teria servido de protetora contra o sofrimento.

Papp (2002) se refere ao recasamento como o "triunfo da esperança sobre a experiência", o que acaba sendo uma combinação de sonhos e pesadelos, pois apesar do conhecimento, do entendimento e da experiência que tenham adquirido, quando as pessoas se separam e se vêem novamente diante da possibilidade de um novo relacionamento, a tendência é que tenham sua ingenuidade e seus recursos agravados até o limite, esperando reencontrar o elo vital que escapou de suas mãos anteriormente. Segundo a autora, como 40% de todos os casamentos são recasamentos, uma boa porcentagem da prática clínica hoje em dia consiste em ajudar os casais a lidar com essas questões.

De acordo com Peck e Manocherian (2001), existem alguns fatores de risco para a separação conjugal, como o casamento precoce, a gravidez pré-conjugal e a freqüência de divórcios na família, que podem desestabilizar a relação do casal a ponto de levarem ao rompimento do casamento. Esses fatores foram observados nas famílias estudadas. No genograma da família de Joana, identificamos catorze separações; no da família de Carlos, nove. A repetição, pelos cônjuges, de padrões parentais foi tema de estudo de alguns autores (Framo, 1983, 2002; Whitaker e Bumbarry, 1990), e modelos de terapia de casal foram desenhados tendo como ponto de partida a teoria de Bowen, pioneiro da terapia familiar e um dos primeiros a trabalhar com as famílias de origem.

Segundo Anton (2000), há uma grande influência transgeracional na escolha do cônjuge e na formação das relações afetivas, em um processo que institui certa continuidade entre as gerações, com tendência a repetir o funcionamento da geração anterior. Para Costa e Katz (1992), a qualidade dos vínculos estabelecidos no convívio familiar torna-se um padrão básico de relacionamento na mente da criança que ela repetirá ou recriará ao longo de sua vida. Assim, o casamento oferece um cenário propício para que o modelo infantil de relacionamento seja vivido.

Satir (1995) também considera que as pessoas buscam relações conjugais semelhantes às de seus genitores, mesmo que de forma não voluntária, por obedecer a um modelo familiar aprendido e que tenderá a se repetir. Esse modelo tem influência mesmo quando é negado, como no caso de pessoas que vivenciaram a separação dos pais e, quando casadas, negam-se veementemente a se separar, mesmo que estejam infelizes, para evitar o sofrimento dos filhos. No caso de Juliana (estudo 1), há um certo receio em relação ao casamento. Ela afirma ter um "trauma" em razão da separação dos pais, embora não descarte a possibilidade de um "príncipe encantado", que não a abandone nunca, supomos. Diz também que não imagina a mãe casada novamente. Na família de Carlos, seu filho Cláudio se casa com uma garota que estava grávida de outro homem, e o conselho dado pelo pai mostra que ele percebe a possibilidade de o filho repetir relacionamentos complicados e chama sua atenção para não deixar que isso ocorra.

A infidelidade foi o motivo alegado por Joana para a separação, mas não foi problema para Carlos e suas ex-esposas; foi ele até que tomou a iniciativa em todas as separações. Carlos aponta as brigas, as incompatibilidades de gênio, os ciúmes e a imaturidade como motivos de suas separações. No entanto, esses "motivos" podem representar apenas sintomas de uma relação com problemas em sua estrutura de papéis, na delimitação de fronteiras, na comunicação, nas relações com as famílias de origem etc. (Minuchin, 1982).

O processo de superação do divórcio e do pós-divórcio inclui a realização de diversas "tarefas" para permitir a retomada do desenvolvimento no ciclo de vida familiar. Dentre elas, podemos citar: admitir sua parcela de responsabilidade no insucesso da relação conjugal; discutir cooperativamente sobre a custódia dos filhos; elaborar o luto pelo fim da família nuclear; desistir dos sonhos de reconciliação; realinhar a família ampliada; flexibilizar as visitas do genitor sem custódia (Carter e McGoldrick, 1995). Segundo as autoras, caso as famílias não consigam cumprir essas tarefas, poderão permanecer estacionadas por meses, anos ou gerações seguidos, prejudicando o seu desenvolvimento, bem como o desenvolvimento de seus membros.

Joana parece ter superado a separação e retomado sua vida. No estudo 2, Adriana também conseguiu manter uma relação de amizade com Carlos e Sheila. Já Mônica ainda parece presa a algumas questões relacionadas ao luto pelo fim do relacionamento, pelos sonhos de reconciliação e pela reorganização do relacionamento entre os ex-cônjuges e entre pais e filhos. Como atualmente os filhos de Carlos com Mônica têm 22, 20 e 17 anos, não ocorrem discussões sobre custódia e visitas, porém essas questões foram vividas por ele quando os filhos eram pequenos.

As facilidades que o casal encontra quando se prepara para o casamento, o envolvimento e a alegria das famílias e amigos e a receptividade das instituições sociais parecem desaparecer no momento da separação. O que antes foi uma "conspiração" a favor do enlace, agora se transforma em barreiras difíceis de serem transpostas. Os participantes de nossa pesquisa apontaram alguns fatores que, segundo eles, teriam facilitado ou dificultado o processo de separação e sua superação.

Joana considera que nada facilitou a separação, a não ser o apoio da família. Esse dado está de acordo com Wallerstein e Kelly (1998), ao afirmarem que as pessoas tendem a se ajustar mais rapidamente à separação e às novas circunstâncias que as acompanham quando têm o apoio da família e dos amigos. Carlos afirmou que sua separação de Adriana foi facilitada por haver consenso de que não havia condições para se casarem e pelo apoio da família dela. Por outro lado, segundo Joana, tudo dificultou sua separação: situação financeira precária, sofrimento dos filhos, sair de sua casa e voltar para a casa da mãe, ser sustentada por ela, sentimento de abandono e tristeza. Carlos afirma que com Adriana nada foi dificultado, mas com Mônica ocorreu o contrário: escândalos, o fato de usar os filhos para atingi-lo, brigas, dificuldade para visitar os filhos e permanecer com eles. Com Taís o problema foi sua insistência para que ele abandonasse sua esposa para ficar com ela. Observamos que as dificuldades apontadas pelos participantes giram em torno da aceitação da separação pelo outro e das questões relacionadas aos filhos.

Quanto à forma como os filhos reagiram à separação dos pais, Joana afirma que Almir sofreu mais do que Juliana, porque era muito apegado ao pai e tinha apenas 7 anos. Algumas pesquisas mostram que a forma como os filhos reagem à separação dos pais pode variar de acordo com a idade (Ribeiro, 1988a, 1988b, 1989, 1992). Para Wallerstein e Kelly (1998), as crianças com idades entre 6 e 8 anos parecem ter maior dificuldade para enfrentar a separação dos pais, pois, apesar de conseguirem perceber o que está acontecendo, não são capazes de lidar adequadamente com o rompimento da relação dos pais. Carlos reclama que Mônica atribuía ao filho de 8 anos responsabilidades de adultos, como cuidar dos irmãos menores, o que, segundo Carter e McGoldrick (1995), pode acarretar problemas para essa criança na escola e com figuras de autoridade, além de prejudicar várias etapas de seu desenvolvimento.

Segundo Almeida, Peres, Garcia e Pellizzari (2000), quando há cooperação entre os pais, o ajustamento social dos filhos se estabiliza por volta de dois anos após a separação. As autoras identificaram a existência de comportamentos agressivos e inassertivos em pais separados e em seus filhos, que apresentaram melhora após um programa de intervenção. Por outro lado, Abelsohn (1992) acredita que já existam evidências de que as famílias "divorciadas" não são mais perturbadas do que as "intactas". O autor descreve o ideal da família de dois genitores rodeada por uma família extensa coesa como "a nostalgia da clássica família ocidental". É com base nesse ideal que grande parte da literatura sobre o divórcio considera o que foge desse conceito de inteireza e perfeição como turbulento, imperfeito e desastroso.

A relação dos pais com os filhos após a separação tem sido tratada por diversos autores (Bernstein, 2002; César-Ferreira, 2006; Dolto, 2003; Maldonado, 2000; Peck e Manocherian, 2001; Wagner e Falcke, 2000; Wagner e Sarriera, 1999; Wallerstein e Kelly, 1998). Os filhos podem ser "usados" pelos pais, como foi o caso de Carlos e Mônica. Por outro lado, pode haver triangulações penosas entre o pai, a mãe e os filhos (Brown, 2001) nas quais os pais podem se valer do pagamento de pensão e as mães, do controle sobre as visitas como armas na disputa pelo poder na família. A separação pode representar o fim de um conflito de muitos anos e até certo alívio para todos os envolvidos, permitindo que as relações se tornem mais agradáveis e funcionais. Juliana se refere à maior liberdade e ao alívio sentido pelo fim das brigas entre os pais.

Maldonado (2000) afirma que há aspectos positivos e negativos na relação entre os ex-cônjuges e entre pais e filhos que permanecem após a separação. O que observamos nas famílias estudadas é que não ocorreram mudanças significativas nas relações familiares após a separação, comparando com a forma como avaliaram a relação antes e após a separação do casal, com exceção de Joana (estudo 1), que se queixou do distanciamento de Reinaldo, e de sua filha, Juliana, que afirmou que sua relação com o pai, naquele momento, era "muito distante". Devemos considerar o fato de que Juliana foi confidente da mãe durante o período de turbulência da separação, o que pode ter influenciado a qualidade da relação entre pai e filha após a separação, conforme observam Peck e Manocherian (2001).

Quanto aos fatores que dificultam ou facilitam a relação entre pais e filhos atualmente, Joana reclama que tem de ser pai e mãe. Para Juliana, o fato de o pai não ajudar a mãe financeiramente é o que mais dificulta. Carlos relata que o grande problema é o fato de Mônica e Taís usarem os filhos para atingi-lo e o "ciúme que elas têm da vida que ele leva com Sheila". Esse tipo de comportamento revela, provavelmente, que, como afirma Bernstein (2002), tanto Mônica quanto Taís ainda não se "divorciaram" emocionalmente de Carlos, mantendo uma relação cheia de ressentimento, inveja, ciúme ou culpa. O fato de, geralmente, a mãe deter a guarda dos filhos acaba por legitimar a sensação de posse que algumas delas têm, fazendo uso desse poder para manipular o direito de visita do pai, que fica submetido à sua vontade (Martinez, 1999). É o que parece acontecer com Mônica e Taís em relação a Carlos.

Para Kaffman (1993), na cultura ocidental as pessoas que se divorciam se vêem diante de duas áreas distintas de conflito relacionado à dissolução do casamento: 1 – negociações legais relacionadas à custódia e suporte para os filhos, questões relacionadas à divisão dos bens do casal; e 2 – os ex-cônjuges precisam encarar os efeitos emocionais da separação, ou seja, o "divórcio emocional", que inclui reações e sentimentos relacionados com o senso de falha do casamento e dificuldades no ajustamento à autonomia, à solidão e a um novo estilo de vida. Segundo o autor, para cerca de 60% dos casais americanos, o divórcio significa menos dinheiro, piores condições de moradia e isolamento social.

Segundo Féres-Carneiro (2003), no processo de separação, a identidade conjugal construída no casamento vai aos poucos se desfazendo, levando os cônjuges a uma redefinição de suas identidades individuais. Para a autora (2003, p. 372),

> desconstruir a conjugalidade após a separação e, simultaneamente, reconstruir a identidade individual, é um processo lento e vivenciado com dificuldade pelos ex-cônjuges. A vivência de uma maior liberdade se mistura com o sentimento de solidão, tornando os primeiros tempos após a separação, particularmente, difíceis para homens e mulheres.

A autora se refere a esse processo como "doloroso", o que observamos em vários casais que procuram terapia antes ou depois da separação.

A postura de Reinaldo perante os filhos depois da separação, passando de pai carinhoso e presente para um pai ausente e irresponsável, está de acordo com Wallerstein e Kelly (1998), quando afirmam que a relação entre pais e filhos dezoito meses depois da separação não era semelhante ao comportamento desses pais antes do acontecido. Contrariamente, Carlos se manteve presente, participativo e afetuoso com todos os filhos, não desanimando diante das dificuldades que as ex-esposas lhe impunham no contato com os filhos. Apesar da grande complexidade dessa família, ele avalia suas relações como boas, contando, segundo ele, com a "compreensão e paciência" da atual esposa. A família de Carlos nos parece muito bem integrada, com um relacionamento harmonioso, o que está de acordo com o pensamento de Penso, Costa e Féres-Carneiro (1992): a complexidade de um sistema familiar em si não implica a presença de uma disfuncionalidade, sendo que o importante para a determinação da funcionalidade ou da disfuncionalidade de uma família são as relações que ela estabelece para se adaptar às diversas situações.

Segundo Braz, Dessen e Silva (2005), o relacionamento marital tem sido apontado como um fator preponderante para a qualidade de vida das famílias, principalmente no que se refere às relações que pais e mães mantêm com seus filhos. Ou seja, a qualidade da relação pai/filhos e mãe/filhos depende da qualidade das relações conjugais. O estudo das autoras não envolveu casais separados, mas acreditamos que, após a separação do casal, a qualidade das relações entre os ex-cônjuges é importante preditor de uma relação entre pais e filhos saudável ou não, principalmente do genitor que reside separado dos filhos. É o que observamos nas queixas de Carlos em relação a Mônica e Taís.

Observamos que as figuras da madrasta e do padrasto realmente carregam uma imagem negativa, como afirma Wagner (1999), visto que nos estudos 1 e 2 os participantes tiveram dificuldade em falar sobre os papéis de ambos na família, inclusive propondo uma mudança nos termos. Carlos acredita que a madrasta deve conquistar os enteados, não competir com eles, dividir espaço e ser uma "boadrasta". Sheila diz que a madrasta deve ser muito paciente, tratar os enteados "não muito diferente dos seus filhos", ser tranqüila e uma "mãedrasta". Sobre o papel do padrasto, Carlos acha que ele inclui "presença", "segurança", "carinho", "respeito", "saber separar não descontando no filho questões relativas ao pai da criança", deixar-se conquistar, não ser falso, não competir, gostar dos filhos da esposa. Sheila concordou com o marido e diz ter um ótimo relacionamento com os enteados.

Joana e Almir concordaram com Juliana, segundo a qual o padrasto deve aceitar as decisões da mãe e não interferir na vida dos filhos dela. Sobre o papel de mãe, é ter diálogo com os filhos. Para Almir, é respeitar os filhos; para Juliana, é ter confiança, amizade e respeito. Joana acha que o papel do pai é conviver com os filhos e cumprir seus deveres de pai, mas não conseguiu descrevê-los, tendo citado proteção aos filhos, carinho, ajuda à mãe e diálogo.

Segundo Bernstein (2002), é necessária a criação de um lugar próprio para a madrasta e para o padrasto que não esteja ocupado por outro membro da família, com responsabilidades mais bem definidas. Para Carter (1995), as famílias reconstituídas enfrentam muitas dificuldades porque seus componentes imaginam que criarão uma família nos moldes da "família nuclear intacta", como no primeiro casamento, levando a uma idéia não realista de família. As conseqüências dessas tentativas são: os membros da nova família excluem os pais biológicos e os filhos da primeira união; rivalidades entre o progenitor e o enteado, uma vez que agem como se a relação fosse no mesmo nível hierárquico, enquanto a ligação pai/filho e mãe/filho nasceu antes da ligação entre os cônjuges; os papéis sexuais tradicionais, que requerem que a mulher cuide do bem-estar da família, opõem a madrasta à enteada e colocam a nova mulher e a ex-mulher em posição competitiva. E a expectativa de que o homem deva cuidar dos aspectos econômicos coloca o segundo marido contra o primeiro.

CONSIDERAÇÕES FINAIS

O divórcio e o recasamento são marcados por alterações nos mais diversos aspectos da vida familiar e individual. Etapas adicionais são necessárias para que a família retome seu desenvolvimento no ciclo de vida familiar, sendo que cada família irá lidar com cada situação de forma própria e diferenciada. Quando falamos em separação, é comum pensarmos na mãe e nos filhos, deixando de lado o pai, talvez pela idéia de que a mãe é a cuidadora natural dos filhos e até porque, estatisticamente, os homens vão diminuindo, gradativamente, o contato com os filhos depois do divórcio. Os genitores que se distanciam dos filhos são facilmente julgados como negligentes, mas essa relação depende da qualidade de sua relação com a ex-esposa, que nem sempre facilita esse acesso.

Pais descontentes em relação às regras de guarda dos filhos estão se unindo. Há um movimento de pais que buscam uma participação mais efetiva na vida de seus filhos depois do rompimento da relação conjugal, um fato novo, do qual pouco se tem falado.

Já existem associações no Brasil e em vários países com esse objetivo de lutar por um modelo de guarda que os liberte do poder quase que supremo dado pela Justiça às mães, poder este que decide unilateralmente o destino dos filhos, agindo, muitas vezes, de forma a penalizar esses pais pela separação, dificultando ou privando-os do convívio com seus filhos. A Associação de Pais Separados do Brasil (Apase), a Pais para Sempre e a Associação pela Participação de Pais e Mães na Vida dos Filhos (Participais) são exemplos dessas associações de pais que lutam para continuar participando da educação dos filhos depois da separação (Faria, 2002).

A Câmara dos Deputados aprovou o projeto de lei n. 6.350, de 2002, de autoria do deputado Tilden Santiago, que institui a guarda compartilhada dos filhos, definida como o sistema que divide a responsabilidade dos pais quanto aos direitos e deveres decorrentes do poder familiar, a fim de garantir a guarda material, educacional, social e de bem-estar dos filhos. O relator do projeto afirma que já não é mais tempo de "pais-de-fim-de-semana" ou "mães-de-feriado", uma vez que a presença diária de ambos é indispensável e seus deveres não cessam com o fim do casamento. Essa modalidade de guarda deve ser "preferencialmente adotada, reservando-se as demais modalidades apenas se as partes expressamente assim o desejarem ou se isso não corresponder ao melhor interesse da criança".

Em casos de guarda compartilhada, o projeto prevê a nomeação de uma equipe interdisciplinar composta por um psicólogo, um assistente social e um pedagogo para subsidiar o juiz e, quando isso não for possível, o Conselho Tutelar deverá auxiliar o Judiciário. Após quatro anos e dois meses de tramitação, o projeto foi aprovado na Câmara e segue para o Senado, onde, se aprovado, será encaminhado para a sanção do presidente da República.

De acordo com Casabona (2006), a guarda compartilhada se baseia em constatações científicas da necessidade de convivência dos filhos com ambos os genitores, e de que a guarda única não dá conta das reais necessidades da criança em desenvolvimento. Para o autor, a guarda compartilhada envolve dois vetores: a intensificação quantitativa e qualitativa da convivência e o revigoramento do exercício do poder familiar por parte do genitor não guardião. E resulta

> num novo conceito de família, a dita família eudemonista, que existe como pretenso/desejado lócus de convivência voltada para o desenvolvimento, a satisfação, a felicidade de todos os seus componentes, ou seja, uma família mais democrática que privilegia o afeto e se desvincula de aspectos políticos, religiosos e econômicos. (p. 286)

Assim, o pátrio poder se transforma em dever.

Observamos certo otimismo por parte dos parlamentares que vêem o projeto como forma de resolver os problemas relacionados à guarda dos filhos após a separação, uma das questões mais complicadas para todas as pessoas envolvidas. Acreditar que o fato de dar a guarda dos filhos a ambos os genitores vai resolver todos os problemas da família, principalmente dos filhos, é simplificar bastante a situação. A guarda compartilhada requererá do casal uma comunicação clara e funcional, pois será necessária maior negociação entre os cônjuges, uma vez que não há a presença do juiz para determinar como e quando os filhos ficarão com um ou outro e quem ficará responsável por quê. Além disso, em vez de atender ao bem-estar dos filhos, esse tipo de guarda poderá representar uma solução para aqueles que não desejam pagar pensão ao ex-cônjuge. Pensamos que a questão precisa ser mais bem discutida à luz do conhecimento que já possuímos sobre as conseqüências da separação do casal para todos os membros da família.

REFERÊNCIAS BIBLIOGRÁFICAS

ABELSOHN, D. "A 'good-enough' separation: some characteristic operations and task". *Family Process*, 31, 1992, p. 61-83.

ALMEIDA, C. G. *et al.* "Pais separados e filhos: análise funcional das dificuldades de relacionamento". *Estudos de Psicologia*, 17(1), 2000, p. 31-43.

BERNSTEIN, A. C. "Recasamento: redesenhando o casamento". In: PAPP, P. (org.). *Casais em perigo – Novas diretrizes para terapeutas*. Porto Alegre: Artmed, 2002, p. 297-322.

BRASIL. *Código civil. Organização dos textos, notas remissivas e índices, por Juarez de Oliveira*. 46a. ed. São Paulo: Saraiva, 1995.

BRAZ, M. P.; DESSEN, M. A.; SILVA, N. L. P. "Relações conjugais e parentais: uma comparação entre famílias de classes sociais baixa e média". *Psicologia: Reflexão e Crítica*, 8(2), 2005, p. 151-61.

BROWN, F. H. (1989). "A família pós-divórcio". In: CARTER, B.; MCGOLDRICK, M. (orgs.). *As mudanças no ciclo de vida familiar: uma estrutura para a terapia familiar*. Trad. M. A. V. Veronese. Porto Alegre: Artmed, 2001, p. 321-43.

CALIL, V. L. L. *Terapia familiar e de casal*. São Paulo: Summus, 1987.

CARTER, B. "Famílias reconstituídas: a criação de um novo paradigma". In: ANDOLFI, M.; ANGELO, C.; SACCU, C. *O casal em crise*. São Paulo: Summus, 1995.

CARTER, B.; MCGOLDRICK, M. "As mudanças no ciclo de vida familiar: uma estrutura para a terapia familiar". In: CARTER, B.; MCGOLDRICK , M. (orgs.). *As mudanças no ciclo de vida familiar: uma estrutura para a terapia familiar*. Trad. M. A. V. Veronese. Porto Alegre: Artmed, 2001a, p. 7-29. (Original publicado em 1989.)

______. "Constituindo uma família recasada". In: Carter, B.; McGoldrick, M. (orgs.). *As mudanças no ciclo de vida familiar: uma estrutura para a terapia familiar*. Trad. M. A. V. Veronese. Porto Alegre: Artmed, 2001b, p. 344-69.

Casabona, M. B. *Guarda compartilhada*. São Paulo: Quartier Latin do Brasil, 2006.

César-Ferreira, V. A. M. "Mediação com casais em separação". In: Colombro, S. F. (org.). *Gritos e sussurros – Interseções e ressonâncias*, vol. II. São Paulo: Vetor, 2006, p. 157-79.

Costa, P. G.; Katz, G. *A dinâmica das relações conjugais*. Porto Alegre: Artmed, 1992.

Dolto, F. (1989). *Quando os pais se separam*. Trad. V. Ribeiro. Rio de Janeiro: Jorge Zahar, 2003.

Faria, T. "Família brasileira: mais tempo para ser pai". *Correio Braziliense*, Brasília, 11 ago. 2002, p. 6.

Féres-Carneiro, T. "Separação: o doloroso processo de dissolução conjugal". *Estudos de Psicologia*, 8(3), 2003, p. 367-74.

Kaffman, M. "Divorce in kibbutz: lessons to be drawn". *Family Process*, 32, 1993, p. 117-33.

Maldonado, M. T. *Casamento: término e reconstrução*. São Paulo: Saraiva, 2000.

Martinez, N. Z. *O papel da paternidade e a padrectomia pós-divórcio*. Tese (Doutorado em Psicologia) – Universidade Del Bio-Bio, Chile, 1999.

McGoldrick, M. (1989). "As mulheres e o ciclo de vida familiar". In: Carter, B.; McGoldrick, M. (orgs.). *As mudanças no ciclo de vida familiar: uma estrutura para a terapia familiar*. Trad. M. A. V. Veronese. Porto Alegre: Artmed, 2001, p. 30-64.

Papp, P. (org.). *Casais em perigo – Novas diretrizes para terapeutas*. Porto Alegre: Artmed, 2002.

Peck, J. S.; Manocherian, J. R. (1989). "O divórcio nas mudanças do ciclo de vida familiar". In: Carter, B.; McGoldrick, M. (orgs.). *As mudanças no ciclo de vida familiar: uma estrutura para a terapia familiar*. Trad. M. A. V. Veronese. Porto Alegre: Artmed, 2001, p. 291-320.

Penso, M. A.; Costa, L. F.; Féres-Carneiro, T. "Reorganizações familiares: as possibilidades de saúde a partir da separação conjugal". *Psicologia: Teoria e Pesquisa*, 8 (suplemento), 1992, p. 495-503.

PODEVYN, F. "Síndrome de alienação parental". Trad. Associação de Pais e Mães Separados (Apase), 2001. Disponível em <http:www.sp.apase.org.br>. Acesso em 25 mar. 2003.

RIBEIRO, M. A. "O autoconceito de adolescentes segundo o sexo e a estrutura familiar". *Psicologia: Teoria e Pesquisa*, 4(2), 1988a, p. 85-95.

______. "Separação conjugal e suas conseqüências para o casal – Revisão e análise". *Temas de Terapia Familiar e Ciências Sociais, III* (1/2), 1988b, p. 43-57.

______. "Separação conjugal: o que os filhos acham e como se sentem?" *Estudos em Psicologia*, 2, 1989, p. 25-40.

______. "Relações familiares: a percepção dos filhos adolescentes". *Estudos de Psicologia*, 9(1), 1992, p. 27-42.

SATIR, V. "A mudança no casal". In: ANDOLFI, M.; ANGELO, C.; SACCU, C. *O casal em crise*. São Paulo: Summus, 1995.

WAGNER, A.; FALCKE, D. "Mães e madrastas: mitos sociais e autoconceito". *Estudos em Psicologia*, 5(2), 2000, p. 421-41.

______. "Satisfação conjugal e transgeracionalidade". *Psicologia Clínica*, 13(2), 2001, p.11-24.

WAGNER, A.; FALCKE, D.; MEZA, E. B. D. "Crenças e valores dos adolescentes acerca de família, casamento, separação e projetos de vida". *Psicologia: Reflexão e Crítica*, 10(1), 1997, p. 155-67.

WAGNER, A.; SARRIERA, J. C. "Características do relacionamento dos adolescentes em famílias originais e reconstituídas". In: FÉRES-CARNEIRO, T. (org.). *Casal e família: entre a tradição e a transformação*. Rio de Janeiro: Nau, 1999, p. 15-30.

WALLERSTEIN, J. S.; KELLY, J. B. (1996). *Sobrevivendo à separação*. Trad. M. A. V. Veronese. Porto Alegre: Artmed, 1998.

INVESTIGANDO A TRANSGERACIONALIDADE DA VIOLÊNCIA INTRAFAMILIAR

13

MARIA ALEXINA RIBEIRO
IZABEL CRISTINA BAREICHA

Os laços que unem os membros de uma família são, supostamente, de carinho, amor, compreensão e apoio, promovendo o bem-estar e o desenvolvimento individual. No entanto, tem-se evidenciado que em famílias violentas as vítimas vivenciam situações e sentimentos de rejeição, desvalorização pessoal, desproteção, vulnerabilidade, terror e dor. Muitos desses sentimentos tendem a se repetir de geração a geração, criando um ciclo interminável de violência. A disparidade entre esse ideal de família e a realidade contribui para o aparecimento de sentimentos de vergonha que levam a vítima a ocultar a situação de violência familiar de que é alvo.

Grande parte da pesquisa sobre violência intrafamiliar enfoca apenas uma das dimensões desse fenômeno, não levando em conta outras formas de abuso que ocorrem no seio da família. Para McCloskey, Figueiredo e Koss (1995), a negligência em relação ao conflito interparental no estudo do abuso de crianças limita nosso entendimento do relacionamento pais–filhos dentro da família como um todo. Os autores acreditam que a violência é expressão de uma disfunção familiar subjacente, mais profunda que os atos de violência em si.

Procuramos, neste texto, compreender a violência como uma dimensão do relacionamento familiar vivenciada e transmitida como "herança" ou cultura violenta de uma geração a outra.

Nossos objetivos no trabalho foram delineados visando a identificar os aspectos que favorecem e contribuem para a manutenção da violência que acontece dentro da família.

VIOLÊNCIA INTRAFAMILIAR

A violência intrafamiliar tem sido bastante debatida e pesquisada nos últimos anos, mas essa temática tem imperado na história desde os primórdios da humanidade. Os gregos e romanos, na Antigüidade, matavam as crianças que nasciam com alguma anomalia ou deficiência física e cabia ao pai aceitar ou não a criança sadia quando esta nascia e, caso não o fizesse, a criança era abandonada na rua, podendo ser pega e feita de escrava por qualquer pessoa (Weber, 1999). O livro sagrado da cultura judaico-cristã nos traz casos de incesto, violência física e sexual contra a mulher, abandono de crianças, tentativa de filicídio, fratricídio, trabalho infantil, entre outras questões. Nas tribos africanas e do Pacífico, a menina era iniciada sexualmente por um parente ou pelo chefe da tribo, e o menino que estava chegando à puberdade tinha de se submeter a tarefas humilhantes e muitas vezes fatais para provar sua masculinidade perante a família e a tribo.

Shrader e Sagot (1998) consideram violência intrafamiliar toda ação ou omissão cometida por algum membro da família em relação de poder, sem importar o espaço físico onde ocorra, que prejudique o bem-estar, a integridade física e psicológica ou a liberdade e o direito ao pleno desenvolvimento de outro membro da família. Os autores acreditam que a violência intrafamiliar se refere ao âmbito relacional em que se constrói a violência, e vai além do espaço físico em que ocorre. Dessa forma, os diferentes tipos de violência não se produzem de forma isolada dentro da família, mas formam parte de um contínuo.

A violência intrafamiliar não é, na maioria dos casos, claramente identificável (Farinatti, Biazus e Leite, 1993). Origina-se de relações interpessoais assimétricas e hierárquicas, marcadas por desigualdade e subordinação (Koller, 1999). Pode ser fruto de uma crise não resolvida na família ou um padrão de relacionamento que acompanha a história familiar daquele grupo. A ocorrência de violência intrafamiliar pode ser ocultada como um segredo, o que revela a coesão doentia desse grupo (De Antoni, Mesquita e Koller, 1998; Fahlberg, 1996).

TRANSGERACIONALIDADE E REPETIÇÃO DE PADRÕES INTERACIONAIS NA FAMÍLIA

Quando nos comprometemos com o estudo e com o atendimento psicoterápico ou psicossocial de famílias e mulheres vítimas de algum tipo de violência, um dos fatos que emergem mais freqüentemente são os padrões interacionais familiares que tendem a se repetir ao longo das gerações. Alguns padrões são facilmente percebidos nas relações do cotidiano, ao passo que outros vêm de maneira camuflada e são mais difíceis de detectar.

McGoldrick e Gerson (1985) afirmam que as famílias repetem-se a si mesmas. Questões que aparecem numa geração podem passar à geração seguinte de outra forma. Para Elkaïm (1990), independentemente da singularidade ou da especificidade de cada família em como transmitir e elaborar seus modelos, não existe dúvida sobre a transmissão destes. Seria, então, possível afirmar que toda família transmite o seu modelo, mesmo aquelas que cuidam muito para não fazê-lo.

Boszormenyi-Nagy e Spark (1983) introduzem três conceitos-chave para o entendimento dos aspectos transgeracionais de relação dentro das famílias. O primeiro conceito é o de "lealdade invisível", advogando que as relações familiares e culturais incluem a dimensão da Justiça e da eqüidade dentro da família e da cultura. Sintomas e repetições seriam formas desesperadas de buscar o restabelecimento de uma ética das relações transgeracionais. Os autores definem as lealdades como fibras invisíveis e fortes que mantêm unidos complexos pedaços de relacionamentos em famílias e também na sociedade. Quanto mais rígidos forem os laços de lealdade, mais difícil será adquirir novos laços. Com a sucessão das gerações, as obrigações em relação às lealdades advindas das gerações passadas podem entrar em choque com a geração atual, deixando o sujeito em conflito.

Tal conceito pode ser levado a dois níveis de compreensão: um nível sistêmico, isto é, um sistema social, e um nível individual, isto é, psicológico. A lealdade se compõe da unidade social que depende da lealdade dos membros do grupo; o grupo conta com a lealdade de seus membros, como os pensamentos e as motivações de cada um de seus membros como indivíduos. Os autores, referindo-se às pautas do conflito de lealdades no casamento, afirmam que quando um homem e uma mulher se unem, um dos componentes motivacionais para o novo compromisso é a fantasia de criar uma unidade familiar melhor que a da família de origem. O novo casal pode ter críticas em relação aos padrões que eram seguidos em suas famílias de origem, fazem pacto de mudá-los, mas, na maioria das vezes, apesar de tudo, continuam repetindo-os.

O segundo conceito-chave do pensamento desses autores é o de Justiça familial. Quando não se faz Justiça, esta se traduz pela injustiça, pela má-fé, pela exploração entre membros da família, às vezes, pelo abandono, pela desforra, pela vingança e até pela doença ou infortúnio que se repete. Por outro lado, quando existe o afeto, as atenções recíprocas e as *contas* familiares permanecem em dia. É lícito falar de um *balanço das contas familiares* e do *grande livro das contas da família,* o qual revela se existe crédito ou débito, se existem dívidas, obrigações, méritos, sem o que, de geração em geração, sucede uma série de problemas. As injustiças sofridas pela família também fazem parte dessa "contabilidade" e cada membro carrega o encargo de, a seu modo, vingar, esquecer, cobrar essas injustiças. Não há jeito de escapar dessas gerações familiares sem carregar consigo um sentimento de "culpabilidade existencial amorfa e indefinível" (Schützenberger, 1997).

O terceiro conceito-chave é o de "parentificação", processo de inversão de dependências, passando os filhos a cuidar dos pais, por meio de um implícito e complexo sistema de contabilização de méritos e dívidas, em que tudo o que se recebeu de cuidados, carinho, cumplicidade deve ser devolvido com o tempo. A mais importante dívida da lealdade familiar é a de cada filho frente a frente com seus pais por tudo que recebeu, desde o nascimento até o momento em que se torna adulto. A maneira de se estar quite com as dívidas é transgeracional, valendo dizer que aquilo que se recebeu dos pais se deve devolver a nossos filhos (Schützenberger, 1997).

Boszormenyi-Nagy e Spark (1983) acreditam que, nas famílias com filhos parentalizados, pode-se supor que as necessidades dos pais não foram satisfeitas por seus próprios progenitores e que o desejo de vê-las satisfeitas se transfere aos próprios filhos. A parentalização é, assim, uma modalidade de delegação. Para eles,

> a parentalização implica a distorção subjetiva de uma relação, como se nela o próprio casal, ou, inclusive, os filhos, cumprissem o papel de pai. Esta distorção pode efetuar-se na fantasia, como expressão de desejos, ou de modo mais notório, mediante uma conduta de dependência. (p. 182)

Interessante perceber também que, apesar de a palavra lealdade derivar do latim *legalitas* (referente à lei), seu sentido real se refere a uma trama invisível de expectativas familiares, que nem sempre manifesta Justiça ou lealdade. Os indivíduos que não aprenderam o sentido de Justiça dentro das relações familiares tenderão a desenvolver um critério distorcido de Justiça social (Cukier, 1998).

Para Haley (1976), repetições foram anotadas na forma de padrões do tipo hierarquia e poder dentro da família; Ferreira (1963) e Andolfi (1995) descrevem mitos que se perpetuam através das gerações. Schützenberger (1997) mostra numerosos exemplos clínicos do que chama de "síndrome de aniversário", em que, numa mesma família, um determinado fato trágico, por exemplo, um acidente que redunda em morte, se repete por várias gerações sempre na mesma data. Interessantes também são os relatos dos "segredos familiares" que retornam encriptados em determinado paciente eleito de uma geração posterior, que, com seus sintomas, relata o que era indizível e impensável anteriormente.

Formas de repetição

Quando nos referimos à repetição de padrões interacionais de uma geração para a outra subseqüente, não nos colocamos na posição de que o passado determina ao sistema atual o que deve ser repetido, mas que o sistema seleciona do passado o padrão repetitivo que vai incluir na sua própria história.

Macedo (1990) propôs um modelo de leitura do sistema familiar de um ponto de vista trigeracional, por meio de um eixo vertical que inclui os padrões interacionais transmitidos de uma geração à outra. Já Watzlawick, Beavin e Jackson (1973, p. 61) afirmam que:

> São os tabus, os mitos, os segredos, as expectativas, os rótulos existentes em todas as famílias. Se as mudanças numa geração são difíceis, sempre causam certo estresse, tornam-se potencializadas quando se cruzam com aspectos do eixo vertical. Haverá muito mais estresse numa família em que há um antepassado alcoolista, com relação ao comportamento de beber de seus jovens e que, na preocupação de manter o segredo e combater o álcool entre os filhos, pode conseguir justamente um resultado paradoxal: a realização da profecia tão temida!

A repetição dos modelos familiares e as profecias autocumpridas muitas vezes caminham em paralelo. Em famílias nas quais, por exemplo, o suicídio aparece como padrão de resolução de conflitos, existe toda uma maneira especial de lidar com estresses. Na maioria das vezes isso não é discutido no grupo familiar e em alguns casos nem pensado. No entanto, o padrão está ali e em cada cabeça a profecia está presente (Cerveny, 2001).

Koestler (1954, citado por Cerveny, 2001, p. 46) afirma que:

> as relações de família pertencem a um plano onde as regras comuns de raciocínio e conduta não se aplicam. São um labirinto de tensões, ataques e reconciliações cuja lógica é autocontraditória: cuja ética provém de uma confortável selva, e cujos valores e critérios são distorcidos como o espaço curvo de um universo contido

> em si mesmo. É um universo saturado de recordações, mas recordações das quais não são extraídas lições: saturadas de um passado que não oferece orientação para o futuro. Pois, neste universo, depois de cada crise e reconciliação, o tempo sempre começa de novo, e a história sempre está no ano zero.

Quando pensamos no transgeracional como um sistema maior em que se dá a repetição, fica a questão sobre quais meios propiciam essa repetição ou "por meio de" quais circunstâncias ela aparece. Percebemos em nosso estudo que as gerações anteriores oferecem modelos de padrões interacionais violentos para as gerações subseqüentes por meios variados, dos quais destacamos a comunicação, os mitos, as regras, a hierarquia e as triangulações. Ao nos referirmos à comunicação como um instrumento que está a serviço da repetição de padrões interacionais, estamos lidando com as três áreas, embora a ênfase de nosso estudo esteja na pragmática, ou seja, na terceira área, já que a comunicação não só transmite informação, mas também define a relação.

Um dos conceitos mais importantes sobre a comunicação pode ser encontrado em Watzlawick, Beavin e Jackson (1973) e diz respeito à impossibilidade da "não-comunicação" ou de "não se poder não comunicar". Segundo esses autores, a atividade ou a inatividade, as palavras ou o silêncio, tudo possui um valor de mensagem e influencia os outros; e esses outros, que por sua vez não podem não responder a essas comunicações, estão, portanto, comunicando também. O grupo familiar se comunica por meio do espaço, do olhar, do silêncio, do movimento etc. Precisamos então pensar em comunicação como a transmissão formal por meio de canal, código, redundância, mas também em comunicação por meio do silêncio, do não-dito, dos mitos, das lealdades, dos segredos, principalmente quando lidamos com um grupo como a família que está "aperfeiçoando" seu sistema particular de comunicação através das gerações (Cerveny, 2001).

Cerveny (2001) considera regras familiares o conjunto de acordos implícitos e explícitos que é compartilhado e conhecido por um grupo familiar, que faz parte da história da família e se mantém por meio do uso. Um grupo familiar que tem um passado, que vive um presente, que tem regras que certamente passarão para o futuro.

Andolfi e Angelo (1987) colocam os mitos como estruturas móveis que se constroem e se modificam com o tempo. Para os autores, o mito familiar é um conjunto de leituras da realidade (em que coexistem elementos reais e elementos da fantasia), em parte "herdado" pela família de origem, em parte construído pela família atual, de acordo com suas necessidades emotivas.

Boszormenyi-Nagy e Spark (1983) acreditam que o mito familiar torna-se manifesto por meio do padrão de funcionamento ritualizado. Esses ritos formam um conjunto, uma espécie de todo, uma configuração relacional que se estrutura inconscientemente e que integra todos os membros da família. Para os autores, cada um desses ritos contribui para "equilibrar as contas familiares" a posição ou a "atitude exploratória" que se equilibra ou não por uma "atitude generosa".

O CASO MÔNICA[1]

Mônica tem 29 anos, é casada há dez com Wilson, com quem tem duas filhas: Isadora, de 5 anos, e Beatriz, de 1 ano e 3 meses. Reside em uma cidade-satélite do Distrito Federal e encontra-se desempregada desde o nascimento de sua segunda filha. A renda familiar é de aproximadamente R$ 700,00 e advém dos dois empregos do marido, que é guarda-noturno. Mônica foi atendida no Centro de Formação em Psicologia Aplicada da Universidade Católica de Brasília em março de 2002. Os dados foram levantados durante os dois encontros reservados para a triagem.

Mônica afirma que sempre desenvolveu um papel em sua família de origem que não era exatamente o de filha, mas o de empregada e babá dos irmãos. Apanhava muito da mãe "por qualquer motivo", teve problemas de aprendizagem na infância

1 Todos os nomes citados neste trabalho são fictícios.

e sempre era punida por seus erros, por motivos diversos, o que, segundo ela, afetou sua aprendizagem e seu desempenho escolar. Lembra que ao calçar os sapatos sempre trocava os pés e não conseguia amarrar o laço, o que enfurecia sua mãe, que batia em seus pés e mãos. Quando começou a ajudar a mãe nas tarefas domésticas, apanhava pela forma "masculina" com que torcia o pano de chão e por lavar os pratos antes dos talheres.

Aos 16 anos, como uma tentativa de sair de casa e mudar sua vida, casou-se com um homem bem mais velho e com uma vida financeira estável, mas que conhecia muito pouco, e, um ano depois, após diversas cenas de violência física por parte do marido, voltou para a casa dos pais, reassumindo o papel que sempre teve nessa família. Mônica afirma que esse primeiro marido (Rodrigo) presenciou algumas cenas em que ela apanhava da mãe e de um dos irmãos e que acabou repetindo isso depois que se casaram, afirmando, até mesmo, que: "Para não perder o costume e ficar obediente você tem que apanhar". Quando ela pediu a separação, o marido riu e disse que "ela só ia mudar de carrasco, pois ia continuar apanhando da mãe e sendo a empregada da casa". Voltou então para sua casa, recebendo muitas críticas, principalmente da mãe, que dizia que ela não "prestava" como filha, que não conseguiu "prestar" como mulher e que "ela nunca seria nada na vida". Retomou seus afazeres domésticos, mas nessa época arrumou um emprego em uma loja e por boa parte do dia não ficava em casa, o que diminuía seu sofrimento. Contudo, 90% do salário que ganhava era requisitado pela mãe, o que a revoltava, mas Mônica afirma que gostava de "doar" esse dinheiro, pois, nessa ocasião, o pai estava passando "um aperto financeiro" e nenhum dos irmãos ajudava financeiramente.

Três anos depois do primeiro casamento, conheceu Wilson, por quem se apaixonou perdidamente (*sic*) e, pressionada pela família, casou-se com ele sem conhecê-lo ou conhecer sua família de origem. Afirma que a pressão da família se deu pelo fato de todos saberem que eles estavam tendo relações íntimas e pelo fato de Mônica já ter tido um casamento anterior. A mãe dizia que ela não poderia "ficar trocando de homem", que era a "vergonha da família", além de dizer que "pelas leis de Deus o único casamento bem-visto e abençoado é o primeiro, e mesmo que ela se casasse novamente ela nunca teria o apoio de Deus".

Após seu casamento foi conhecendo o marido e os segredos da família dele. Afirma que Wilson já havia sido casado e que tinha um filho, mas sua ex-esposa havia morrido de forma trágica e muito "suspeita". Em festas de família ouvia de vizinhas da sogra que a primeira mulher de Wilson havia sido queimada por ele, e que ele se safou afirmando para a polícia que ela era louca e que havia ateado fogo no próprio corpo. Mônica afirma que passou a ter muito medo dele. Nessa época, o marido estava desempregado, e Mônica sustentava a casa, como fazia em sua família de origem.

O segredo que afirma ter descoberto foi a relação incestuosa entre a cunhada e o sogro, que durou anos com a cumplicidade da mãe e dos irmãos. A cunhada em questão "ficou meio louca" e teve dois filhos que ninguém sabe se são do próprio pai ou de outros homens, e não tem condições mentais (*sic*) de cuidar das crianças ou morar só, sendo então assumida pela mãe após a separação conjugal. Diz que todas as relações entre os membros dessa família "parecem ser incestuosas", inclusive entre os irmãos, e que acredita que "todos os filhos foram, de alguma maneira, abusados pelo pai". Após saber dessas histórias, começou a observar os comportamentos sexuais do marido e achou que ele era "meio compulsivo por sexo" e que tinha sonhos eróticos todas as noites, o que a incomodava muito, pois sempre acordava excitado e a obrigava a ter relações sexuais.

A primeira vivência violenta de Mônica nesse segundo casamento foi logo nos primeiros anos, quando estava grávida de sete meses de sua primeira filha. Após uma discussão, Wilson a espancou em várias partes do corpo (rosto, braços, pernas), só não batendo na barriga para não machucar a criança (*sic*). Depois do episódio, Wilson chorou muito e pediu que Mônica não contasse para ninguém sobre o ocorrido e que nada parecido se repetiria novamente. Quando perguntada por sua família a respeito dos hematomas, Mônica inventou uma história sobre um assalto em sua casa e que, ao reagir, o assaltante a espancara.

Fora esse fato, a primeira gravidez foi muito tranqüila e feliz. Mônica afirma que em poucos meses após o nascimento da filha a relação conjugal começou a piorar, pois Wilson começou a ficar extremamente ciumento (ciúme da filha com a esposa, da esposa com seus familiares, da esposa com os vizinhos etc.) e violento, só que, dessa vez, a violência não era física, mas emocional (*sic*). Na ocasião, Mônica tentou se separar, mas Wilson "fazia cenas" (*sic*) e ela sempre voltava atrás em sua decisão. Mônica descobriu que o marido estava tendo casos extraconjugais.

A segunda filha foi concebida nessa época de tribulações no relacionamento e tinha a finalidade de "amansar" os nervos de Wilson e melhorar o que estava errado no casal, mas a criança nunca foi aceita por ele. Mônica afirma que, ao contrário da primeira gravidez, a segunda foi um verdadeiro inferno e que sofreu com os abusos do marido e chorou todos os nove meses, pensando até que a criança fosse nascer com algum problema mental por causa da tristeza que sentia (*sic*). Nessa fase, procurou ajuda psicológica no Hospital Materno Infantil de Brasília, sendo feito atendimento individual e de casal.

O parto dessa segunda criança foi difícil; Mônica ficou mais de 48 horas internada e sozinha no hospital, pois o marido se recusara a ficar com ela. Não aceitou que a filha se parecesse com ela, e por muito tempo achou que a criança pudesse ter sido trocada na maternidade. Essa não aceitação da criança ocorreu também por parte do marido, que suspeita que a filha não seja dele, justamente por ela ser tão diferente da filha mais velha.

A aceitação da filha por Mônica foi se construindo ao longo dos meses, mas o sentimento de tristeza e angústia continuava o mesmo, principalmente a respeito das atitudes sádicas (*sic*) do marido. Mônica afirma que ele queria que ela ficasse louca, fazendo que sentisse dores, fazendo-a passar por diversas humilhações e deixando-a extremamente nervosa, além de falar para a família dela que a esposa estava meio estranha e que deveria procurar ajuda (*sic*).

Mônica afirma ter mantido essa posição passiva e sofredora diante dele por vários anos e que há alguns meses vem se rebelando (*sic*) contra essa situação e deseja se separar do marido. Está preparando o terreno para tomar a decisão final (procurando emprego, ajuda psicológica, apoiando-se em sua família) (*sic*). Afirma que com a terapia espera fortalecer-se, amar-se e construir uma vida nova.

Símbolos utilizados nos genogramas

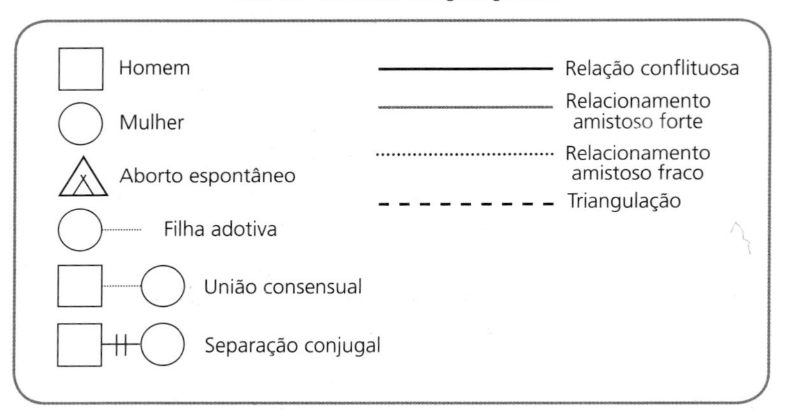

Figura 1 - Genograma da família de Wilson

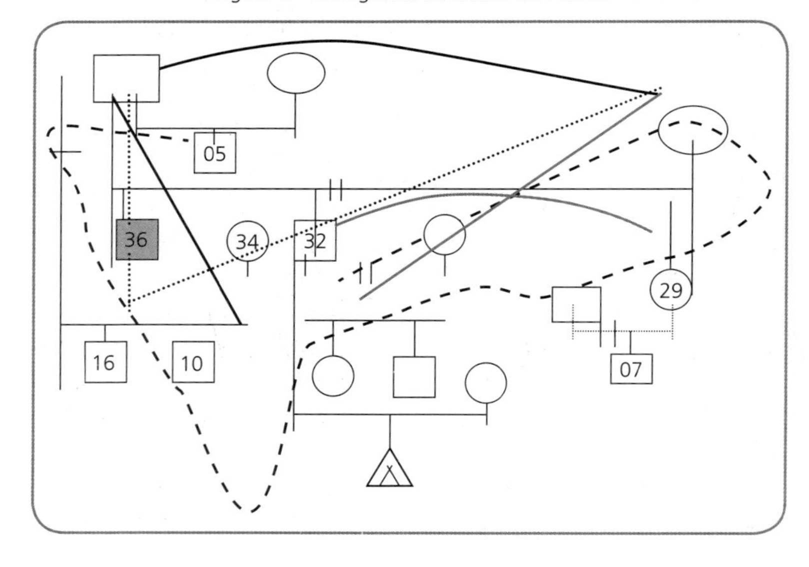

Figura 2 - Genograma da família atual de Mônica

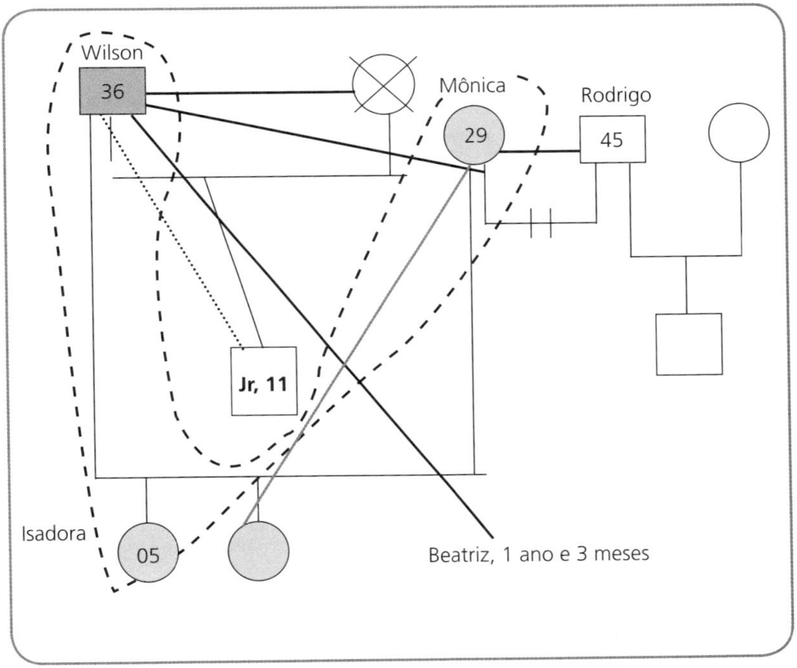

Figura 3 - Genograma da família de origem de Mônica

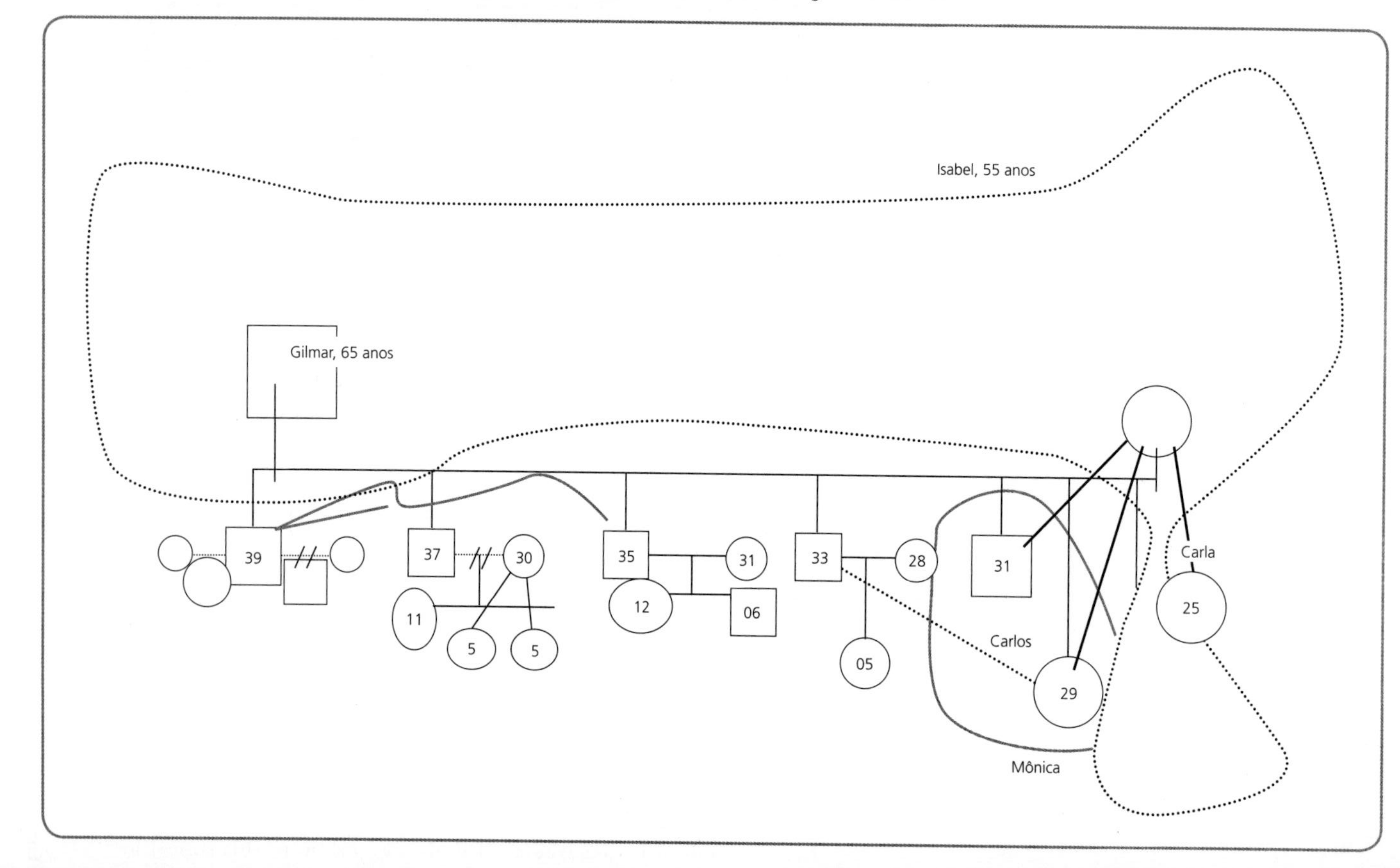

CENAS DE UM DRAMA FAMILIAR

Cena 1 – Relação mãe/filha/neta: sinais de repetição

Não tenho muitas lembranças boas da minha infância, pelo menos em relação à minha mãe. Meu pai vivia na fazenda, ou viajando a trabalho, e minha mãe é que era a responsável pela educação dos filhos. Ela seguiu o modelo da mãe dela, minha avó, que também teve muitos filhos e educou todos eles, sendo que o papel do meu avô era o de sustentar a casa. Meus pais só tinham filhos machos e principalmente meu pai queria muito uma menina. Mas ser menina não foi muito fácil, pois, na concepção da minha mãe, as mulheres têm de ser responsáveis pelos afazeres domésticos e logo que fiquei com idade para arrumar a casa a prioridade foi sempre essa. Eu e meu irmão, que nasceu em seguida, apanhamos muito, ao contrário de meus irmãos mais velhos e de minha irmã mais nova. O pior, na minha opinião, é que parecia que minha mãe tinha ciúme da minha relação com meu pai. Como ele ficava pouco em casa, nos dias em que ele estava, ele era muito afetuoso com todos os filhos, mas comigo ele tinha um carinho especial, e sempre dizia que eu era sua princesa e muitas vezes me protegia das pancadas da minha mãe. Quando casei pela primeira vez, minha mãe fez um escândalo, dizendo que o casamento não iria dar certo, que eu era uma vadia por estar tendo relações sexuais antes de casar e meu pai sempre se manteve em silêncio e isso pra mim foi a única forma que ele tinha de me apoiar.
Fui alertada por meu irmão Carlos de que eu estou repetindo com a minha filha mais velha o que a minha mãe nos fez. Estávamos todos na casa de meus pais e a Isadora estava se recusando a ir tomar banho e fez uma birra danada. Eu comecei a gritar com ela, arrastando-a para dentro do banheiro pelos cabelos e depois dei umas palmadas nela. Depois ela me deixou nervosa dizendo que não iria comer as verduras que estavam no prato e eu dei uns tabefes nela, obrigando-a a comer tudo e ir dormir sem assistir à novela que ela gosta. Pouco antes de dormir, meu irmão Carlos me perguntou se eu me lembrava de como havia sido a minha infância. Ele

disse que o mesmo olhar que ele via em nossa mãe quando nos batia ele estava vendo em mim ao bater na Isadora.

Tomei a decisão de não deixar as meninas com a minha mãe nos dias em que eu preciso ir ao Plano Piloto, pois minha mãe diz que sou incompetente como mulher, como mãe e como filha, as meninas eram exatamente como eu e estavam se tornando cada vez mais insuportáveis e cheias de manhas e birras e precisando de muito cinto no lombo. Nesse dia não consegui dormir e muitas lembranças me atormentaram e senti um medo tremendo das minhas filhas serem torturadas por ela nos dias em que eu preciso deixá-las aqui.

Fico impressionada com a semelhança entre a Isadora e o Wilson. Às vezes eu olho pra ela e só o fato de fisicamente ela se parecer com ele já me irrita. A Bia não, ela parece muito com minha irmã, é loira, delicada e, de certa forma, parece comigo. Apesar disso, ela dá trabalho com as doenças que sempre tem. Vira e mexe tenho que passar noites em hospitais com ela e o Wilson nunca nem revezou comigo, sempre inventando desculpas ou dizendo que é a mãe que tem que ficar com o filho doente. Bem que minha avó dizia que filha mulher não presta, só dá trabalho e desgosto, melhor é ter só filho homem. Eu me lasquei, pois só consegui gerar meninas.

Cena 2 – Casamentos fracassados: as profecias auto-realizadoras

Às vezes fico pensando se eu não deveria ter me esforçado mais e aceitado meu primeiro marido como ele era. Não sei te explicar, mas de alguma forma acho que Deus está me punindo por ter cometido o pecado do divórcio. Por mais que eu ache que o Wilson matou a primeira esposa, ele é viúvo e não divorciado, mas eu tenho um divórcio nas costas, que me compromete para o resto da vida em qualquer relação amorosa que eu queira estabelecer. O Wilson me fala isso, o padre fala isso na missa e minha mãe sempre falou, mas só agora isso começou a fazer sentido na minha cabeça. Aliás, minha mãe falou tanta coisa que realmente se concretizou. Acho que é o que no interior os matutos chamam de praga de mãe e os crentes chamam de maldição.

Minha avó dizia pra minha mãe que o melhor é ter muitos filhos homens, pois as filhas mulheres dão muito trabalho e só trazem frustrações. Eu tive problemas de aprendizagem na infância e minha mãe sempre dizia que eu nunca ia ser nada na vida, pois nem estudar eu não conseguia. Tive um casamento que deu em divórcio e esse outro que vai de mal a pior e minha mãe sempre dizia que eu não ia servir como esposa e que sempre teria algo para reclamar do casamento, do marido, da casa, dos filhos etc. Minhas filhas dão muito trabalho, cada uma do seu modo: a Bia nasceu com problemas e acho que será sempre uma criança meio doente e a Isadora tem um gênio forte e é muito rebelde, assim como a minha irmã Cláudia. O meu irmão Carlos foi o único que pode ser considerado uma exceção a essa regra, pois ele anda envolvido com drogas, mas eu acho que como ele também sofreu muito na infância a droga é uma forma que ele encontrou de esconder as lembranças ou afogar as mágoas. Eu queria encontrar uma forma mais saudável de estar fazendo isso, acho que talvez aqui eu encontre.

Voltar a estudar sei que não consigo, mas melhorar o relacionamento com o Wilson eu acho que sou capaz, apesar, é claro, das pragas da minha mãe e das que a religião impõe. Domingo eu fui a um encontro de casais na igreja e a pregação do padre era justamente sobre divórcio. O Wilson ficou me olhando durante toda a missa e ao voltarmos pra casa ele disse que talvez nosso casamento não estivesse indo bem por minha culpa, por causa do meu divórcio e que eu deveria procurar um padre, me confessar e descobrir se há uma forma de reverter a situação, de obter um perdão divino pelo pecado tão mortal que eu tinha cometido, pois ele não merecia ter um casamento fracassado por causa do pecado de outra pessoa. Na família dele todos são divorciados e ninguém conseguiu se casar novamente, ou melhor, ser feliz em um outro casamento. O único que ficou viúvo foi ele, mas como ele se casou com uma divorciada o casamento dele está afundando e até a louca da mãe dele acredita nisso. Digo louca porque ela agüentou as safadezas do marido e permitiu a safadeza maior que foi o pai bulir com a filha e por causa dessas coisas ela é meio estranha, parece aquelas velhas de filme de terror, cheia de pulseiras no braço, com maquiagem forte, um ar muito sombrio, voz rouca. Dizem que ela ficou assim depois do divórcio.

Cena 3 – Questões de sexualidade: o medo do abuso

É engraçado como a gente casa sem saber nada da família do outro e depois vai descobrindo coisas escabrosas. A cada dia que passa fico mais horrorizada com a relação dos irmãos do Wilson. Ele tem uma irmã que transpira sexualidade, só anda de *shortinhos* e mini-blusas, se você olhar parece que é uma prostituta e sempre está com um parceiro diferente, já fez não sei quantos abortos e tem um filho que o pai ganhou a guarda dele na Justiça. No final de semana, a mãe dele nos convidou para almoçar lá, e a muito contragosto eu fui. Chegando lá, essa irmã dele tava enrolada numa toalha, e nos recebeu desse jeito e depois se trancou no quarto com o irmão mais novo e ficou mais de meia hora lá dentro com ele. Achei superestranho e comentei com o Wilson, mas ele disse que sempre foi assim, que eles sempre tiveram intimidade e que irmãos fazem isso. Fiquei mais confusa ainda. Fazem isso o quê? Lembrei na hora da outra cunhada que é meio doida da cabeça e que todos sabem que sofreu abuso do pai durante anos e que embora ninguém tenha coragem de confirmar, sei que ela tem dois filhos do próprio pai. Hoje ela fica pelos cantos, às vezes responde alguma pergunta, mas não é capaz de fazer nada por conta própria.

O meu medo é que o Wilson seja como o pai e que queira abusar de uma das meninas. A relação entre ele e a Isadora já me gera essa dúvida, pois vira-e-mexe ele a leva para os plantões, e sempre que brigamos em vez de ir dormir na sala ele vai para o quarto dela e se deita na cama com ela. Tenho até pesadelos sobre isso. Tenho tanto medo que isso aconteça. O medo de certa forma anda virando atitude, pois não estou permitindo que ele durma na cama dela e ando até fazendo escândalos por causa disso. Não permito nem que ele saia sozinho com ela. A mãe dele permitiu que uma merda dessas acontecesse, mas eu não vou permitir. Posso não ter forças

para me defender, mas pelas meninas eu viro uma onça! Nem que eu tenha que fazer uma besteira!
O que pra mim é mais estranho na família dele é a intimidade que eles têm. Lá em casa isso nunca aconteceu. Minha mãe não permitia nem que entrássemos no quarto dos meninos. Eu uma vez tava espremendo uma espinha nas costas do Carlos e ela viu e me deu uma surra de cabo de vassoura. Eu nunca permiti que um irmão meu me visse de camisola, quanto mais enrolada numa toalha ou nua. Se algum irmão meu me visita e eu estou de *short* ou com uma roupa inadequada, antes de abrir a porta me visto decentemente. Tento passar isso pras meninas e explico pra elas que só a mamãe e alguma titia que estiver cuidando delas é que podem lavar ou encostar no bumbum e na perereca delas e que mais ninguém. Ensino também a se portarem como mocinhas, não sentarem de perna aberta, não falar palavrão, e essas coisas de menina. Tenho muito medo de abuso sexual, pois parece que isso tá na moda agora, é só o que aparece no jornal e pra completar a preocupação eu posso ter um abusador dentro de casa.
Já conversei com as ex-mulheres do irmão do Wilson e o casamento delas terminou por dois motivos: a violência deles e a relação estranha que eles mantinham com as irmãs. Uma delas me contou que o marido passava o final de semana na casa da mãe e que dormia na cama com a irmã, tomava banho com ela e quando voltava pra casa não queria ter relações sexuais com a esposa. Isso é muito estranho. Ainda bem que o Wilson vai pouco naquela casa, e quando vai está comigo. Agora, a atitude do Wilson quando fica nervoso é exatamente igual à do irmão, até as coisas baixas que esse fala. Quando a ex-mulher do irmão dele tava me contando as coisas, parecia que ela estava falando do Wilson.

Cena 4 – Entre tapas e beijos: relação conjugal

O Wilson é uma pessoa muito estranha, cheia de segredos e silêncios e muitas vezes se irrita e fica meio violento. A profissão às vezes sobe à cabeça dele e ele quer ser tão macho em casa quanto ele deve ser no serviço. Ele é tão cara-de-pau, que uma vez ele tinha acabado de me dar um murro e o telefone tocou. Ele correu pra atender e era meu pai. Ele disse que eu tava dormindo e que estava tudo bem em casa. Eu tentei gritar e agarrar o telefone, mas ele me empurrou contra a parede e eu bati a cabeça. Fiquei meio zonza e quando ele desligou o telefone ele me disse que eu era louca e ninguém ia acreditar que ele me batia. Ele então entrou no banheiro e eu corri para a esquina da rua aos prantos e liguei pro meu pai de um orelhão. Contei tudo e meu pai falou pra eu pegar as meninas e ir pra casa dele, mas não tinha forças pra fazer isso, nunca tive! Acho que eu só queria contar para alguém o que estava acontecendo em vez de sofrer sozinha.

Quando nos conhecemos foi uma coisa meio mágica, mas não pro lado do amor, mas pro lado do sexo. Só de sentir o cheiro dele eu me acendia e com ele acontecia a mesma coisa. Parecíamos dois animais e essa coisa louca foi que fez a gente decidir ficar juntos. Eu queria ter conhecido melhor a pessoa que ele era, mas por pressão da minha mãe, que já não me queria dentro de casa, acabamos por casar e ir morar na chácara do meu pai no entorno. As primeiras semanas foram ótimas, mas aí, o fato dele estar desempregado começou a pesar na balança e ele começou a me tratar mal. Não era me bater, mas era falar coisas desagradáveis e me tratar como uma prostituta na cama. Comecei a me sentir usada e muito pouco amada, mas nunca tive coragem de estar verbalizando esse sentimento. Meu pai ia lá todo mês, e passava o final de semana com a gente e era incrível como na frente do meu pai o Wilson se transformava, me tratava bem, passava a mão no meu cabelo, se oferecia para lavar a louça, parecia outra pessoa, era como se ele estivesse com uma nova identidade. Ele começou também a beber, e o cheiro de álcool me incomodava e toda vez que ele bebia ele tentava ter sexo comigo, principalmente oral e eu odiava, mas acabava cedendo por medo que ele acabasse partindo para a violência. O sexo, que antes nos uniu, agora já não era tão maravilhoso assim, e muitas vezes eu só conseguia sentir nojo. Ele só me bateu realmente quando eu tava grávida da Isadora e aí foi pra valer e me fez lembrar muito da minha vida na casa da minha mãe e do meu primeiro marido. Neste dia, vi que a coisa deveria ser comigo, pois sempre apanhava em qualquer relacionamento e vi que cabia a mim estar evitando a todo custo irritar o Wilson, para que ele nunca mais me batesse.

Eu sei que ele é meio mulherengo e que deve ter outras na rua, por isso sempre que ele me procura, se não tem preservativo em casa eu me recuso a transar com ele. Aliás essa desculpa já me salvou de boas! Muitas vezes ele tá de folga e fica tomando uma cervejinha na cozinha, esperando as meninas dormirem pra ir me procurar. Eu às vezes até acordo a Bia, que ainda dorme no meu quarto, quando eu sinto que ele está se aproximando. Aí ele resmunga e volta pra cozinha. De madrugada ele volta e tenta me penetrar à força. Às vezes eu deixo, às vezes eu dou uma desculpa. Teve uma vez que eu até fiz uma oração daquelas bem fervorosas, pedindo pra Deus tirar o demônio do corpo dele. Ele ficou furioso e me jogou na cama pelos cabelos, me colocou de quatro e fez o serviço. Eu continuei orando e quando ele terminou ele começou a me xingar e foi tomar um banho. Nessa semana, ele ficou três dias sem falar comigo, só olhava e resmungava. Como a Isadora tava começando a perceber que a gente tava brigado eu resolvi fazer uma comida nordestina que ele gosta muito e fiz um jantar bem legal pra ele. Me dei de sobremesa espontaneamente e ficamos sem brigar o resto da semana. Fiz pelas meninas, que não devem ter como modelo de casal duas pessoas que só brigam e viram a cara uma pra outra, tá bom, não vou mentir, adorei a situação de ter vencido um *round* e resolvi dar o braço a torcer pois tava a fim de transar. Resumindo, nossas brigas acontecem, muitas vezes, por causa de sexo, mas só fazemos as pazes na cama.

A primeira vez que falei em separação ele me deu um murro, me jogou no chão e disse que nunca iria deixar que eu fosse embora. Disse que eu ainda estava muito nova e bonita e que só me largaria quando eu estivesse cheia de muxibas. Fiquei enfurecida com ele e parti pra cima dele, gritando e dizendo que eu não o queria dentro de casa, que a casa era minha e que eu não tinha medo dele. Ele então me agarrou por trás, me imobilizou e disse bem baixinho no meu ouvido que se eu o largasse ele me mataria de uma forma bem dolorosa e que ninguém ia saber que tinha sido ele. Fiquei em pânico, senti minhas pernas paralisarem e quando ele me soltou eu simplesmente caí no chão. Fiquei com tanto medo que até me mijei toda. Depois disso, passei várias noites com um olho aberto e outro fechado, morta de medo de que ele realmente fizesse alguma coisa. As outras vezes que falei em separação já me sentia mais forte e estava preparada para denunciá-lo pelas ameaças, mas ele agiu de forma diferente. Agarrava na minha perna de joelhos e chorava, chorava. Ficava chorando até altas horas da madrugada, me pedia perdão, dizia que ia melhorar, que nunca mais iria me bater ou brigar comigo e até que procuraria uma ajuda psicológica. Essa nova forma dele lidar com a notícia de separação me amoleceu e eu acabava cedendo, e no dia seguinte ambos se comportavam como se nada tivesse acontecido.

DISCUSSÃO E CONSIDERAÇÕES FINAIS

Um aspecto abordado nas pesquisas sobre violência, abuso e negligência dentro da família é a ocorrência de violência nas famílias de origem, em que o abuso contribui para a perpetuação de um padrão de comportamento abusivo nas gerações seguintes (Aloísio, 2002; Bowen, 1978; Green, Graines e Sandgrund, 1974; Ribeiro *et al.*, 2001; Widom, 1989). No presente estudo foi possível observar a referência a conhecimentos e vivências aprendidos com uma geração anterior, para explicar comportamentos/relacionamentos violentos na família atual.

A comunicação foi outro aspecto observado neste estudo de caso. De acordo com os autores citados no referencial teórico (Cerveny, 2001; Watzlawick, Beavin e Jackson, 1973), a comunicação familiar deve ser clara, com direcionalidade e carga emocional adequadas, devendo existir congruência entre os níveis verbal e não-verbal. Haley (1976) afirma que não só as palavras têm significado, mas todo comportamento interacional. Observamos uma comunicação desqualificadora, de não reconhecimento do outro como tendo valor e qualidades e, em algumas ocasiões, até de negação da identidade do outro. Na família de Mônica esse aspecto pode ser visto mais claramente, em razão da maior quantidade de dados colhidos. Sua mãe a desqualifica, mesmo depois de adulta, com afirmações do tipo: "você não presta como filha e não conseguiu prestar como mulher", "você é a vergonha da família", "você é uma vadia", "nunca vai ser nada na vida", "é incompetente como mãe, não consegue nem calar a boca de uma criança", ocorrendo o mesmo com seu marido, que afirma: "você não serve nem pra fazer dinheiro", "o casamento não vai bem por sua culpa". Ribeiro *et al.* (2001), em um estudo sobre violência familiar, também observaram o uso de adjetivos negativos em todas as famílias onde há violência física e psicológica.

As desqualificações, segundo Watzlawick, Beavin e Jackson (1973), são formas de comunicar que invalidam a própria comunicação ou a do outro. Para os autores, em toda comunicação os participantes oferecem-se mutuamente definições de suas relações que, quando estabilizadas, transformam-se em regras da relação. Pode-se pensar, no caso da família estudada, que o tratamento com xingamentos e desqualificações tornou-se uma regra nas relações, cristalizando-se como comportamento e comunicação familiares.

Para autores como Shrader e Sagot (1998), o uso desses termos pejorativos pode ser considerado como violência psicológica. Mônica, por sua vez, desqualifica a filha mais velha, não a aceitando pelo fato de ser parecida com o pai. Na família de Mônica foi observada também uma desqualificação da figura feminina, passada claramente por sua avó materna que afirmava que "melhor é ter muitos filhos homens, pois as filhas mulheres dão muito trabalho e só trazem frustrações". O lugar da mulher, nessa família, também é demarcado pelas mulheres mais velhas, ao afirmarem que "lugar de mulher é na cozinha, cuidando de filho e afazeres domésticos".

Com relação aos conceitos-chave da teoria da transgeracionalidade de Boszormenyi-Nagy e Spark (1983), podemos observar alguns elementos na família estudada. O primeiro conceito dessa teoria é o de "lealdade e Justiça familial". No caso da família de Mônica, em que as mulheres têm um papel definido dentro do sistema, esta se encaixa perfeitamente no modelo (mulher submissa, que fica em casa cuidando de afazeres domésticos, responsável pelas crianças etc.) até se divorciar do primeiro marido. A partir daí, já não faz mais jus ao que lhe foi transmitido e está fadada a uma infelicidade em qualquer relacionamento que estabeleça. Dentro da lógica das "lealdades invisíveis", Mônica, em vez de romper com esse modelo que lhe traz tanto sofrimento, deverá cuidar para que suas filhas, também mulheres e pertencentes a esse sistema, não cometam seu erro e façam Justiça ao que lhes foi transmitido, fazendo também que o erro da mãe seja "perdoado" e que já não haja mais dívidas da mãe no "grande livro de contas da família". As meninas também deverão transmitir tal conhecimento para as mulheres que venham a gerar e, assim, manter o ciclo de regras e mitos que as cerca. Podemos dizer que a grande lealdade de Mônica perante sua família é a de perpetuar o modelo de esposa, mãe, mulher e filha que lhe foi transmitido.

Outro conceito que pode ser observado é o de "parentificação". Se a maneira de estar quite com as dívidas familiares é devolver aos filhos o que se recebeu dos pais, a família está sendo bem-sucedida, uma vez que há o relato de que "aprenderam coisas", "foram educados" e "foram criados" à base de muitas palmadas. Estão devolvendo aos filhos aquilo que lhes foi transmitido por seus pais, e provavelmente seus filhos, tendo-os como modelos, transmitirão a mesma herança para as futuras gerações.

Outro aspecto da parentificação é a inversão dos valores, ou seja, uma situação em que os filhos, ainda com pouca idade, tornam-se pais de seus pais, assumindo papéis que não são deles (Schützenberger, 1997). Pode-se observar, na família estudada, um desequilíbrio relacional significativo trazido por Mônica quando afirma que seu papel na família de origem não era o de filha, mas o de empregada e babá dos irmãos. No caso de não aceitação desse papel, Mônica era punida com violência física e desqualificação verbal, e quando arrumou um emprego, a situação não mudou, uma vez que, para permanecer em casa, ela teve de "pagar uma pensão". Tais questões nos remetem aos papéis e às regras familiares, onde se observa que certas funções, que seriam dos pais, são delegadas aos filhos.

Podemos observar também as triangulações nessa família. Mônica, quando briga com o marido, passou a notar que ele ia dormir no quarto da filha, que foi identificada como a "preferida pelo pai", "a mais parecida com ele, até na forma de irritar a mãe". Isso nos remete a Nichols e Schwartz (1998), quando afirmam que os relacionamentos entre as pessoas estão submetidos a ciclos de proximidade e distanciamento e é no distanciamento que há maior probabilidade dos triângulos se desenvolverem. No distanciamento emocional entre o casal, o pai "se apega" ou se aproxima da filha, de uma forma até compensatória em relação à desunião com a esposa.

Whitaker e Bumberry (1990) chamam a atenção para o problema da hierarquia na triangulação pais/filho. Segundo esses autores, sempre que o filho é colocado na triangulação, ele sobe na hierarquia e divide o poder com o pai e a mãe. Neste caso específico, a filha de Mônica não só sobe na hierarquia, como aparenta assumir o lugar da mãe em momentos específicos de crise. Mônica também fazia parte de uma triangulação mãe/pai/filha em sua família de origem, pois, segundo ela, o pai sempre a protegia das agressões da mãe. O pai, quando presente na relação, era sempre carinhoso e "defensor dos filhos".

Williams-Meyer e Finkelhor (1992) estudaram pais incestuosos e, baseados em dados de pesquisa, verificaram que 9% dos pais relataram que a única razão para abusarem de suas filhas era a retaliação contra suas esposas. Vários deles reportaram que não sentiam nenhuma atração pelas filhas ou por outras meninas. Nesse caso, concluem os autores, a criança é coisificada, servindo apenas como objeto intermediário na briga conjugal, o que coloca a relação pai–filha como algo secundário. McCloskey, Figueiredo e Koss (1995) afirmam que o abuso da esposa parece estar ligado ao abuso sexual da criança, o que sugere que a violência contra a mãe é um fator de risco para o incesto.

Os mitos também aparecem como heranças transgeracionais, propiciando um terreno fértil para o uso de violência nas relações familiares. Mônica acredita que "deveria ter aceitado o primeiro marido do jeito que ele era", pois um segundo casamento "não é bem-visto aos olhos de Deus". Claramente o mito foi transmitido por sua mãe, que constantemente a relembra de seu erro e profetiza que seu "casamento não será feliz".

Para Neuburger (1999), a família pode ser vista como um grupo, e pertencer a um grupo é demonstrar uma crença em seus mitos e participar de seus rituais. O pertencimento exige mais que palavras; assegura à pessoa fiel ao grupo uma forma de proteção, em virtude de seu pertencimento. Caso contrário, se a pessoa não for fiel, o grupo vira-se contra ela, podendo acarretar fenômenos de violência, principalmente se ela quiser se separar desse grupo. Mônica convive e perpetua diversos mitos: o da boa esposa, o da boa mãe, o da boa filha e o do casamento eterno, o que traz sofrimento e revolta, à medida que ela não consegue satisfazer a expectativa de seus pares; sempre que tenta se "livrar destes mitos" e estabelecer uma nova forma de relação ou pensamento sobre tais assuntos, o grupo (representado pela mãe e/ou pelo marido) se comporta de modo violento, como uma forma de "trazê-la de volta ao seio familiar".

Na história de Mônica, chama nossa atenção a relação violenta que se estabelece entre ela e o marido e a dependência estabelecida entre o sistema conjugal que a fazia sempre voltar atrás na decisão de se separar do marido. Por que Mônica não consegue se separar do marido? Na reflexão sobre essa questão, diversos autores explicam, cada um a sua maneira, e pode ser verificado em diversas pesquisas na área (Saffiotti, 1999; Neuburger, 1999), o mesmo comportamento de Mônica na maior parte das mulheres que sofrem violência por parte de seus cônjuges.

Saffiotti (1999) afirma que a violência intrafamiliar ocorre numa relação afetiva cuja ruptura demanda, normalmente, intervenção externa. Segundo a autora, raramente uma mulher consegue desvincular-se de um homem violento sem um auxílio externo, isso porque há sempre uma trajetória oscilante, com movimentos de saída da relação e retorno a ela. Em geral, as mulheres, especialmente quando são vítimas de violência, recebem tratamento de não-sujeitos, ou seja, elas apenas cedem, mas não consentem com a atitude violenta de seus cônjuges; é como uma relação de patrão–empregado, em que este último não consente com as condições do contrato, até mesmo no que se refere ao salário, mas cede, em virtude da necessidade. A autora afirma ainda que, nesse contexto, pode-se utilizar a noção de co-dependência para definir o comportamento dessas mulheres. Saffiotti (1999) observa que:

> sem dúvida mulheres que suportam violência de seus companheiros, durante anos a fio, são co-dependentes da compulsão do macho e o relacionamento de ambos é fixado, na medida em que se torna necessário. Neste sentido, é a própria violência, inseparável da relação, que é necessária. (p. 87)

A autora afirma, ainda, que na violência conjugal há uma questão de múltiplas dependências que impedem que a mulher saia da relação: a) falta de autonomia e pertencimento a grupos dominantes; b) homem como único provedor domiciliar; c) pressão da família extensa, dos amigos, da Igreja etc., visando à preservação da "sagrada família"; e d) ameaças de morte ou de novas agressões. Se verificarmos a história de Mônica, podemos constatar a presença desses fatores, o que, de certa forma, nos ajuda a entender o fenômeno em questão.

Um aspecto positivo para este caso é a participação em algum tipo de tratamento/orientação, pois, segundo autores como Hunter e Kiltrom (1979), Goode (1971), Ribeiro *et al.* (2001) e Aloísio (2002), a repetição e a transmissão da violência de uma geração à outra são mais prováveis quando a família não recebe apoio psicológico. Assim, podemos supor que o fato de Mônica ter a oportunidade de falar, lembrar e discutir sobre suas experiências nas famílias de origem e atual, de refletir sobre aspectos relacionais/comportamentais que se repetem e têm gerado um ciclo de violência em suas vidas há várias gerações, é um passo importante para ajudá-la a perceber essas experiências de forma diferente e, conseqüentemente, deixar de repeti-las.

A revisão da literatura nos mostra que a violência intrafamiliar não é um problema novo, mas uma prática utilizada desde o começo da humanidade. Esse tipo de violência, que foi durante muito tempo camuflada, justificada segundo a concepção filosófico-educacional vigente ou trancada e silenciada pelos muros privados, hoje sai de sua redoma e chega a nosso conhecimento por manchetes de jornais, relatórios policiais, programas televisivos, cinema, teatro e até mesmo quando o muro ou a parede de um vizinho denuncia que algo não vai bem naquela família.

A teoria transgeracional e conceitos como os de lealdade invisível e Justiça familial, de contabilidade das dívidas e dos méritos, possibilitam vislumbrar novos horizontes no estudo da violência intrafamiliar, no intuito de clarear como a violência é transmitida pelo grupo familiar entre as gerações e seu sentido em relação ao acerto de contas de seus membros, no que diz respeito ao equilíbrio da balança entre o crédito e o débito de cada um dos integrantes do sistema.

Para finalizar, gostaríamos de trazer outra reflexão, mais pessoal. Concordamos com Aloísio (2002, P. 25), quando afirma que:

> Família e violência são temáticas amplas, inesgotáveis, interpretadas em diversas linguagens e absolutamente distintas. Atingem-nos em nossa constituição e complexidade humanas da mesma forma que obscurece, desvela-nos, em nosso eterno dualismo: somos, de um lado, criaturas que possuem possibilidades de amar e ser amados e, de outro, criaturas que, se não estão com suas necessidades preenchidas, tornam-se violentas e capazes de destruir a si mesma e ao próximo. (p. 25)

Estudos e intervenções no âmbito familiar, em especial sobre temáticas que abranjam violência e transgeracionalidade, propiciam ao pesquisador não só conhecimento teórico-científico, mas possibilidade de aprofundar-se em suas próprias questões e desvelar a história, os mitos, as heranças, as dívidas, os méritos, as lealdades e os erros de sua própria família.

REFERÊNCIAS BIBLIOGRÁFICAS

ALOÍSIO, T. M. F. *Violência intrafamiliar: estudo dos padrões intergeracionais de relacionamento*. Dissertação (Mestrado em Psicologia) – Universidade Católica de Brasília, Brasília, 2002.

ANDOLFI, M.; ANGELO, C. *Tempo e mito em psicoterapia* familiar. Trad. F. Desidério. Porto Alegre: Artmed, 1987.

BOSZORMENYI-NAGY, I.; FRAMO, J. L. *Intensive family therapy: theoretical and practical aspects.* Nova York: Harper & Row, 1965.

BOSZORMENYI-NAGY, I.; SPARK, G. *Invisible loyalties*. Nova York: Harper & Row, 1983.

BOWEN, M. Family therapy in clinical practice. Nova York: Jason Aronson, 1978.

CERVENY, C. M. O. *A família como modelo – Desconstruindo a patologia*. São Paulo: Livro Pleno, 2001.

CUKIER, R. *Sobrevivência emocional: as feridas da infância revividas no drama adulto*. São Paulo: Ágora, 1998.

DE ANTONI, C.; MESQUITA, J.; KOLLER, S. H. "Perfil de meninas maltratadas: levantamento de dados em uma casa de passagem". In: SOCIEDADE BRASILEIRA DE PSICOLOGIA DO DESENVOLVIMENTO (org.). *Anais do II Congresso de Psicologia do Desenvolvimento*. Gramado: SBPD, 1998, p. 46.

ELKAÏM, M. *Se você me ama, não me ame – Abordagem sistêmica em psicoterapia familiar e conjugal*. Trad. N. Silva Jr. Campinas: Papirus, 1989.

FAHLBERG, V. R. "Fatores que influenciam o risco de violência doméstica". Rio de Janeiro: PUC (publicação interna, n. 1), 1996, p. 47-61.

FARINATTI, F. A.; BIAZUS, D. B.; LEITE, M. B. *Pediatria social: a criança maltratada*. São Paulo: Medsi, 1993.

GOODE, W. J. "Force and violence in the family". *Journal of Marriage and Family*, 33, 1971, p. 624-36.

GREEN, A. H.; GRAINES, R. W.; SANDGRUND, A. S. "Child abuse: pathological syndrome of family interaction". *American Journal of Psychiatry*, 131(8), 1974, p. 882-6.

HALEY, J. *Psicoterapia familiar*. Trad. L. R. Marzagão. Belo Horizonte: Interlivros, 1976.

HUNTER, R. S.; KILTROM, N. "Breaking the cycle in abusive families". *American Journal of Psychiatry*, 136(10), 1979, p.1.320-22.

KOLLER, S. H. "Violência doméstica: uma visão ecológica". In: AMENCAR, (org.). *Violência doméstica.* Brasília: Unicef, 1999, p. 32-42.

MACEDO, R. M. S. "O jovem na família". Trabalho apresentado no 3º Simpósio Brasileiro de Pesquisa e Intercâmbio Científico da Anpepp, Águas de São Pedro, 1990, publicado nos *Anais*.

MADANES, C. *Strategic family therapy*. San Francisco: Jossey-Bay,◦1981.

MCCLOSKEY, L. A; FIGUEIREDO, A. J.; KOSS, M. P. "The effects of systems family violence children's mental health". *Child Development*, 66, 1995, p. 1.239-61.

MCGOLDRICK, M.; GERSON, R. *Genograms in family assessment.* Nova York: Norton & Company, 1985.

MINUCHIN, S. (1980). *Famílias – Funcionamento e tratamento*. Trad. J. A. Cunha. Porto Alegre: Artmed, 1982.

NEUBURGER, R. (1995). *O mito familiar*. Trad. S. Rangel. São Paulo: Summus, 1999.

NICHOLS, M. P.; SCHWARTZ, R. C. (1995). *Terapia familiar – Conceitos e métodos*. Trad. M. F. Lopes. Porto Alegre: Artmed, 1998.

RAMIRES, V. R. *O exercício da paternidade hoje*. Rio de Janeiro: Rosa dos Tempos, 1997.

RIBEIRO, M.A. *et al. A violência intrafamiliar e suas conseqüências para o desenvolvimento de crianças e adolescentes*. Relatório de pesquisa patrocinado pela Pró-Reitoria de Graduação e Pesquisa da Universidade Católica de Brasília, 2001.

SAFFIOTTI, H. I. B. "Já se mete a colher em briga de marido e mulher". *São Paulo em Perspectiva*, 13(4), 1999, p. 68-89.

SATIR, V. *Peoplemaking*. Palo Alto: Science and Behavior Books, 1972.

______. (1967). *Terapia do grupo familiar.* Trad. A. Nolli. Rio de Janeiro: Francisco Alves, 1988.

SCHNITMAN, D. F. (org.) (1994). *Novos paradigmas, cultura e subjetividade*. Trad. J. H. Rodrigues. Porto Alegre: Artmed, 1996.

SCHÜTZENBERGER, A. A. *Meus antepassados*. Trad. J. M. C. Villar. São Paulo: Paulus, 1997.

SHRADER, E.; SAGOT, M. *Violência intrafamiliar*. Organización Panamericana de la Salud, 1998.

SLUZKI, C. (1994). "Violência familiar e violência política: implicações terapêuticas de um modelo geral". In: SCHNITMAN, D. F. (org.). *Novos paradigmas, cultura e subjetividade*. Trad. J. H. Rodrigues. Porto Alegre: Artmed, 1996, p. 228-43.

UMBARGER, C. *Structural family therapy.* Nova York: Grune & Stratton, 1983.

WATZLAWICK, P.; BEAVIN, J.; JACKSON, D. (1967). *Pragmática da comunicação humana*. Trad. A. Cabral. São Paulo: Cultrix, 1973.

WEBER, L. D. *Laços de ternura – Pesquisas e histórias de adoção*. Curitiba: Juruá, 1999.

WHITAKER, C.; BUMBERRY, C. (1988). *Dançando com a família*. Trad. R. E. Starosta. Porto Alegre: Artmed, 1990.

WIDOM, C. S. "The cycle of violence". *Science*, 244, 1989, p. 160-6.

WILLIAMS-MEYER, L.; FINKELHOR, D. *The characteristics of incestuous fathers*. Washington: Report to the National Center on Child Abuse and Neglect, 1992.

14

AMPLIANDO GENOGRAMAS NUM ABRIGO: OS RECURSOS DAS FAMÍLIAS FUNCIONAIS

ANTONIA LUCIA RIBEIRO FREITAS

"[...] saibamos ou não, queiramos ou não, uma 'lealdade' invisível nos impele a repetir [...]"

ANNE ANCELIN SCHUTZENBERGER, 1997

DE ONDE VIEMOS?

Este artigo discute a organização transgeracional de crianças abrigadas, na perspectiva de sua família biológica e de sua família social, e sua influência na construção do sujeito e na forma como ele desenvolverá seus papéis sociais e suas relações com outras pessoas. As formas de viver estão presentes no ciclo de vida familiar: nascer, crescer, adoecer, curar e morrer, sendo que, ao percorrer essas etapas da vida, haverá várias oportunidades para criar e recriar histórias. O cotidiano tem sofrido profundas mudanças decorrentes da velocidade das transformações ocorridas. A era da comunicação e da informática está isolando mais do que promovendo encontros. A influência desses fatores sobre o modo como as pessoas interagem tem sido determinante nas famílias, grupos e organizações.

Para viver em um abrigo, seja como pais sociais, seja como filhos ou abrigados, faz-se necessário que essas pessoas apresentem uma maior criatividade para sair da repetição, a fim de reescreverem suas histórias, diferentemente de seus ascendentes. Em um abrigo todas as histórias estão emaranhadas por esses sentimentos: perder, desaparecer, ser privado, deixado, deixar de ocupar, ser abandonado... Se ao menos fossem uma única vez, as repetições dos abandonos seriam menores, mas o sentimento de perda, para um abrigado, faz parte de seu dia-a-dia. Perde-se a mãe, o pai, os avós, os tios. Crianças e adolescentes perdem-se na rua, perdem suas histórias e até seu registro de nascimento, vão para um abrigo em busca de continuidade e suas perdas continuam. Os pais sociais, os padrinhos, os "irmãos" sociais, os colegas e, até mesmo, os voluntários vêm e vão. Logo também se vão os sonhos, as esperanças e as possibilidades, construindo, assim, inúmeras crises no ser humano, que vive seu desenvolvimento biopsicossocial e espiritual.

À medida que o trabalho de voluntária em um abrigo foi amadurecendo, surgiram as qustões: quem é esse abrigado? De onde ele veio? Como essa criança/adolescente, que necessita escolher um caminho para sua vida e não compreende nem quais vínculos foram os mais importantes, formará sua identidade? Quem de fato faz parte de sua história e quem escreveu com ela os significados de vida que possui? A que família pertence: biológica ou social (funcional)? Que família quer construir ou vai conseguir construir?

E, ao explorar suas histórias, ao verificar seu lugar na casa-lar, as influências da família de origem e das várias famílias sociais que já haviam passado na vida dessas crianças e adolescentes, pergunta-se também: como um abrigado constrói seu papel de filho? Como esses pais sociais acolherão todas as angústias de uma criança/adolescente em um abrigo, se eles próprios possuem tantas angústias, uma vez que as histórias de vida dos abrigados e de seus pais sociais são muito semelhantes, às vezes, complementares? Começar a compreender o ciclo de vida contido nessas histórias levou a investigar a ascendência familiar biológica e social, nesse intrincado relacional dos abrigados. A motivação sustenta-se ainda na observação das repetições de conflitos nas gerações seguintes e na crença existente em nossa cultura de que os laços biológicos são mais fortes, mais longos, permanentes e gloriosos, e que neles estão contidos todos os recursos para a sobrevivência. A vida em um abrigo coloca essas indagações em questão.

A CRIANÇA E O ADOLESCENTE ABRIGADOS E SUAS FAMÍLIAS BIOLÓGICA E SOCIAL

Ao nascermos, somos incorporados a um sistema no qual temos um lugar predeterminado que, junto com as expectativas familiares e mais tarde com as nossas próprias expectativas, estabelece um processo relacional que emergirá em cada situação vital à singularidade de cada um de nós. Consideramos que a família é um sistema essencial para o ser humano, em que o cuidado, o amor, a rivalidade, a inveja e as perdas são vividos intensamente. Então, como pensar numa relação que se inicia com o amor e vai incluindo outros sentimentos que danificam inevitavelmente as relações e marcam o ser humano de uma maneira impossível de superar? São assim as relações das crianças em um abrigo.

Boszormenyi-Nagy e Spark (1992) enfatizam que os clientes devem falar demoradamente de sua vida, porque "o alvo, a força da intervenção terapêutica seria o restabelecimento de uma ética das relações transgeracionais" (p. 26). Nessa visão, podemos afirmar que em um sistema familiar as funções psíquicas de um membro condicionam as funções psíquicas de outro membro. Isso significa que seguimos regras/padrões de funcionamento familiares.

Numa perspectiva da teoria sistêmica das relações familiares, Carter e McGoldrick (1995) citam Bowen (1976) como o pioneiro na utilização de genogramas, ao desenvolver a teoria de sistemas naturais, objetivando entender a vida das pessoas e famílias de acordo com processos universais. A perspectiva multigeracional permitiu ao autor desenvolver modelos mais breves e limitados a três gerações, focalizando a possibilidade de resgatar aspectos essenciais do *self* na relação com os familiares de origem e na importância da transmissão através das gerações seguintes.

Na mesma época, Collomb (1978), citado em Schutzenberger (1997), desenvolveu uma técnica chamada genossociograma, com base nas reflexões do criador do psicodrama, Jacob Moreno. Esse modelo associa a genealogia (árvore genealógica) ao sociograma (representação dos vínculos, das relações), criando um "genograma mais aprofundado" (p. 19), em que se comenta o genograma e se destacam, por setas sociométricas, as diferentes relações do sujeito. Essa representação é feita sobre dois séculos ou da sétima à nona geração.

Segundo Bowen (1976), os processos de individuação muitas vezes apresentam-se bloqueados por necessitarem de uma reestruturação das relações com o sistema familiar de origem. Atrevo-me a dizer que esse processo passa pelo contexto no qual o jovem se encontra. No caso presente, a família social (funcional) da criança que foi institucionalizada é que lhe possibilitará tal reestruturação em suas relações. Questionamos, também, se não há maior ou menor intensidade da transmissão da comunicação do estilo relacional, da presença do outro (todas as pessoas com as quais convivemos) dentro de nós. Acredito que o interpessoal se dá na construção de um passado, em suas origens e na história de seus pais e avós. O funcionamento da família e a relação existente entre seus elementos e a comunicação com seus conteúdos, culturas e histórias vão se estabelecendo nas inúmeras interações e influenciando o mundo interno do ser humano em desenvolvimento. Assim, a transmissão transgeracional e seus efeitos, por meio dos legados, valores, mitos, modos de funcionamento, passam por um plano intrapsíquico subjetivo, influenciando e sendo influenciado por outros sistemas da comunidade em que se vive. Os abrigados lutam para compreender suas histórias de vida, à procura de preencher as lacunas de conteúdos que desconhecem, seja para descobrir os motivos reais que os levaram a morar num abrigo, seja numa tentativa de resolver as confusões criadas pela falta de informações ou por informações incompletas e controvertidas. Portanto, eles necessitam de uma oportunidade para reformular suas histórias, fazendo conexões com sua situação atual e dando continuidade à história vivida com as famílias biológicas (se existirem) e a família social (funcional).

Crianças e adolescentes abrigados, nas várias mudanças que ocorrem em suas vidas, necessitam (re)elaborar suas identidades, para dar continuidade ao ciclo de vida, (res)significando suas histórias. Então, as informações referentes aos eventos de vida e a outros sistemas existentes na instituição permitirão o entendimento das forças e conexões das famílias sociais, como seu próprio sistema de apoio: a escola e suas primeiras experiências profissionais. O abrigo espera que todos ajam como se fossem "irmãos" na convivência com outros membros da família social, e o fato de terem de conviver com essa realidade – "como se isso fosse verdadeiro" – e com outros anseios os leva a experimentar um sentimento de sufocação. Para não perderem outras relações, cai-se no bordão "ruim com ele, pior sem ele". A transmissão de informações como essas pode desenvolver sintomas aparentemente desprovidos de todo sentido, tanto no campo da aprendizagem como no físico, em forma de transtornos psicossomáticos. Em suas vivências, poderão aprender e assimilar as questões desenvolvimentais de seus irmãos biológicos e sociais. Além disso, poderão comparar as reações dos membros das famílias de outras gerações às reações de sua própria família, servindo, assim, de ponte para as lacunas entre gerações de sua família de origem pelas várias vivências com as famílias sociais e com os amigos de sua rede social de apoio.

Essas crianças e adolescentes estão expostos a um verdadeiro paradoxo, entre as possíveis adoções, ações e sistemas judicial e institucional, quando há uma real possibilidade de sua saída (adoção, reintegração ou família substituta). Isso porque eles têm de, mais uma vez, enfrentar o angustiante rompimento dos laços afetivos existentes no abrigo. Esses laços foram construídos e destruídos durante anos, com várias idas e vindas de pais sociais, que propiciaram a (re)vivência do abandono original sofrido na ocasião do abrigamento.

Visando a contextualizar o enfoque sistêmico e as interconexões a que os abrigados estão vinculados, pode-se observar e sentir a intensa complexidade das relações numa instituição como essa, onde existem inúmeros subsistemas em interação: o abrigo com seus vários departamentos; a Vara da Infância e Juventude, a Promotoria da Infância e Juventude, a Secretaria de Ação Social, por meio do Centro de Desenvolvimento Social

(CDS), o Centro de Abrigamento e Reencontro (Cear), o SOS Criança e os conselhos tutelares; as ONGs, a Fundação Educacional, por meio de suas várias escolas-classes; a Secretaria de Saúde – por meio do Posto de Saúde da comunidade. Essas são algumas instituições com as quais o abrigo se relaciona.

Dentro dessa ótica, vemos que o uso do genograma, além de ser uma técnica, é "um utensílio institucional" (Schutzenberger, 1997, p. 112), que permite o mapeamento das relações que se estabelecem no abrigo e que representam as formas de interação da chamada "família social".

UM OLHAR SOBRE O CONTEXTO

A instituição em questão tem finalidade assistencial, sem fins lucrativos, com o objetivo de assegurar atendimento a crianças e adolescentes privados do apoio e da orientação dos pais ou responsáveis, por morte, abandono, vulnerabilidade da família ou impossibilidade circunstancial desta. A clientela abrange crianças e adolescentes de 2 a 18 anos, tolerando-se a permanência até 21 anos se a situação do abrigado assim o exigir. O regime é de abrigo (até setenta crianças e adolescentes), compreendido em casas-lares, sob a responsabilidade de pais sociais oriundos de classe socioeconômica baixa; e também de apoio socioeducativo em meio aberto (até 140 crianças), com creche, educação pré-escolar e apoio educativo, atendendo crianças de 2 a 14 anos, em complemento à ação da família, oferecendo condições para que os pais possam trabalhar fora de casa.

Embora precedesse à lei 8.069/1990 – Estatuto da Criança e do Adolescente (ECA) –, essa instituição não deixou de vivenciar desafios maiores, que são a transitoriedade das crianças e dos pais sociais e a convivência familiar e comunitária, organizadas em dez casas-lares, além da longa permanência de algumas crianças/adolescentes, que, às vezes, dura anos, levando à sua institucionalização.

O que temos visto nas últimas décadas é que as mudanças no contexto social induzem modificações no cotidiano da instituição. Dentro dessa visão, um abrigo, com toda a sua proteção, não deixa de receber e dar subsídios para esses intercâmbios existentes na organização de um macrossistema que é o Estado, a Justiça e a sociedade.

As tramas na vida de dezenas de pessoas que convivem numa mesma comunidade têm-nos revelado que mesmo imigrantes de várias localidades do país possuem histórias muito semelhantes e apresentam padrões de comportamento similares e repetitivos de suas gerações anteriores. O meio social solidário que envolve essa comunidade se comporta com as necessidades de pessoas generosas e/ou frustradoras, produzindo mais perdas, construindo mais carência e, muitas vezes, dificultando uma maior aceitação da diversidade real dos abrigados.

CONSTRUINDO GENOGRAMAS

A idéia de construir os genogramas das crianças e dos adolescentes abrigados surgiu da necessidade de consulta às suas pastas, em razão da expressão de muitas dúvidas sobre os abrigados, que apareciam nas várias reuniões realizadas com diretores e/ou técnicos. Para uma visão rápida da situação atual dos abrigados, a partir de 1997, mapeamos cada casa-lar, contemplando a configuração das famílias social e biológica ali inseridas.

Para cada casa-lar, foi construído um genograma, observando-se a ampliação de símbolos/significados e a alteração de dados pessoais a fim de não expor a criança/adolescente e salvaguardar os aspectos éticos. Na perspectiva tradicional, o genograma-padrão tem como objetivo revelar a estrutura da família nuclear (família biológica), ou seja, família de origem do sujeito. Procuramos, aqui, inserir um diferencial, contemplando também a genealogia da família social, buscando discutir as diferenças entre esses genogramas e os impasses que os abrigados vivem na tentativa de se identificarem com essa ou aquela história transgeracional. A seguir, apresento um caso ilustrativo a respeito das famílias biológicas e sociais (Figura 1).

Figura 1 - Exemplo de uma casa-lar com oito crianças e suas respectivas famílias biológicas (4)[1]

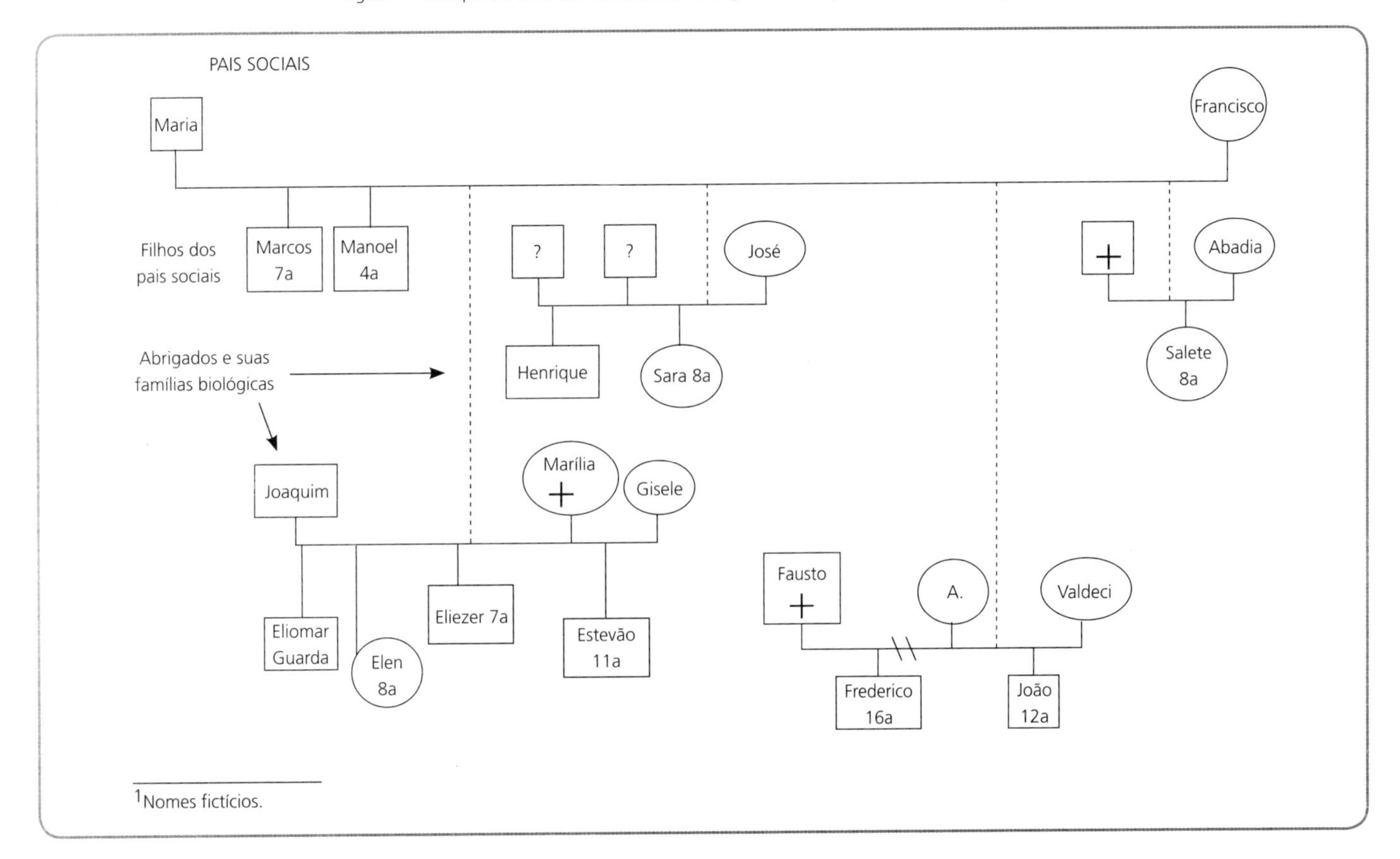

[1]Nomes fictícios.

A família biológica de José

José, 16 anos, cursa o 1º ano do Ensino Médio, já trabalha no Projeto "Primeiro Passo para o Trabalho", em um convênio entre o Banco do Brasil e a instituição. Mora no abrigo há oito anos. Seu pai Walter foi assassinado quando tinha 8 anos, tem um irmão mais novo, Alceu, que veio para o abrigo com ele, porém, não se adaptou e fugiu, voltando a morar na rua com a mãe. Sua genitora Joélia é aposentada por problemas de saúde e não reside em casa fixa, mudando constantemente de domicílio. Ela tem mais quatro filhos, maiores de idade (Samuel, Carlos, Adriana e Lucas), todos de pais desconhecidos, que já convivem maritalmente e têm filhos, cada um morando num local da periferia.

Olhando sua história de vida e observando as datas das visitas maternas, constatamos que elas foram bastante esporádicas. Sua irmã Adriana demonstrou interesse em ter a guarda de José. A instituição, visando à sua reintegração, iniciou recentemente um trabalho psicossocial com sua irmã. Para nossa surpresa, ele se revelou arredio a uma possibilidade de reintegração: "Se quiserem me mandar embora pode, mas eu não vou morar com minha irmã".

Construímos com ele o genograma de sua família biológica, que revelou ausência de vínculos afetivos e pouquíssimos conhecimentos sobre sua família extensa e irmãs, sendo que estão presentes apenas em seus projetos de vida quando relata o desejo de construir uma casa para a mãe e ajudar os irmãos. Enquanto narrava sua história, emocionava-se com a possibilidade de a instituição desligá-lo e/ou ter de sair ao completar 18 anos, antes de cursar a faculdade, que é seu grande sonho. Por outro lado, José não deseja de forma alguma morar com a mãe e/ou com os irmãos. Prefere trabalhar e alugar um lugar para morar e não se sentir longe do grupo de amigos do colégio, que são vizinhos à instituição, e também dos colegas do trabalho. Acredita que, se morar com a mãe, não terá muitas oportunidades: "Meu irmão que está com minha mãe não está fazendo nada" (Figura 2).

Figura 2 - Genograma da família biológica de José (*)

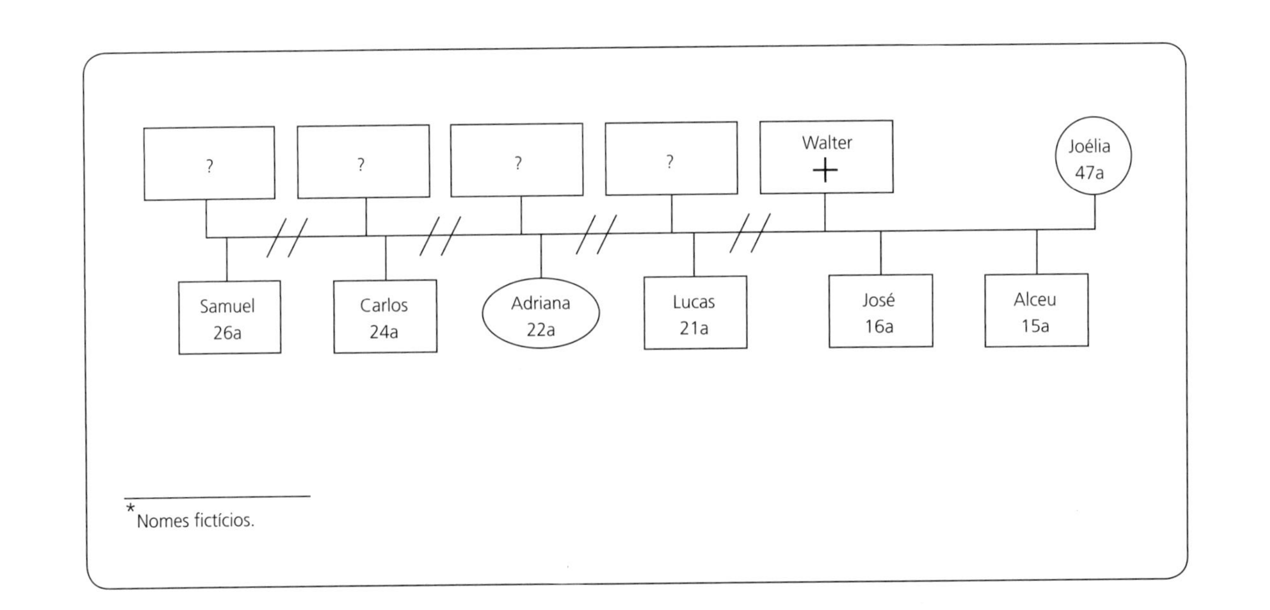

As famílias sociais de José

Durante o tempo de sua permanência no abrigo, José teve sete famílias sociais, entre as quais destacaremos aquela que, segundo ele, mais marcou sua estada no abrigo. A mãe social de José, Fátima, foi mãe solteira no Nordeste. Veio para Brasília com sua filha, onde se casou com Luiz, e teve dois filhos: Luis Jr. e Luiza. Fátima tinha irmãs de diferentes pais e morou em diferentes casas em troca de sua subsistência. Seu sonho era vir para Brasília para trabalhar, juntar dinheiro e comprar uma casa para sua mãe. José dizia que Fátima não fazia distinção entre seus filhos biológicos e eles, os filhos sociais. Em Brasília, Fátima conheceu um rapaz também filho de pais nordestinos, com muitos irmãos, sendo que ele era o 13º de quinze filhos. A maior parte de seus irmãos morava em São Paulo, por isso, entre eles havia pouca convivência. Luiz veio para Brasília, onde morou, de favor, em casa de amigos, até conseguir emprego. Dizia gostar muito de estudar, embora não tenha tido oportunidade. Luiz já tinha dois filhos que deixara no Nordeste. Sempre foi um pai afetuoso com todos os seus filhos, tanto biológicos como sociais. Conversava com eles e orientava-os para a vida.

José afirma *pertencer* à família social do abrigo e aos hábitos e costumes da rede social de amigos. Nos disse que esses pais sociais foram seus melhores pais, pois não faziam distinção entre os filhos biológicos e eles, os filhos sociais. Revela a falta de oportunidade em que vive o irmão e a compara com sua situação. Embora num abrigo, e com os laços afetivos enfraquecidos com a família biológica, sente-se mais amparado, lutando por seus sonhos e reconhecendo que a situação socioeconômica de sua família biológica não lhe daria condições para seu desenvolvimento nem o favoreceria para receber as oportunidades que está recebendo no abrigo. Por exemplo: seu grupo social de apoio escolar está firmado num alicerce de amizades de longos anos, com hábitos e costumes de classe média C. É perceptível, também, como esse jovem, ao vivenciar inúmeras perdas, o abandono e o distanciamento fraternal, foi entrando na vida adulta sem o tempo necessário para se preparar e como essas situações deram origem a seu sofrimento e a sentimentos exacerbados, como os de se defender de tal sofrimento (Figura 3).

Figura 3 - Família social para José (*)

*Nomes fictícios.

A história de José revela aspectos importantes para a compreensão de como sua história familiar, seja com a família biológica, seja com a social, contribuiu para sua estruturação identitária e para a forma como ele estabelece, no momento, as relações com as outras pessoas. Nesse sentido, sua identidade demonstra influências da rede de convivência do abrigo.

REFLEXÕES SOBRE OS GENOGRAMAS E O ABRIGO

Em nosso contexto, observamos genogramas cheios de lacunas e que carregam forte rejeição, promovendo a paralisação exagerada, impedindo, na maioria das vezes, o senso de fazer conexões com sua situação atual morando numa instituição e tendo uma família social para dar continuidade à vida, utilizando recursos extrafamiliares.

A transgeracionalidade está estritamente ligada à constituição dos processos de identificação. Ao se dar o nome do avô ao neto, uma tradição cultural, as decisões profissionais, ou uma segunda família pode funcionar, também, como um elemento que contribui para a identidade da pessoa e que aumenta a unidade e a força coercitiva do grupo. Essa história nos revela, por meio de um olhar sobre as dimensões transgeracionais presentes nas organizações familiares e no funcionamento emocional do ser humano, uma compreensão ampliada na dimensão intrapsíquica e no estudo das relações. O que mais nos impressionou, em nossa experiência nesse abrigo, foi a repetição das histórias familiares entre os pais sociais (que atendíamos, num desenvolvimento de papéis de pais) e os abrigados.

Será possível construir a hipótese de que a lealdade invisível também permeia uma comunidade como um abrigo? "Eu sou abandonado, malcuidado, abusado físico-emocional e/ou sexual e vou ser 'cuidado' por pessoas que têm uma mesma história como a minha?" – será essa a questão que os pais sociais buscam resolver quando se candidatam para trabalhar no abrigo? Como afirma Schutzenberger (1997), as repetições são como algo que não pode ser esquecido, falado, mas que é transmitido, sem palavras. Se nos debruçarmos sobre essas histórias, encontraremos respostas, poderemos fazer resgates ou estaremos fadados a ir jogando para a geração seguinte algum *fantasma* no inconsciente não explicitado?

Wats-Jones (1997, citado por Luchi, 2003), em seus estudos com famílias afro-americanas, revela a inadequação do genograma construído com base unicamente na noção de família biológica. O autor argumenta que "possuem uma longa história de definição de família como parentesco baseado nos laços biológicos, mas também, e não menos, nos laços funcionais" (p. 51). Assim, ele demonstra o que busca inovar, pela necessidade de compreender a transgeracionalidade não só biológica, mas também das relações funcionais (papéis adotivos de pai, de mãe, de irmão) que ocorrem em cada casa-lar. Ele vai além quando afirma que as relações funcionais são de dois tipos: as relações familiares funcionais (pessoas que funcionam como parentes, a família social, no caso do abrigo) e as de desempenho (membros com laços biológicos, mas que desempenham papéis diferentes, por exemplo, uma avó biológica que funciona como mãe). A relação familiar social (funcional) muda através do tempo, sendo caracterizada principalmente pelo laço afetivo, no qual a criança é reconhecida como irmã biológica e irmã social pelos outros membros da família da comunidade-abrigo, da comunidade-escola e, mais tarde, do ambiente profissionalizante.

Na tênue fronteira entre a família biológica e a social (funcional), observamos as identidades sociais em constante movimento, definindo-se e redefinindo-se por suas semelhanças. Em um abrigo com dez casas-lares, cada uma contendo entre oito e nove abrigados, pertencentes a duas ou até a seis famílias, podemos ver que, em sua totalidade, forma-se uma grande e complexa comunidade. Nessa rede de relações, a sociabilidade é reforçada pela ampliação dos laços entre amigos que vão se consolidando com o passar dos anos. O desenvolvimento dessa amizade reforça o que Sarti (2003) chama de vínculos morais, que se tornam mais importantes do que os elos de sangue. Afirma, então, a autora: "O vizinho torna-se seu espelho, o 'real-imediato' que serve de parâmetro para a elaboração de sua identidade social" (p. 116). Dentro dessa ótica, podemos pensar que a leitura relacional e a persistência de alguns aspectos no ciclo de vida podem revelar um entrelaçamento dos sistemas nos quais se convive.

Muitas vezes, ao examinarmos os mitos e os legados das histórias familiares, verificamos a paralisação da resolução de conflitos em uma geração, e isso traz conseqüências para outros aspectos da relação familiar. A impossibilidade ou a incapacidade de desempenhar um determinado papel familiar, ou de cumprir um compromisso afetivo com relação a outros membros da família, pode fazer que essa carência tenha uma resolução na geração seguinte. No contexto do abrigo, observo genogramas com muita falta de informações, evidenciando uma forte conotação de rejeição, podendo impedir o estabelecimento de outros vínculos na instituição.

PROCURANDO CAMINHOS...

Muitas são as angústias e as dificuldades presentes no abrigo, principalmente no que se refere ao cumprimento do Estatuto da Criança e do Adolescente (ECA). O abrigo deveria ser um lar provisório, no entanto, o que se observa é a permanência da criança, tornando-se institucionalizada. Apesar dessa adversidade, penso ter encontrado alguns pontos de referência para poder levar para a prática as seguintes construções:

- é possível perceber os acontecimentos dolorosos por outra perspectiva;
- na maioria das vezes a família social é a família funcional que acolhe e ajuda a criança a se sentir pertencente a um grupo;
- o genograma representa o aspecto relacional da família de origem, da família social (funcional), da dimensão transgeracional e intergeracional, e transmite para o abrigado uma forma e um corpo familiares, mesmo que seja com muitas lacunas, possibilitando à criança e ao adolescente se verem nessas histórias, entenderem de onde vêm, para irem além: o que querem ser;

- o genograma nos revela dados/informações convergentes para uma identidade comum e compartilhada e demonstra um delicado equilíbrio entre pertencer à diversidade histórica e separar-se transgeracionalmente. A criança/adolescente que vive em um abrigo apresenta uma viva necessidade de se situar, e a construção do genograma oferece essa possibilidade, quando mapeia suas histórias e redefine a realidade de maneira mais funcional (Schutzenberger, 1997).

A reconstrução dos significados, para essas histórias de abandono, revela-nos que é necessário passar por um lar, mesmo social (funcional), que demonstre ao ser humano um cuidado permanente, uma rotina e trocas afetivas numa vida relacional de permanência. A criança, ao ressignificar sua história, internaliza e reedita novos conceitos. Em nossa opinião, o essencial é a desmistificação do vínculo biológico como sendo "o mais importante", "o único capaz de gerar vínculos saudáveis". Ao desenvolvermos uma narrativa, uma história de vida que nos leva do passado ao presente e deste ao futuro, estamos nos autodefinindo.

Os abrigados lutam para compreender suas histórias de vida, para preencher as lacunas de informações, seja para descobrir os motivos reais que os levaram a morar num abrigo, seja numa tentativa de resolver as confusões criadas pela falta de informações ou por informações incompletas e controvertidas. Portanto, eles necessitam de uma oportunidade para reformular suas histórias, fazendo conexões com sua situação atual e dando continuidade à história vivida com as famílias biológicas e sociais (funcionais). Nesses questionamentos, muitas vezes só compreendemos algumas questões quando transcendemos na busca de um sentido inteligível para elas, ou, como nos afirma Foucault (1975, p. 87): "Na evolução, é o passado que promove o presente e o torna possível, na história, é o presente que se destaca do passado, confere-lhe sentido, e torna-o inteligível".

A valorização da dimensão transgeracional, mesmo num contexto de abrigo, revela que as histórias dos abrigados virão com as muitas relações que eles estabelecerem entre si e com a família social, afinal, o mundo deles não se restringe ao abrigo, tendo começado a existir muito antes. A construção do genograma torna possível que sejam vistas as repetições invisíveis e as diferentes funções familiares e suas regras. Ao questionarmos de onde viemos, contextualizamos a criança/adolescente na família biológica e social. Construímos genogramas pedindo a eles que contem e/ou falem de suas histórias, e, na procura de caminhos, encontramos a circularidade da vida: "Se vai ou não ser igualzinho". Será que não poderíamos sair dessa roda de repetições negativas que tanto nos angustia, mantendo os mesmos caminhos, como se estivéssemos numa repetição compulsiva inútil, para passarmos para um novo tempo, em que as gerações desenvolvem-se e abrem a história para soluções com reparações criativas?

Observamos, portanto, a grande necessidade de as famílias sociais serem flexíveis e adaptarem-se aos contínuos fatores estressantes aos quais se submetem diariamente. Nessa visão, teremos uma perspectiva para entendermos e compreendermos melhor como o genograma mapeia essas famílias sociais (funcionais) e a biológica em muitos problemas não resolvidos mas que nos proporcionam uma direção para intervenção.

Desse nosso ponto de vista, ao iniciarmos o processo, as histórias virão com as relações entre os diversos abrigados que compõem uma casa-lar; isso revelará que o mundo deles não se restringe ao abrigo, tendo começado a existir muito antes, situando-os numa perspectiva transgeracional, observando as repetições invisíveis, evidenciando as diferentes funções familiares dos grupos sociais de apoio da escola e do trabalho e suas regras.

REFERÊNCIAS BIBLIOGRÁFICAS

BOSZORMENYI-NAGY, I.; SPARK, G. M. *Lealtades invisibles*. Buenos Aires: Amorrortu, 1992.

BOWEN, M. "Theory in the practice of psychotherapy". In: GUERIN, P. J. (org.). *Family therapy: theory and practice.* Nova York: Gardner Press, 1976, p. 43-90.

CARTER, B.; MCGOLDRICK, M. (1989). *As mudanças no ciclo de vida familiar. Uma estrutura para a terapia familiar*. 2. ed. Trad. M. A. V. Veronese. Porto Alegre: Artmed, 1995.

BRASIL. *Estatuto da Criança e do Adolescente* – Lei nº 8.069/90.

FOULCAULT, M. *Doença mental e psicologia*. Rio de Janeiro: Tempo Brasileiro, 1975.

LUCHI, T. O. "Técnicas no trabalho com famílias pobres". *Nova Perspectiva Sistêmica*, 21, 2003p. 45-6.

SARTI, C. *A família como espelho: um estudo sobre a moral dos pobres*. 2. ed. São Paulo: Cortez, 2003.

SCHUTZENBERGER, A. A. *Meus antepassados: vínculos transgeracionais, segredos de família, síndrome de aniversário e prática do genossociograma*. Trad. J. M. C. Villar. São Paulo: Paulus, 1997.

AS ORGANIZADORAS

MARIA APARECIDA PENSO é psicóloga, terapeuta conjugal e de família, psicodramatista, doutora em Psicologia Clínica pela Universidade de Brasília, professora no Curso de Graduação e no Programa de Pós-Graduação em Psicologia da Universidade Católica de Brasília, autora de vários artigos científicos e capítulos de livros.

LIANA FORTUNATO COSTA é psicóloga, terapeuta conjugal e de família, psicodramatista, doutora em Psicologia Clínica pela Universidade de São Paulo, docente permanente do Departamento de Psicologia Clínica da Universidade de Brasília, autora de dezenas de artigos científicos e capítulos de livros, autora do livro *E quando acaba em mal me quer? – Reflexões acerca do grupo multifamiliar e da visita domiciliar como instrumento da psicologia na comunidade* e uma das organizadoras das obras *Família e problemas na contemporaneidade: reflexões e intervenções do Grupo Socius* e *Violência no cotidiano: do risco à proteção.*

OS AUTORES

ANTONIA LUCIA RIBEIRO FREITAS é psicóloga clínica, psicodramatista, especialista em terapia conjugal e familiar, trabalha em consultório particular e em consultoria para a Casa de Ismael/Brasília/DF. E-mail: antonialrf@pop.com.br

CENEIDE MARIA DE OLIVEIRA CERVENY é psicóloga, terapeuta conjugal e de família, doutora em Psicologia, professora do Núcleo de Família e Comunidade (Nufac), do Programa de Estudos Pós-Graduados em Psicologia Clínica da PUC-SP. E-mail: ceneide@uol.com.br

DEISE MATOS DO AMPARO é psicóloga, doutora em Psicologia Clínica pela Universidade de Brasília, professora dos cursos de graduação e mestrado em Psicologia da Universidade Católica de Brasília. E-mail: deise@ucb.br

ELIANA MENDONÇA VILAR TRINDADE é psicóloga, terapeuta conjugal e de família, doutora em Psicologia Clínica pela Universidade de Brasília, professora da Faculdade de Ciências Médicas do Distrito Federal. E-mail: elianavilar@yahoo.com.br

HELOISA MARIA DE VIVO MARQUES é psicóloga, mestra em Psicologia pela Universidade Católica de Brasília, professora do Centro Universitário Euro-americano (Unieuro). E-mail: helodevivo@yahoo.com.br

JOSENICE R. BLUMENTHAL DIETRICH é terapeuta conjugal e de família, mestranda do Núcleo de Família e Comunidade (Nufac), do Programa de Estudos Pós-Graduados em Psicologia Clínica da PUC-SP. E-mail: josenice@uol.com.br

JÚLIA SURSIS NOBRE FERRO BUCHER-MALUSCHKE é psicóloga, terapeuta conjugal e de família, doutora em Psicologia pela Universidade Católica de Louvain (Bélgica), professora titular do Programa de Pós-Graduação da Universidade de Fortaleza, pesquisadora associada sênior da Universidade de Brasília. E-mail: agathon@fortalnet.com.br

KAMILLA DANTAS DE OLIVEIRA é psicóloga, bolsista de iniciação científica da Universidade Católica de Brasília. E-mail: kamillaoliveira@yahoo.com.br

IZABEL CRISTINA BAREICHA é psicóloga, psicodramatista, mestranda em Psicologia pela Universidade Católica de Brasília (UCB), coordenadora do Centro de Referência Especializado de Assistência Social (Creas) de Taguatinga. E-mail: bareich@hotmail.com

MARIA ALEXINA RIBEIRO é psicóloga, terapeuta conjugal e de família, terapeuta sexual, doutora em Psicologia Clínica pela Universidade de Brasília, professora no Curso de Graduação e no Programa de Pós-Graduação em Psicologia da Universidade Católica de Brasília. E-mail: alexina@solar.com.br

MARIA EVELINE CASCARDO RAMOS é psicóloga, psicodramatista, mestra em Psicologia Social e da Personalidade pela Universidade de Brasília, professora do Curso de Psicologia da Universidade Católica de Brasília. E-mail: evelinecascardo@yahoo.com.br

MARLENE MAGNABOSCO MARRA é psicóloga, psicodramatista, terapeuta conjugal e de família, mestra em Psicologia pela Universidade Católica de Brasília, coordenadora de ensino do Instituto de Pesquisa e Intervenção Psicossocial (Interpsi). E-mail: mmarra@terra.com.br

MARLI DA SILVA ALBUQUERQUE é psicóloga, cursando especialização em Terapia Conjugal e Familiar. E-mail: marlialbuquerque@uol.com.br

TÂNIA MARA CAMPOS DE ALMEIDA é antropóloga, doutora em Antropologia pela Universidade de Brasília, professora do Programa de Pós-Graduação em Psicologia da Universidade Católica de Brasília, coordenadora do Curso Lato Sensu em Antropologia da Universidade Católica de Brasília. E-mail: tmara@pos.ucb.br

SHYRLENE NUNES BRANDÃO é psicóloga, mestra em Psicologia Clínica pela Universidade de Brasília, professora do Curso de Psicologia da Universidade Católica de Brasília, formação em Psicodrama. E-mail: shylbrandao@terra.com.br

VIVIANE LEGNANI NEVES é psicóloga, psicanalista, doutora em Psicologia do Desenvolvimento pela Universidade de Brasília, professora do Curso de Psicologia da Universidade Católica de Brasília. E-mail: vivianeleg@abordo.com.br

VICENTE DE PAULA FALEIROS é assistente social, Ph.D. em Sociologia pela Universidade Montreal, professor titular aposentado, pesquisador associado da Universidade de Brasília, professor da Universidade Católica de Brasília. E-mail: vicentefaleiros@terra.com.br

IMPRESSO NA
sumago gráfica editorial ltda
rua itauna, 789 vila maria
02111-031 são paulo sp
telefax 11 6955 5636
sumago@terra.com.br
GRÁFICA
sumago